Afgański
Zeus

KONRAD T. LEWANDOWSKI

AFGAŃSKI ZEUS

POWIEŚĆ PRZYGODOWA

Wydawnictwo Dolnośląskie

Projekt okładki
Mariusz Banachowicz

Redakcja
Anna Wawryszuk

Korekta
Magdalena Fortuniak

Redakcja techniczna
Adam Kolenda

Polish edition © Publicat S.A. MMXI

ISBN 978-83-245-8960-9

Wrocław

Wydawnictwo Dolnośląskie
50-010 Wrocław, ul. Podwale 62
oddział Publicat S.A. w Poznaniu
tel. 71 785 90 40, fax 71 785 90 66
e-mail: wydawnictwodolnoslaskie@publicat.pl
www.wydawnictwodolnoslaskie.pl

Pioruny z Hindukuszu

Żandarm wyleciał przez okno.

Pod naciskiem pleców wyłamały się krzyżowe poprzeczki łączące poszczególne tafle szkła i tak przepadła jego ostatnia nadzieja na odzyskanie równowagi. Jeszcze rozpaczliwie chwycił się story, ale zerwał ją razem z karniszem, sekundę później puściły zaczepy i zasłona załopotała nad nim jak ogon znikającej za parapetem komety. Rozległ się przenikliwy brzęk szyb rozpryskujących się na petersburskim bruku, a następnie potężny łomot i trzask. O dziwo jednak, nie był to taki odgłos, jaki powinno wydać ludzkie ciało spadające z wysokości pięciu metrów na kocie łby.

Sergiusz Lawendowski chwiejnym krokiem podszedł do wyrwy i spojrzał w dół. Żandarm miał szczęście, spadł na dach dorożki czekającej pod restauracją. Nic mu się nie stało i właśnie z pomocą zaskoczonego stangreta usiłował wygrzebać się ze sterty połamanych szczątków. Sergiusz zaklął, odwrócił się i z najbliższego stołu porwał butelkę szampana. Na dnie było jeszcze tak na trzy palce musującego napoju. Wychylił go jednym haustem i wrócił do okna. Żandarm już siedział, ale trafiony ciężką butelką w czoło padł jak kłoda, zalewając się krwią. Przerażony stangret zaciął konia i odjechał w popłochu w kierunku placu Issakiewskiego.

Starszy lejtnant odruchowo obciągnął po bokach marynarkę w angielską kratę, jakby to była bluza mundurowa, i powiódł wzrokiem po sali restauracyjnej. Wszyscy oczywiście patrzyli na niego. Drugi żandarm stał jakieś dziesięć kroków od Sergiusza, ale po tym pokazie ani myślał interweniować. Los podwładnego też najwyraźniej był mu obojętny, całą uwagę skupiał na wyjaśnie-

niach korpulentnego właściciela lokalu, który tłumacząc coś go-
rączkowo, co chwila dla podkreślenia wagi swych słów plaskał
otwartą dłonią w kark pokornie schylonego kelnera. To on nad-
gorliwie wezwał żandarmów, żeby wyprowadzili awanturującego
się gościa. Gdyby Sergiusz nie był po cywilnemu, kelner z pewnością na to by się nie odważył. Teraz wychodziło, że sam skończy
w roli jedynego winnego całego zajścia, sobaczy jego los...

Żandarm pokiwał głową ze zrozumieniem i też dał w łeb kelnerowi. Oznaczało to, że już padły magiczne słowa, wypowiedziane
z przydechem i konfidencjonalnym szeptem: „Gwardia przyboczna
z Carskiego Sioła, oficer do specjalnych poruczeń Jej Imperatorskiej
Wysokości Elżbiety Aleksandry Fiodorowny"... No tak, właśnie on
– starszy lejtnant Sergiusz Lawendowski – we własnej, pijanej jak
świnia osobie, człowiek z licencją na demolowanie petersburskich
knajp, pranie po pyskach szeregowych przedstawicieli władzy oraz
ciskanie nimi przez okna. Nic mu nie mogli zrobić. Szef restauracji to
wiedział, nowo zatrudniony kelner jeszcze nie, stąd ta afera. Tylko
o co właściwie poszło? To było dobre pytanie...

Sergiusz spróbował sobie przypomnieć, wytężając zamroczony
alkoholem mózg. Pamiętał tylko, że coś powiedział. Co? Kompletna
pustka w głowie. Ale po tym, co rzekł, a z całą pewnością zrobił to
za głośno, przy sąsiednich stolikach zapadła głucha cisza. Potem jakiś spurpurowiały apoplektycznie czynownik, starszawa, nabzdyczo-
na swołocz, trzeciej, a może nawet drugiej rangi cywilny generał,
mówiąc krótko, poderwał się z miejsca i zaczął histerycznie wrzesz-
czeć, że on tego nie zniesie, on sobie wyprasza, on się domaga knu-
tów, Sybiru i tak dalej w tym asortymencie. Nadbiegł kelner, po
czym źle wybrał gościa, któremu w tej sytuacji wolno krzyczeć głośniej. Sergiusz ze swej strony niczego nie prostował, zbyt wielką
miał ochotę dać komuś w mordę. Teraz czynownik siedział skulony
na swoim krześle i łypał przepraszająco przekrwionymi ze strachu
ślepiami. Ba, nawet starał się przymilnie uśmiechać, boż wiadomo,
wasze wysokobłagorodie, jak to jest, kiedy się człowiek mało wiele

wódeczki napije… Ludzka rzecz. Cokolwiek Sergiusz powiedział, jakie by to nie było bluźnierstwo i przeciw komu, niżej postawieni nie śmieli go osądzać, pouczać ani tym bardziej wyciągać konsekwencji. Jeżeli wstyd im było potakiwać, mogli najwyżej udać, że nie słyszeli. Ot, ruski obyczaj!

Tylko co ja właściwie powiedziałem?, koniecznie chciał się dowiedzieć Sergiusz. Podszedł do swojego przygodnego kompana, który całą awanturę przespał błogo z twarzą w talerzu z niedojedzonymi blinami z czarnym kawiorem. Jakże mu tam było? Misza czy Grisza? Czort jego chrzcił! Chwycił towarzysza za kudły na potylicy i podniósł do pionu.

– Ty, powiedz mi, co ja powiedział? – Pochylił się nisko, żeby odpowiedź przypadkiem znów kogoś nie zbulwersowała.

– Eeee… ktooo, gdzie… jeszczeeee… kieliszeee-cz-ek?! – czknął zapytany.

Zrezygnowany Sergiusz upuścił go z powrotem w placki. Uniósł się i znów rozejrzał po lokalu. Kelner nadal brał po pysku, na zmianę od pryncypała i żandarma, za wprowadzenie władzy w błąd, ale coraz mniej osób to interesowało. Goście znów pochylali się nad swoimi zastawami. Od wybitego okna ciągnął słony rześki wiatr znad Bałtyku.

Co ja tu robię?, zapytał Sergiusz sam siebie. Nagle, bez ostrzeżenia wrócił ten podły nastrój, od którego wszystko się zaczęło. Dojmująca świadomość, że jego życie nie ma najmniejszego sensu. Że wszystko, co wielkie, porywające i wspaniałe, już było, już się stało, przeminęło i przepadło bezpowrotnie. Stracona Patrycja, stracona miłość… odeszła Druga Rzeczpospolita… skośnooki król Polski… Chimery i mrzonki. Tak! Pewnie, że mrzonki, zwidy, majaki, złudzenia, utopie! Tylko że bez nich, czuł to wyraźnie, nie było już nic. Tylko jedna, wielka, dławiąca gardło, rozpaczliwa pustka. Mógł ją zalewać alkoholem, zapełniać złością, trzaskiem wybijanych szyb i głuchym, beznadziejnym skowytem opuszczonej przez Boga duszy.

Znów stanęła mu przed oczami twarz Patrycji. Ileż w niej było żałoby i dumy, gdy odrzucała ze wzgardą jego oświadczyny, nazywając go niewolnikiem i duchowym starcem. Czemu wtedy nie znalazł w sobie dość honoru, żeby od razu strzelić sobie w łeb? Wszak żyć nie miał ani po co, ani dla kogo. Dla cara? Tu zdaje się powiedział to, co powiedział... Teraz już nie chciał wiedzieć, co dokładnie. Bardziej chciał umrzeć, tyle że nikt nie chciał go zabić... Dlaczego? Co trzeba zrobić petersburskiemu żandarmowi, żeby ten w końcu sięgnął po nagana? Czemu ubić nie chcą...? Ani się Sergiusz spostrzegł, jak skutkiem pijackiego wzruszenia, że żyć się już nie da, a ubić nie chcą, oraz z bezmiaru żałości nad tym stanem egzystencji, łzy gęsto pociekły mu po policzkach.

Pijany Lawendowski stał w zdemolowanej restauracji i płakał jak sztubak. Kilku Rosjan, którzy wciąż jeszcze poświęcali mu swoją uwagę, na ten widok niezwłocznie napełniło wódką literatki i w stronę oficera wyciągnęły się z różnych stron trzy ręce z pełnymi szklaneczkami. Oj tak, ten stan ducha bracia Słowianie bardzo dobrze rozumieli!

Sergiusz chwycił najbliższą wódkę, wypił i ruszył do wyjścia. Częstujący pożegnał go marsowym skinieniem głowy, dodając otuchy bliźniemu o zbolałej duszy. Żandarm, kelner i jego pryncypał, którzy stali w przejściu między stolikami, rozstąpili się jak na komendę. Ten ostatni zapraszał znowu, zapewniając, że „okno głupstewko!". Żandarm ze swej strony dodał, że „podlecowi słusznie się należało", zdaje się miał na myśli kolegę, który odjechał dorożką. Sponiewieranemu kelnerowi Sergiusz wcisnął pięćsetrublowy banknot, wpędzając nieboraka w poczucie winy, że za taki napiwek to jeszcze stanowczo za mało oberwał. Pewnie, że było grubo za dużo, nawet odliczając wszystkie spowodowane szkody materialne i moralne, ale dla Sergiusza to już nie miało znaczenia. Wszak właśnie szedł się utopić. Bałtyk zbyt pięknie, zbyt kusząco pachniał, aby można było wybrać inny rodzaj śmierci. Zwłaszcza po litrze wódki pomieszanej z szampanem... Sęk w tym, że z tego samego powodu centrum Petersburga trochę mu się poplątało i pojawiło się pytanie, jak najkrótszą drogą dojść do nabrzeża? Po drodze trafi się pewnie jakaś knajpa, tam zapyta, jak iść, i może jeszcze coś wypije... Utopić się zawsze zdąży... Bałtyk nie zając, nie ucieknie... Albo skoczy sobie z któregoś mostu i Newa poniesie go dalej sama...

Lawendowski niedbale zarzucił na ramiona płaszcz i wytoczył się z restauracji, ignorując szwajcara pytającego usłużnie, czy jaśnie wielmożnemu panu wezwać dorożkę. Nie chciał dorożki. Interesował go tylko wiatr od morza. Szedł środkiem ulicy, pod bryzę, ciesząc się, że zaraz wszystko się skończy, całe to zasrane, pieskie życie... Niech zniknie, niech rozpłynie się w morzu... Cóż, tak prawdę powiedziawszy, owszem zniknie, ale i pojawi się znowu wraz z kacem, najpewniej w norze jakiejś kurwy, do której Sergiusz trafi jak zwykle zbyt pijany, by się czymkolwiek zarazić. Wszak to już nie pierwszy raz od powrotu z Mandżurii starszy lejtnant Lawendowski w pijanym widzie szedł ze sobą skończyć... Owszem, jakby się kto pytał, żałosne to było. Tak żałosne, że koniecznie utopić się trzeba. Inaczej nie uchodzi.

– *Wasze wysokobłagorodie!* – wyrosła przed nim brodata postać w wojskowym szynelu. Głos brzmiał znajomo.

– Czeeeego?! Utopić się idę! Coo, nieee wolno?!

– Nie trzeba się topić, *wasze wysokobłagorodie. Gospodin* generał by się o to pogniewał – perswadował mu łagodny, pełen współczucia głos. – Nie trzeba się topić.

Sergiusz zmobilizował resztki jasności umysłu i rozpoznał Jemieliuszę, osobistego ordynansa generała Brusiłowa. Nie ulegało wątpliwości, że skoro pan generał życzył sobie widzieć Siergieja Henrykowicza żywego, to poczciwy Jemieliusza panu generałowi Siergieja Henrykowicza żywego, jak się należy według rozkazu, dostarczy. Choćby troszkę sponiewieranego i związanego w baleron, ale dostarczy... Topienie się najrozsądniej było odłożyć na następną okazję.

Mużyk delikatnie, acz stanowczo ujął oficera pod pachę i poprowadził gdzieś w bok.

– U mnie jest *karieta* – szeptał z szacunkiem. – Sam *gospodin* generał ją po *wasze błagorodie* posłał…

Powóz czekał za rogiem. Troskliwy Jemieliusza pomógł Lawendowskiemu wdrapać się do środka i zamknął się wewnątrz razem z nim. Ruszyli od razu. Sergiuszowi znów zmienił się nastrój. Ktoś dysponował nim bez jego chęci… No i po co tu się topić, skoro tak na dobrą sprawę już był trupem? Żałosnym, żywym trupem animowanym przez wolę zwierzchnika.

– Masz co wypić?! – burknął opryskliwie.

– Według rozkazu, *wasze wysokobłagorodie* – Jemieliusza bez ociągania podał mu żołnierską manierkę.

W środku była najpodlejsza gorzała dla szeregowców, na dodatek obrzydliwie ciepła. Sergiusz zakrztusił się już po pierwszym łyku. Rozkasłał się gwałtownie, a wtedy nagle Jemieliusza, powóz i przesuwające się za oknami budynki rozpadły się i rozproszyły w niebycie niczym krople wykrztuszanej wódki.

* * *

Kac moloch eksplodował wraz z pierwszym błyskiem światła, który przewiercił oczy, wdzierając się do czaszki przez uchylone nieostrożnie powieki. Głowę Sergiusza przybito gwoździami. Do podłogi? Do materaca? Czy może do ściany…? Tego nie wiedział, ale te gwoździe miały na pewno po dwanaście cali, bo przeszły na wylot. To akurat czuł bardzo wyraźnie. I jeszcze świeciły, jakby były rozpalone do białości…

– Siergieju Henrykowiczu… – ktoś wsunął mu rękę pod plecy, pomógł usiąść. – Proszę… – W dłoń wciśnięto mu chłodną szklankę. – Pijcie duszkiem na zdrowie!

Zrobił, co kazano, myśląc, że to woda lub kwas. Tymczasem w szklance była lodowato zimna wódka, schłodzona aż do konsystencji oleju. Sergiusz w szoku gwałtownie otworzył oczy. Tym razem nie zakrztusił się, ale tylko dlatego, że po prostu sparaliżowało go od czubka języka aż po przeponę.

Na brzegu łóżka siedział zatroskany generał Brusiłow i to on osobiście udzielał młodemu oficerowi pierwszej pomocy.

– Już dobrze, dobrze… – mówił łagodnie generał, nie podnosząc głosu. – A teraz, Siergieju Henrykowiczu, nabierzcie tchu… No śmiało, oddychajcie, oddychajcie…

Lawendowski spazmatycznie zaczerpnął powietrza, jakby właśnie opuścił łono matki, nawet dźwięk, który teraz z siebie wydał, całkiem dobrze przypominał kwilenie niemowlęcia. W zamian rozżarzone gwoździe zaczęły wysuwać się z jego czaszki. Chwilę później, kiedy zdołał unieść rękę i pomacać głowę, już ich tam nie było. Wypił tylko pół szklanki podanej przez Brusiłowa, lecz to wystarczyło. Generał nie wmuszał w niego więcej, odstawił resztę alkoholu na nocny stolik i podniósł się z łóżka.

– Wybaczcie, Siergieju Henrykowiczu, że nie dałem wam jak należy wypocząć i dojść do siebie, ale czasu mamy mało – powiedział i wyszedł, odkładając dalsze wyjaśnienia na później.

Zaraz potem do pokoju wkroczył Jemieliusza z szerokim, imperialnym uśmiechem od Łodzi po Władywostok, wnosząc tacę z iście cesarskim śniadaniem. Były tu rydze w solance, biały i czerwony kawior, ciepłe chrupiące bułeczki, gorące serdelki w sosie chrzanowym, wędzona słonina garnirowana marynowanymi w ukraińskim stylu pędami czosnku oraz strąkami zielonego pieprzu. Słowem, odwieczna mądrość ruskiego ludu zaklęta w smacznych i pożywnych produktach. Nad całą tacą, niby kremlowska baszta, dominował słój kiszonych ogórków gęsto przetykanych koprem, od zapachu którego aż kręciło w nosie.

Gama pikantnych smaków orzeźwiła go z miejsca i z każdym kęsem przywracała siły. Sergiusz z rosnącym apetytem wymiótł wszystkie talerze, a w słoju po ogórkach zostały tylko koper oraz dębowe liście. Tymczasem Jemieliusza dostarczył mu świeży mundur oraz misę z wodą i przybory do golenia.

Trzy kwadranse po pierwszym, niefortunnym otwarciu oczu starszy lejtnant Sergiusz Lawendowski, całkiem zdrów i w stanie przyjemnego rauszu, stanął przed generałem Brusiłowem i z werwą zameldował gotowość podjęcia wszelkich zadań.

– Umysł macie jasny? – upewnił się gospodarz.

– Tak jest, panie generale!

– To dobrze, powóz czeka. – Gospodarz ruszył do drzwi, nie oglądając się na młodszego oficera.

Pierwszych kilka minut jechali w milczeniu. Powoził Jemieliusza. Sergiusz nie pytał generała, dokąd jadą, byłoby to najzupełniej zbędne marudzenie. Dowódca sam powie, kiedy będzie trzeba. Do tej pory mógł cieszyć się przejażdżką i oddychać głęboko świeżym powietrzem, w którym czuć już było zbliżającą się szybko wiosnę 1903 roku. Białe brzózki wzdłuż drogi wypuszczały młode listki, raźno ćwierkały ptaszęta. Zmierzali gdzieś na peryferia Petersburga.

– Marnujecie mi się, Siergieju Henrykowiczu – odezwał się wreszcie Brusiłow. – No a żal, żebyście się zmarnowali. I czemu tak pijecie?

Sergiusz nie odpowiedział. Po pierwsze dlatego, że pytanie było retoryczne, po drugie – tłumaczyć się w Rosji z pijaństwa to jak przepraszać w niebie za nadmiar osobistej cnoty.

– Kuzyni buntownicy duszę wam zatruli – odpowiedział sam sobie generał. – Pokazali wam, jak to dusza w człowieku rośnie, kiedy się on z motyką na słońce porywa, mierzy siły na zamiary, rusza zmieniać świat, a przynajmniej tego próbować. Dali wam posmakować dzikiej swobody, takiej, co nie liczy się z nikim i niczym, i do tej pory wam od tego w głowie się kręci…

– Wybrałem służbę Rosji i jej Imperatorowi! – wycedził przez zęby Sergiusz, tracąc humor, bo Brusiłow trafił w sedno.

– Ale ochota już u was nie ta co kiedyś, oj nie ta. Ślad został jak blizna…

Generał wiedział o wszystkim, co wydarzyło się w Mandżurii. Zaraz po powrocie Sergiusza do Petersburga postawił dużą wódkę i powiedział krótko: „A teraz powiecie to, czegoście nie napisali w raporcie". Przegadali o Bursztynowym Królestwie całą noc. Sergiusz nie miał wtedy żadnych wątpliwości, komu winien jest lojalność. A może było to trochę przez zawiedzioną miłość i przez złość na Patrycję? W każdym razie opowiedział Brusiłowowi wszystko, szczerze jak ojcu. O dziwo, rano generał nie kazał mu pisać aneksu do raportu. „Nie uwierzą, wyśmieją", stwierdził tylko, a Sergiusz został z kacem, przede wszystkim moralnym, który pogłębiał się z dnia na dzień i coraz trudniej było go zaklinować. Doszło do tego, że gdy tylko dostawał wolne z Carskiego Sioła, chlał na umór. I tak już prawie trzy lata...

– Służba nie drużba, Aleksieju Aleksiejewiczu – starszy lejtnant postanowił wykazać się charakterem i uciąć sentymentalne dywagacje.

– A tak, nie drużba – pokiwał głową generał. – Czasem służyć Gosudarowi-Imperatorowi ciężko, oj ciężko. Czasem coś nieprawomyślnego o jakimś samodzierżawiu i toporze z gęby się wymsknie...

Sergiusz poczerwieniał gwałtownie. Wreszcie sobie przypomniał: „Jak samodzierżawie to i styliska topora też... car całkiem jak kat...". W każdym razie coś w ten deseń było. Wyglądało na to, że generał Brusiłow lepiej od samego Lawendowskiego wie, co starszy lejtnant wygaduje po knajpach w stanie pijackiej szczerości. *Wot*, niespodzianka!

– Biedy sobie napytacie – stwierdził krótko generał. – Donosy na was krążą jak te kruki. Jeszcze łaska Imperatorowej nad wami, ale to już niedługo, niedługo...W końcu palniecie coś takiego, że zatuszować nijak się tego nie da.

– Będę uważał, panie generale – zapewnił Sergiusz.

– Jakże to uważać na siebie będziecie, kiedy znów za dużo wypijecie? – wzruszył ramionami generał. – Prawda jest taka, Siergieju Henrykowiczu, że wy już Najjaśniejszego Imperatora nie kochacie, ale bać się go, jak prawdziwy ruski człowiek, to się jeszcze ani trochę nie boicie. Wypijecie sobie parę głębszych i zaraz budzi się w was krew polskich buntowników. W Mandżurii, chcąc nie chcąc, przypomnieli wam, z jakiego rodu jesteście, tak i teraz ciągnie natura wilka do lasu...

– Co jest ważniejsze, panie generale – Lawendowski postanowił stawić opór – jakieś tam sentymentalne smutki czy przysięga i honor?! Wiem, komu służę!

– Usłyszeć miło, ale to zależy, Siergieju Henrykowiczu. Mianowicie zależy od tego, czy to wy mówicie, czy złe języki o was mówią. Dlatego trzeba was odesłać z Pitra, zanim do nieszczęścia dojdzie.

– Dokąd, panie generale?

– Daleko – odparł wymijająco Brusiłow.

– Ależ cesarzowa mnie nie puści...

– Już puściła. Wczoraj wieczorem zaufana dama dworu powiedziała jej, że najstarsza księżniczka już nie ze wszystkim dziecinnymi oczami na was patrzy... Co prawda, jeszcze w tym sama niewinność, a i wy sami nic nie spostrzegliście, ale na co kusić licho? Wszak już jedna się dla was topiła... Godzina od tego doniesienia nie minęła, a z Carskiego Sioła zadzwonili do mnie z pytaniem, czy bym znów dla Siergieja Henrykowicza jakiej ciekawej zagranicznej misji nie znalazł, bo taki dzielny młodzieniec trochę się przy dworze nudzi. Odpowiedziałem, że to nadzwyczajnie dobrze się składa. Dziś odeślą wasze rzeczy. A cesarskie zadowolenie na piśmie już w waszych aktach leży i wszelkie donosy jak ten strach na wróble płoszy. Tak i dojechaliśmy!

Zatrzymali się przed ukrytym w sosnowym lesie pawilonem, którego architektura przywodziła na myśl budynki petersburskiego uniwersytetu. Jednak przed wejściem przechadzał się umundurowany strażnik z bagnetem na karabinie, a więc był to obiekt wojskowy. Na dachu budynku stały ażurowe stalowe maszty, oplecione gąszczem drutów.

Wartownik na widok generała wyprężył się jak struna. Brusiłow i Lawendowski, salutując niedbale, weszli do holu. Oficer dyżurny dobrze wiedział, co ma robić. Poderwał się, zawołał, że już zawiadamia *gospodina profiessora*, i gdzieś pobiegł. Wrócił po trzech minutach w towarzystwie mężczyzny w średnim wieku, z sumiastymi wąsami i trójkątną szpakowatą bródką, wyglądającego jak typowy rosyjski inteligent.

Nie trzeba było przedstawiać, Sergiusz zdjęcia w gazetach widywał nieraz. Aleksander Stiepanowicz Popow... Sławny akademik i konstruktor telegrafu bez drutu.

Powitanie było zdawkowe i poważne. Następnie przeszli do laboratorium zastawionego cewkami Ruhmkorffa, butelkami lejdejskimi i iskrownikami, wśród których krzątało się dwóch skupionych asystentów w szarych fartuchach. Gdzieś w tle buczał transformator. Co chwila to tu, to tam strzelały wyładowania elektryczne, intensywnie pachniało ozonem. W najciemniejszym kącie pomieszczenia błyskała regularnie purpurowym światłem rurka wyładowcza Geisslera. Ten ostatni aparat bardzo zaintrygował Sergiusza, gdyż działał bez widocznego źródła zasilania. Rurka podłączona była jedynie do cewki i butelki lejdejskiej, która powinna była wystarczyć tylko na jeden błysk, no może kilka, ale coraz słabszych. Wyglądało tak, jakby całe ustrojstwo czerpało energię z powietrza...

– Rezonans elektromagnetyczny – rzucił zdawkowo Popow i nie wdając się w dalsze wyjaśnienia, zaprowadził gości do kantorka na drugim końcu laboratorium, poprosił, by usiedli, i zawołał o herbatę. Zanim przyniesiono samowar, gospodarz osobiście uprzątnął biurko zasłane schematami elektrycznymi i kartkami z obliczeniami matematycznymi.

– Profesorze, proszę powtórzyć starszemu lejtnantowi Lawendowskiemu to wszystko, co wcześniej mnie powiedzieliście – polecił generał, kiedy podano herbatę.

Popow dopiero teraz popatrzył uważniej na Sergiusza.

– Co wiecie, młody człowieku, o telegrafie bez drutu? – spytał go bez ceregieli jak studenta na egzaminie.

– Zabawka bez znaczenia strategicznego – odparł bez namysłu zapytany.

– Tak sądzicie, lejtnancie? – profesor Popow zmrużył oczy i rzucił generałowi kose spojrzenie, wyraźnie pytające: „A kogo wyście mi tu sprowadzili?".

Dwója wisiała w powietrzu. Sergiusz postanowił się wykazać.

– Jaki może być wojenny pożytek z aparatu nadającego sygnały na odległość pięciu wiorst? Toż lepiej już posłać gońca, na dobrym koniu w pół kwadransa dojedzie, albo przeciągnąć kabel telefoniczny.

– Pięć wiorst, powiadacie – skinął głową Popow. – A jeśli byłoby więcej...? – zawiesił głos.

– Ile więcej, panie profesorze? Piętnaście, sto pięćdziesiąt?

– A choćby i tysiąc pięćset. Co wy na to?

– Że nadal zwykły telegraf lepszy. Wszak teraz linie i po kilkanaście tysięcy kilometrów mają.

– Znacie francuskie miary? – zagadnął Popow na dźwięk słowa „kilometr".

– Znam, panie profesorze, i na własny użytek w nich liczę, bo są dużo wygodniejsze od rosyjskich.

– I ja też znam – akademik spojrzał życzliwiej na młodego oficera. – A co byście powiedzieli, gdyby telegraf bez drutu okazał się mieć większy zasięg od tego z drutem?

Sergiusz demonstracyjnie wzruszył ramionami, dając do zrozumienia, że jako poważny wojskowy nie może pozwolić sobie na zbyt fantastyczne dywagacje. A następnie przeszedł do kontrofensywy.

– Potraficie taki telegraf bez drutu zbudować? – spytał zaczepnie.

– Nie potrafię – przyznał szczerze Popow. – Ale jest na tym świecie ktoś, kto potrafi.

– I to nas właśnie smuci... – dodał generał Brusiłow.

– Słyszeliście może, starszy lejtnancie – zaczął opowieść Popow – że moim pierwszym wynalazkiem z dziedziny elektromagnetyzmu był wykrywacz piorunów. Każda iskra elektryczna, zwłaszcza tak wielka jak piorun, jest źródłem pól elektrycznych i magnetycznych, które rozchodzą się od niej z prędkością światła, a samo światło też jest falą elektromagnetyczną. O moim wykrywaczu parę lat temu pisały gazety…

Lawendowski skinął głową na znak, że czytał. W szkole oficerskiej sporo się mówiło o nowinkach naukowych.

– Może was to zdziwi, ale ten wynalazek okazał się dużo bardziej praktyczny od telegrafu bez drutu. I nie idzie tu o odległość, na jaką można nadawać sygnały. Wykrywaczem piorunów bardzo zainteresowały się towarzystwa ubezpieczeń, żeby się bronić przed oszustami wyłudzającymi odszkodowania. Ot, ubezpieczy taki gałgan na pokaźną sumkę fabrykę czy magazyn towarów, potem sam je sobie podpali i mówi, że piorun z jasnego nieba strzelił i cóż na wolę bożą począć? Niech towarzystwo płaci! Wobec tego dobrzy ludzie, żeby się przed takimi złodziejami ustrzec, poprosili mnie o skonstruowanie aparatu, który da znać, gdy piorun gdzieś daleko uderzy, tak że choć już grzmotu nic a nic nie słychać, to dokładną godzinę zdarzenia można zapisać i sprawdzić, czy ten poszkodowany aby nie kłamie. Czy o tej porze, kiedy mu się coś tam zapaliło, naprawdę mogło się zapalić od pioruna. A to jeszcze mało, bo można wszystko tak udoskonalić i kilka aparatów wykrywających tak rozstawić, żeby potem metodami geometrycznej triangulacji dało się wyliczyć, gdzie ów piorun strzelił i czy pogorzelisko jest we właściwym miejscu. Dostałem na to duże pieniądze i wywiązałem się z zadania jak należy.

– Pogratulować, panie profesorze, ale gdzie tu robota dla wojska?

– Siergieju Henrykowiczu…! – westchnął z przyganą generał.

– Wybaczcie, już słucham – zapewnił Lawendowski.

– Może trochę za dużo się chwalę, zamiast od razu do rzeczy mówić – przyznał pojednawczo Popow.

– Ależ mówcie, profesorze, wszystko po kolei, jak było – zaoponował Brusiłow.

– Znaczy tak, panowie oficerowie – uczony napił się herbaty i podjął przerwany wątek. – Najpierw wykrywacze piorunów zainstalowaliśmy dyskretnie w Petersburgu i Moskwie. Sprzęt był prosty, ale i tak zaraz pięciu hochsztaplerów ubezpieczeniowych na jawnym oszustwie przyłapanych zostało. Prototyp tak dobrze się spisał, że ludzie od ubezpieczeń dali mi pieniądze na dalsze badania i spytali, czy nie dałoby się zaprojektować systemu na całą Europę, a może nawet Rosję. Tak też z moimi asystentami zacząłem próby. Zbudowaliśmy zatem czulszy wykrywacz i tu nagle okazało się, że jest gdzieś na świecie miejsce, gdzie pioruny biją bez przerwy, raz po raz, i to takiej mocy gromy, jakich podczas zwykłej burzy próżno wypatrywać.

– Odkryliście może górę Olimp? – zażartował Sergiusz. – Gdzie starzy greccy bogowie mieszkają…

– Kropka w kropkę to samo w pierwszej chwili i nam przyszło do głowy – przyznał bez uśmiechu profesor Popow – ale szybko przestało nam być wesoło, kiedyśmy wszystko dokładnie policzyli i wyszło, że źródło piorunów o takiej mocy istotnie może nie być z tej ziemi…

– Skąd zatem? – spytał zaintrygowany starszy lejtnant.

– Wiele w świecie mówi się ostatnio o tym, że na przykład taki Mars może być zamieszkały przez rozumne istoty, i kto wie, czy oni tam dobre zamiary wobec nas mają? – odpowiedział profesor.
– Różne opinie na ten temat w kręgach naukowych krążą…

Generał Brusiłow siedział z kamienną twarzą.

– Wobec tego należało dokładnie ustalić miejsce – stwierdził Sergiusz.

– To właśnie zrobiliśmy – odparł akademik. – Najpierw stwierdziliśmy wstępnie, że fale elektromagnetyczne od tych piorunów dobiegają do nas gdzieś z dalekiego południa. Potem posłałem moich ludzi z aparaturą do Sewastopola, Carycyna i Omska, gdzie przeprowadzili dokładniejsze pomiary kierunkowe. Wyszło, że źródło piorunów jest gdzieś w górach Afganistanu, może w Hindukuszu...

– Lepiej określić się nie da? – spytał Sergiusz. – Gdzie dokładnie ten grecki Zeus z Olimpu się przeprowadził...

Popow przecząco pokręcił głową, ignorując żart.

– Nie taką aparaturą, jaką teraz dysponujemy – odparł. – Może kiedyś w przyszłości... Nauka o falach radiowych dopiero raczkuje. Wszak niecałe pół wieku temu wielki Maxwell przewidział teoretycznie ich istnienie. Bardzo wielu rzeczy jeszcze nie wiemy.

– Rozumiem jednak, że śledzicie bacznie te pioruny? – zagadnął Lawendowski.

– Owszem – stwierdził Popow. – I pokazało się, że to nie są żadne pioruny...

– Jak to?!

– Zbyt regularnie się pojawiają jak na zjawisko naturalne. Na dodatek nie ma na całym świecie takich cewek Ruhmkorffa ani iskrowników, które wytworzyłyby iskrę elektryczną długą na kilkaset metrów. Ktoś w tym Afganistanie wytwarza bardzo silne fale radiowe bez pośrednictwa iskrownika i wysyła je wprost w powietrze, bez błysku i huku, a może nawet całkiem bezszelestnie. To musi być aparatura, o której my tu tylko możemy pomarzyć. Jeden z moich asystentów w żartach nazwał to afgańskie ustrojstwo „anteną nadawczą". Nie mamy najmniejszego pojęcia, jak takie coś może działać, no a najwyraźniej działa... Dlatego uznałem za konieczne powiadomić pana generała, że ktoś w tym Afganistanie stosuje technikę daleko wyprzedzającą naszą epokę.

– Tubylcy mieliby sami coś takiego zrobić?! – wzruszył ramionami Sergiusz. – Wszak oni tam ledwie co nauczyli się podrabiać angielskie karabiny, to dla nich szczyt techniki. O żadnej nauce i elektryczności nawet nie słyszeli! Tam nic tylko pustka, głusza i dzicy ludzie!

– Nie wykluczam, że zainstalowali się tam przybysze z Marsa – odrzekł Popow. – W górach, na odludziu, całkiem to być może...

Generał Brusiłow żachnął się lekko, ale nie wtrącił do rozmowy.

– Jest jeszcze coś – powiedział profesor. – Żeby te fale radiowe lepiej zbadać, wytwarzane przez nie prądy przepuszczaliśmy przez kryształ galeny ołowiowej i zapisywaliśmy ich bieg metodą fonograficzną, specjalnym rysikiem na pokrytym sadzą szkle. Wyszło nam, że owe fale mogą nieść ze sobą artykułowaną, ludzką mowę... Ścieżki drgań elektrycznych są prawie identyczne z tymi, które można zaobserwować w kablu telefonicznym.

– To podłączcie słuchawkę i posłuchajcie! – rzucił Sergiusz, marszcząc brwi.

– Próbowaliśmy, ale te prądy są za słabe, by poruszyć membranę słuchawki. Trzeba by je jakoś wzmocnić, ale nie umiemy tego zrobić. Możemy tylko obserwować je za pomocą czułego galwanometru ze wskazówką zakończoną rysikiem.

– Zaraz! – Do młodego oficera dopiero teraz dotarło. – W telegrafach bez drutu stosuje się znaki Morse'a, tak samo jak i w tych z drutem. Wy tymczasem, profesorze, mówicie nam, że ktoś wynalazł już telefon bez drutu?!

– Na to wygląda – przyznał Popow. – I dlatego poważnie obawiam się, że to mogą być Marsjanie...

– A może jakiś nieznany geniusz? – zaaferowany Sergiusz przypomniał sobie książki Verne'a.

– To też możliwe – zgodził się akademik. – Jeżeli zaś jest to człowiek z tej planety, podejrzenie mam tylko jedno: Serb Tesla, największy geniusz elektryczności od czasów Maxwella i Faradaya...

– Widziano go w Afganistanie? – spytał Sergiusz.

– Nie rusza się z Ameryki, sprawdziliśmy – odezwał się wreszcie generał Brusiłow. – Ale robi tam z elektrycznością rzeczy, które w głowie się nie mieszczą. Na przykład wytwarza olbrzymie iskry elektryczne, które nie palą...

– Może ma konkurenta? – wyraził przypuszczenie Sergiusz.

– To możliwe – odparł wymijająco generał. – No tak, a my tu troszkę się zasiedzieliśmy, sławnemu akademikowi cenny czas zabieramy... – odstawił szklankę z fusami i wstał.

– Ależ skąd! – zaprotestował *pro forma* Aleksander Popow. – Zawsze do usług!

– Chodźmy, Siergieju Henrykowiczu! A wam, profesorze, wielkie dzięki za wszystko.

– Służę Rosji! – zapewnił z powagą Popow.

Pożegnali się i ruszyli w drogę powrotną. Sergiusz nie krył entuzjazmu dla czekającego go zadania.

– Z Marsjanami to jeszcze nikt nie wojował!

– Dajcie spokój, Siergieju Henrykowiczu, bo pomyślę, że was już całkiem od tej wódki z rozumu obrało! – zirytował się Brusiłow. – Nie Marsjanie, tylko Anglicy! – oznajmił stanowczo. – Choć co prawda u tych Anglików obyczaje czasem jakby nie z tej planety...

– Czemu uważacie, Aleksieju Aleksiejewiczu, że za tym wszystkim stoją Anglicy?

– Bo ja się nie oglądam na awanturnicze romanse, Siergieju Henrykowiczu, tylko na światową politykę patrzę i tak sobie myślę. Otóż ci Anglicy, jak wiecie, już dwa razy Afganistan chcieli podbić i do swojego imperium przyłączyć, ale zęby sobie połamali. Dla nas to dobrze, bo za nic nie chcemy mieć Anglików na miękkim podbrzuszu Mateczki Rosji, ale ci ustąpić nie chcą. Tak też i od lat wpływy nasze i angielskie w Afganistanie się ścierają. Podstawiamy tam sobie nawzajem nogi, ile wlezie.

– Czyżby teraz Anglicy chcieli ruszyć na Afganistan po raz trzeci?

– Pora jest sposobna – stwierdził generał. – Oni właśnie co wygrali wojnę z Burami w Afryce, więc ochota na nowy podbój w nich jest, a i ręce mają swobodne. W Afganistanie zaś nowy zamęt się szykuje. Drugi rok idzie, jak pożegnał się z tym światem ich król Abdur Rahman, nazywany tam Żelaznym Emirem, wszystkie bowiem górskie plemiona przez ostatnie dwadzieścia lat żelazną ręką za gardła trzymał, a i z Anglikami umiał się dogadać, i na swoim postawić. Jego syn Habibullah Chan na tronie jeszcze nie okrzepł, a tam słabi władcy żyją krótko. Trucizna lub nóż w plecy i po krzyku… My nie zasypiamy gruszek w popiele, żeby co swoje przy tej okazji ugrać, więc i Anglicy na pewno też nie śpią. Dużo tam się teraz dzieje, im ciszej, tym więcej…

– Rozumiem, Aleksieju Aleksiejewiczu, że ostatnie raporty naszego wywiadu czytaliście?

– Także i listy naszych kupców z Kabulu, którzy tam faktorie handlowe prowadzą.

– Pisali coś o eksperymentach z falami radiowymi?

– Ani pół słóweczka. Za to widziano ogniście rudą Europejkę z dwójką malutkich dzieciaczków…

Sergiusz z wrażenia poderwał się na równe nogi, tak że omal nie wypadł z powozu, który podskoczył na jakimś wyboju.

– Siadajcie, siadajcie! – generał Brusiłow przytrzymał go za pas. – Nic więcej mi na temat tej niewiasty nie napisali. Tylko dziwili się, że biała kobieta z małymi dziećmi przyjechała żyć w tak surowym klimacie. I kolor włosów zapamiętali. Nie można wykluczyć, że to owa Patrycja, za którą tak tęsknicie. A gdzie ona, tam pewnie i reszta waszej wesołej mandżurskiej kompanii…

– Naprawdę myślicie, Aleksieju Aleksiejewiczu, że te fale radiowe to kolejne wywrotowe dzieło moich rodaków?!

– Odkąd poznałem bliżej waszą familię, Siergieju Henrykowiczu, to nic mnie już nie zdziwi.

Rosomacza jej mać

Na dziedzińcu willi generała Brusiłowa siedziało trzech młodych płowowłosych osiłków w marynarskich koszulkach w biało-niebieskie paski. Wszyscy o szczerych do głębi, poczciwych, słowiańskich gębach, nieskażonych choćby śladem nieprawomyślności, zwątpienia w dobroć cara batiuszki ani w ogóle jakiejkolwiek myśli. Słowem, jeden w drugiego i trzeciego kwintesencja krzepkiego, prostodusznego, ruskiego szeregowca, gotowego skoczyć z dachu na łeb na pierwsze skinienie naczalstwa. Obok nich, podzwaniając szablą i ostrogami, przechadzał się napuszony oficerek w randze młodszego lejtnanta. Na widok powracających z przejażdżki generała i Sergiusza wszyscy czterej stanęli w szeregu na baczność, a oficer przystąpił do dziarskiego wykrzykiwania meldunku.

– Nie trzeba, nie trzeba… – generał machnięciem ręki uciszył go w pół słowa. – Spocznij. – Obejrzał się na idącego z tyłu Jemieliuszę. – Sprowadź panienkę – polecił półgłosem.

– Tak jest! – mużyk zasalutował i odszedł szybko w głąb domu.

– A wy, Sergiuszu Henrykowiczu, chodźcie za mną na górę. Z okna sobie popatrzymy.

Szyneli kamerdynerowi nie oddali, bo było jeszcze dość chłodno, a generał otworzył okno na całą szerokość. Z pierwszego piętra mieli idealny widok na cały dziedziniec. Służący podszedł do nich z tacą, na której stały dwie lampki koniaku. Sergiusz po chwili namysłu zrezygnował z poczęstunku. Generał upił tylko mały łyk i zaraz odstawił kieliszek z powrotem. Kamerdyner zniknął jak duch.

Gdzieś z tyłu willi wyszła kobieta, a właściwie dziewczyna w samej bieliźnie: falbaniastych majtkach do kolan i sznurowanym, kusym staniku, odsłaniającym nagi brzuch i ramiona. Na nogach miała wojskowe trzewiki, a jasne włosy splecione w krótki, gruby warkocz. Za nią szedł Jemieliusza, niosąc długi kawał sznura.

Dziewczyna stanęła pośrodku dziedzińca, ujęła się pod boki i powiodła dokoła wzrokiem. Była zgrabna, lecz mocno zbudowana, trochę w typie antycznej bogini z greckich posągów. Na widok generała lekko skłoniła głowę.

Sołdaci zagapili się na nią z rozdziawionymi gębami, ale nie było im się co dziwić, bo i Sergiusz poczuł, że jemu też na ten widok opada szczęka. Oficerek na dole poczerwieniał jak burak.

– Związać ją i przyprowadzić do mnie! – rozkazał generał młodym osiłkom.

Jemieliusza postąpił kilka kroków naprzód, bez słowa rzucił sznur pod nogi szeregowców i ustąpił z dziedzińca.

Trzej młodzieńcy, kompletnie zaskoczeni sytuacją, stali, drapiąc się w głowę i popatrując niepewnie jeden na drugiego. Wyraźnie nie wiedzieli, od czego zacząć, póki oficer nie wrzasnął na nich, powtarzając rozkaz generała. Wtedy jeden, wzruszywszy ramionami, wystąpił, podszedł do dziewczyny i bez ostrzenia, po chamsku uderzył ją pięścią w twarz.

Sergiusz stężał na ten widok, ale nim zdążył się oburzyć, osłupiał ze zdumienia, bo zamiast dziewczyny na dziedziniec padł damski bokser. Starszy lejtnant zamrugał oczami, usilnie starając się przypomnieć sobie, co przed sekundą widział, a następnie przyjąć ów widok do świadomości.

Dziewczyna uchyliła się przed nadlatującą pięścią, jednocześnie kucając i skręcając się w półobrocie. Następnie, kontynuując ruch, stanęła na mocno ugiętych rękach, głową w dół, jakby chciała wykonać fikołka, ale zamiast niego zamachnęła się rozłożonymi szeroko jak nożyce nogami i bokiem łydki uderzyła napastnika pod kolana, podcinając go z takim impetem, że mężczyzna na ułamek sekundy zawisł poziomo nad dziedzińcem, jakby lewitował, po czym grzmotnął plecami i potylicą o kamienne płyty, aż go zamroczyło. Przez kilkanaście sekund nie był w stanie się podnieść, wykonując niezborne ruchy niczym odwrócony na grzbiet żuk. Jego przeciwniczka odkręciła się jak śruba, wracając do pozycji wyjściowej, i znieruchomiała, patrząc wyzywająco na dwóch pozostałych.

Ci po krótkiej naradzie podnieśli sznur, naciągnęli go między sobą i ruszyli razem naprzód, najwyraźniej zamierzając przyprzeć dziewczynę do ściany i w ten sposób obezwładnić. Ich przeciwniczka jednak ani myślała się cofać. Gdy podeszli bliżej, ona wybiła się wysoko w górę i wskoczyła obiema nogami na napięty sznur, odbiła się od niego jeszcze wyżej i jednocześnie kantami stóp kopnęła obu atakujących w głowy tuż za uszami. Rozlecieli się na boki jak trafione kulą kręgle. Ona zaś wylądowała w niskim przysiadzie, tanecznym krokiem wróciła w poprzednie miejsce, po czym znów zdawkowo skłoniła się generałowi i uśmiechnęła się do Sergiusza. Ładna była... Musiał to przyznać. Naprawdę z dużą przyjemnością patrzyło się na jej kocie ruchy.

Trzech upokorzonych przeciwników pozbierało się wreszcie z dziedzińca i łypało spode łba to na dziewczynę, która ich pobiła, to na panów oficerów patrzących na taką hańbę. Nie do końca rozumieli, co się stało, ale bardzo chcieli się zemścić.

– Wykonać rozkaz! – ponaglił ich Brusiłow.

Rzucili się na nią z wściekłością, już bez lekceważenia i jakichkolwiek względów dla jej płci. Jeden po prostu zerwał z niej majtki. Pod spodem miała wojskowy bandaż, ciasno opasujący łono. Delikwent z majtkami w ręku tak się na ten fenomen zagapił, że ani się spostrzegł, jak dostał wysokiego kopniaka piętą w podbródek i odleciał nieprzytomny do tyłu. Pozostali zaczęli młócić pięściami na oślep, zamaszyście jak wiatraki, nie trafiając ani razu. Dziewczyna jakby z nimi tańczyła. Uchylała się, przysiadała, robiła salta, stawała na rękach. Była to tu, to tam, wszędzie, tylko nie na linii ciosu. Za moment znów podcięła jednemu nogi, a drugiemu zaserwowała kopniaka w przyrodzenie, że siadł z głuchym jękiem.

Znów było po walce. Z krużganku wyszedł stoicko spokojny Jemieliusza z wiaderkiem wody. Połowę wylał na tego kopniętego w brodę, przywracając go do świadomości, dwóm pozostałym dał się napić.

– Można by pomyśleć, że jej matka nie z chłopem, a z rosomakiem się zadawała... – stwierdził z podziwem Sergiusz.

– Kto to wie, jak tam było – odparł od niechcenia generał. – Może być, że i jaki mużyk po pijaku rosomaczą sukę w krzakach zdybał...

Do mołojców dotarło, że z taką „bojarynią" nie mają szans. Było jasne, że jeśli każą im się bić z nią po raz trzeci, to będą markować walkę, żeby choć oberwać trochę mniej.

Potrzebna im była lepsza motywacja.

– Jeżeli ją pokonacie – powiedział generał Brusiłow głośno i wyraźnie – będziecie mogli ją jebać przez całą noc, a i wódki nie pożałuję.

Na te słowa dziewczyna zaczęła z drwiącym uśmiechem rozsznurowywać stanik i za moment stanęła przed wszystkimi mężczyznami, wyzywająco prężąc spiczaste, jędrne piersi. Teraz miała na sobie już tylko bandaż na biodrach i buty. Można było w pełni docenić jej znakomicie wyrobione mięśnie, grające pod błyszczącą od potu skórą.

Sergiusz czym prędzej przełknął ślinę, żeby mu nie wypłynęła na brodę. Ci na dole chyba nie zdążyli... Młodszy lejtnant, pamiętając o oficerskim zachowaniu, próbował zrazu odwrócić wzrok, ale nie starczyło mu silnej woli i po chwili gapił się razem z pozostałymi. Wyjątkiem był Jemieliusza, który ani na chwilę nie podniósł wzroku, skromnie wbitego w czubki własnych bytów. Sergiusz, widząc pełną godności postawę mużyka, usprawiedliwił się w duchu, że sam przecież patrzy służbowo...

Generał miał zaś w oczach kamień i mrok.

– Ale teraz to będzie walka na śmierć i życie – dopowiedział. – Jeśli nie poradzicie, ona was zabije. Macie wolny wybór!

Ten, którego Jemieliusza musiał cucić, wycofał się po krótkim namyśle. Pozostali dwaj najwyraźniej dawno nie mieli kobiety, może jeszcze nigdy. W każdym razie żądza kompletnie zagłuszyła w nich instynkt samozachowawczy.

Na dziedzińcu się zakotłowało. Z ruchów dziewczyny znikła taneczna gracja. Teraz poruszała się jak rozjuszone dzikie zwierzę, a jej twarz wyrażała drapieżną radość. Jakby czekała na chwilę, kiedy wreszcie pozwolą jej zabijać, i cieszyła się z tego całym sercem. Przestała wyglądać jak człowiek.

Jednemu z przeciwników zmiażdżyła nos uderzeniem czoła. W tym momencie drugi zdołał zajść ją od tyłu i uchwycił oburącz w pasie. Nie wyrywała się na oślep, lecz błyskawicznie owinęła się wokół niego jak żmija, przejmując kontrolę nad poczuciem równowagi i ruchami ciała trzymającego. W efekcie, gdy jego oszalały z bólu i wściekłości wspólnik zamachnął się z całej siły kułakiem, zamiast dziewczynę trafił w szczękę kompana, nokautując go przepisowo. Nie zdążył poprawić, gdyż przeciwniczka pierwszy raz użyła pięści, bijąc go precyzyjnie w krtań. Musiał się wycofać na chwilę, by znów nabrać tchu. Tymczasem dziewczyna przyklękła, wzięła jego półprzytomnego towarzysza między nogi, wcisnęła mu udo pod brodę, chwyciła za skronie, napięła się i pewnie, bez zawahania skręciła mu kark. Chrupnięcie rozrywanych kręgów aż odbiło się echem po dziedzińcu.

Odskoczyła od ofiary, jakby nic się nie stało. Chwyciła porzucony sznur. Szybkim ruchem zrobiła na nim pętlę jak do zwykłego supła i przełożyła koniec jeszcze raz, jakby chciała zrobić węzeł „ósemkę" do wiązania haczyków na ryby. Przeciwnik już się pozbierał i ruszył na nią z pięściami, wyzywając od pizd, suk i piekielnych kurew. Obeszła go szybkim zwodem i kopnęła w bok kolana, na którym opierał cały ciężar ciała, wyłamując staw. Usiadł ciężko, a zanim zdołał oderwać dłonie od eksplodującej obezwładniającym bólem nogi, by osłonić gardło, ona zarzuciła mu pętlę na szyję i zaciągnęła sznur z całej siły, dodatkowo zapierając się o niego stopą. Na koniec odstąpiła krok na bok, obserwując finał.

Szeregowiec miał ręce wolne, lecz podwójnie przepleciony i mocno zaciśnięty sznur nie dawał się rozluźnić. Desperacko walcząc o oddech, nieszczęśnik odruchowo wepchnął osiem palców obu rąk pomiędzy sznur a szyję. Pętla nie popuściła, ale on dodatkowo zacisnął sobie kłykciami tętnice szyjne, skutkiem czego momentalnie stracił przytomność. Zsiniał, chwyciły go drgawki i parę minut później znieruchomiał. Zabójczyni przez cały ten czas przyglądała się agonii przeciwnika z nieukrywaną ciekawością. Gdyby była ubrana, można by ją wziąć za studentkę nauk przyrodniczych.

Nikt się nie ruszył, by pomóc konającemu. Umowa to umowa. Po wszystkim dziewczyna zabrała swój stanik i wróciła na kwaterę. Jemieliusza dopiero teraz podniósł wzrok, przeżegnał się zamaszyście i ruszył pozamykać trupom oczy.

Generał Busiłow wychylił się z okna.

– Jak on się nazywa? – wskazał tego, który przeżył. Nieborak trząsł się na całym ciele.

– Szeregowy Sołdatienko, *wasze wysokobłagorodie* – odpowiedział młodszy lejtnant zbielałymi wargami.

– Umny młodzieniec! Awansować mi go zaraz na kaprala! I wódki nie żałować.

– Według rozkazu! – zasalutował oficer.

Generał zamknął okno.

– I cóż powiecie, Siergieju Henrykowiczu?

– Wrodzony instynkt walki to za mało… – Lawendowski, by nie dać poznać po sobie wstrząsu, starał się mówić powoli i rzeczowo. – Musi być dobrze wyszkolona…

– A i owszem – skinął głową Brusiłow. – Capoeira to się nazywa. Podobno Murzyni w Brazylii tak walczą. Zdaje się na Dalekim Wschodzie też mają podobny system walki gołymi rękami? – spojrzał pytająco na Lawendowskiego.

– Mają, Aleksieju Aleksejewiczu, ale całkiem inaczej to wygląda. Chińczycy mniej chodzą na rękach i więcej biją pięściami. Jakże ta capoeira tu do nas trafiła?

– A przyjechał taki jeden z Ameryki Południowej, co się tam tego dobrze wyuczył. Chciał z tym do naszego baletu, ale jak widzicie, znalazłem mu lepsze zastosowanie. I uczennicę, jedną wprawdzie, ale za to nad wyraz pojętną…

– Kim ona jest?

– Swietłana Teodorowna Lawendowska – odparł gospodarz z filuternym uśmiechem.

– Że niby jak, panie generale?! – Sergiusz z wrażenia przeszedł na polski.

– Wasza świeżo poślubiona przed Bogiem i ludźmi małżonka, Siergieju Henrykowiczu – wziął ze stołu świadectwo cerkiewnego ślubu i podniósł je przed oczy osłupiałego oficera. – Możecie mówić jej Swieta albo duszko moja…

Lawendowski jak sroka w gnat gapił się na dokument, konkretnie na datę sprzed tygodnia, i z narastającą paniką robił remanent alkoholowych zamroczeń z tego okresu.

– Ależ nie bądźcie taki sieriozny, Siergieju Henrykowiczu! – Brusiłow uśmiechnął się szeroko. – Papier jest fałszywy…

Sergiusz wydał z siebie ciche, lecz bardzo długie westchnienie ulgi.

– No, pożartowaliśmy sobie, teraz do rzeczy! – generał spoważniał. – Pojedziecie z nią do Afganistanu. To oficjalnie będzie wasza podróż poślubna. Jesteście teraz siostrzeńcem bogatego kupca Iwana Iwanowicza Kuroczkina, który w Kabulu ma faktorię handlową. W ojczyźnie wzięliście sobie młodą żonkę i teraz, jak się należy, jedziecie podstarzałemu wujowi pomóc w rodzinnych interesach.

– I my… Jak mąż i żona…? – Sergiusz przełknął ślinę.

– To już wasza rzecz, co wy tam nocami ze sobą będziecie robić albo i nie robić – machnął ręką zniecierpliwiony generał. – Ważne, żebyście w dzień wyglądali, jakbyście świata poza sobą nie widzieli i nie budzili niczyich podejrzeń. Macie mi znaleźć to radiowe ustrojstwo, zbadać, w czym rzecz, kto za tym stoi i na koniec rozwalić wszystko w czorty. Albo lepiej, najpierw rozwalić, a dopiero potem pytać, bo najważniejszą rzecz, czyli że z tego nic dobrego dla Rosji nie wynika, to my już wiemy. A tak przy okazji, jak się da, dowiedzcie się paru elektrycznych szczególików dla *gospodina* Popowa, bo on strasznie ciekaw, jak to ta marsjańska technika działa... – puścił oko. – Wszystko jasne?

– Chciałbym, Aleksieju Aleksiejewiczu, dowiedzieć się czegoś więcej o mojej... żonie.

– Ma się rozumieć – Brusiłow podszedł do stolika z karafką koniaku i nalał im obu. Sergiusz swój kieliszek wychylił od razu i poprosił o dolewkę. Potem usiedli, a generał zaczął opowiadać.

– Swietłana na dwadzieścia jeden lat i pochodzi spod Uralu. Z jakiegoś posiółka nad rzeką Kamą, nazwy nie pomnę. Ot, szczera rosyjska prowincja, gdzie już nawet diabła tak kulturalnego nie uświadczysz, żeby ci wieczorem grzecznie dobrej nocy życzył. W takiej dzikiej okolicy Swieta całkiem dzika sobie wyrosła. Może i rzeczywiście jaki rosomak w rodzinie był... Kiedy miała czternaście lat, wydali ją za dwa razy starszego męża. Ten, gdy doszła do siedemnastu wiosen, postanowił zarąbać ją siekierą, bo mu dzieci nie rodziła.

– Jej wina czy jego? – zapytał czujnie Sergiusz.

– Jej, bez dwóch zdań, bo mąż jakiś tam przychówek od poprzednich żon miał. Nie wypominajcie jej tego, że bezpłodna, bo najpierw się poryczy, a potem komuś za nic łeb urwie. Jej mąż szybko te swoje baby zajeżdżał, ale teraz trafiła kosa na kamień. Kiedy na Swietę po pijaku z siekierą ruszył, ta mu ją wyrwała i sama dała nią w łeb, tak że więcej nie wstał.

– Czyli zabiła w obronie własnej... – mruknął Sergiusz.

– A kto by tam, Siergieju Henrykowiczu, na głuchej wsi takich zawiłości prawnych dochodził? – machnął ręką generał. – Ważne, że

męża ubiła, swojego księcia i gosudaria, danego jej od Boga. Jeśliby była trochę starsza i brzydsza, to by ją zaraz naszym starym ruskim obczajem po szyję zakopali i drewnianym kołem przebili. Oni tam pod Uralem jeszcze nie wiedzą, że nam już dwudziesty wiek nastał… No, ale że krasawica, to miejscowy *uriadnik* postanowił ją na swój użytek trochę poniewolić w areszcie. A ta bestia, uważacie, Siergieju Henrykowiczu, szczęścia swojego docenić nie umiała, tylko kiedy ten *uriadnik* rękę jej pod kieckę włożył, z miejsca mu ją złamała, i to tak, że miejscowy konował poskładać tego nie poradził i ta ręka już na nic. Zaraz potem stójkowemu, co z pomocą zwierzchnikowi przybiegł, skręciła kark, prawie jak temu tam…
– Brusiłow wskazał za okno. – Prawie, mówię, bo wtedy jeszcze Swieta takiej wprawy nie miała i nieszczęśnik od razu ducha nie wyzionął, a dopiero po dwóch niedzielach, leżąc sparaliżowany we własnych brudach. Po tym wyczynie ludzie zaczęli gadać, że ona strzyga, i pop kazał spalić ją żywcem. Akurat byłem niedaleko z kadetami na manewrach, wieść do mnie doszła, no i nie spalili.

– To wy teraz dla niej jak ojciec, Aleksieju Aleksiejewiczu – zauważył Sergiusz.

– Może tak, może nie… – odparł wymijająco gospodarz. – Ona jest mój żołnierz do specjalnych poruczeń, a co by ze mnie był za generał, jeślibym się do swoich sołdatów jak do dzieci przywiązywał? Jakże bym ich potem na śmierć posyłał? – zapytał filozoficznie. – Ale dla was, Siergieju Henrykowiczu, jest w tym jedna przestroga – głos Brusiłowa niespodziewanie stwardniał. – Dla Swiety wszystko, co się jej przydarzyło, jest jak cudownie ziszczona ludowa baśń o złych czynownikach i dobrym Białym Carze, który swojego dzielnego generała dla ratowania skrzywdzonej niebogi posłał. Przesady w tym żadnej nie ma, bośmy najpierw z cesarskim imieniem na ustach w ostatniej chwili od okrutnej śmierci ją wybawili, a potem w przepiękny świat zabrali, jakby wprost do samego nieba. Także ona, w przeciwieństwie do was, Siergieju Henrykowiczu, naszego Najjaśniejszego Gosudara-Imperatora Mikołaja II całym swym prostym, ruskim sercem i duszą ponad wszystko miłuje. Biały Car to dla niej świętość. Do tego stopnia, że gdy ostatnio zabrali ją do teatru, żeby balet pokazać, a ona tam Imperatora zobaczyła, choć z daleka w loży, to z wrażenia stanęła jak żona Lota przed Bogiem i posikała się w majtki, trzeba było ją zaraz wyprowadzić. Słowem, Siergieju Henrykowiczu, jeśli znów po wódce wypsnie się wam przy niej jakie bądź bluźnierstwo przeciw Majestatowi, to ani się obejrzycie, a ona wam ten język wyrwie. Tu żartów z nią nie ma i dobrze to sobie zapamiętajcie.

– Ja tu widzę większy kłopot, Aleksieju Aleksiejewiczu – odparł szybko Lawendowski, by ukryć zmieszanie. – Jakże to mam z niepiśmienną strzygą z uralskiego lasu w szeroki świat jechać? Toż przecież ona wstydu mi między ludźmi narobi!

– Nie narobi – odparł krótko generał. – Swieta już cztery lata w Pitrze żyje i do tej pory nauczyła się czytać i zachowywać jak należy. No prawie, bo natury nie oszukasz… Ale tak zwyczajnie, przy stole, z nożem, widelcem i samowarem poradzić sobie umie, wstydu wam nie przyniesie, chyba że się za bardzo rozgada… Już wasza w tym głowa, żeby tego dopilnować. Zresztą, zaraz będziecie mogli sami się przekonać, bo obiad kazałem nakrywać dla trojga. *Wot*, i o wilczycy mowa!

Swietłana weszła do salonu poprzedzona przez kamerdynera, którzy z uszanowaniem otworzył przed nią drzwi, jakby naprawdę była córką generała. Gdyby nie to, co wyprawiała pół godziny temu na dziedzińcu, można by przysiąc, że naprawdę jest panienką z dobrego domu. Weszła, dygnęła lekko i wyraźnie onieśmielona zerknęła na Sergiusza.

– Poznajcie się, moje dzieci! – powiedział serdecznie generał.

Starszy lejtnant podszedł i ucałował ją w rękę niczym polską szlachciankę. O dziwo, nie pisnęła z zachwytu i zmieszania naraz, jak to miały w zwyczaju Rosjanki, tylko spojrzała na niego śmielej.

– Ojczulek generał mnie mówił, że wy nie nasz, a *Polak* – powiedziała. Głos rzeczywiście zdradzał jej pochodzenie, był chropawy, niemelodyjny, ale i pełen energii jak u włościańskiej przekupki, sprzedającej na targu bliny i gorące flaki. – Nu ale skoro wy w samym Carskim Siole służycie, to ja takiemu mężowi, choćby on i nie nasz, i nie w cerkwi wzięty, bardzo jestem rada. I wy, *Polaki*, naprawdę swoich kobiet nie bijecie?

Wyglądało na to, że to jest wszystko, co Sweta wie o Polakach. No i Bogu dzięki, że o ich narodowych buntach nikt jej przypadkiem nie wspomniał...

– Każdą jedną babę, słowo daję, traktują jak grafinię! – odpowiedział generał za Sergiusza. – Dlatego ja się o ciebie martwię, Teodorowna, bardzo martwię, żeby tobie od tego polskiego rozpieszczania zupełnie się wojować nie odechciało. Tylko na piernatach będziesz mi się zaraz wylegiwać i ptasie mleczka zajadać...

Zachichotała głośno, całkiem jak dziewczyna z ludu, zakrywając dłonią usta i popatrując zalotnie na Sergiusza spod opuszczonych w udawanym wstydzie rzęs. Najdziwniejsze i w sumie najstraszniejsze było to, że zupełnie nic w jej wyglądzie i zachowaniu nie sugerowało, że pod pozą wieśniaczki wdzięczącej się do oficera kryje się bezwzględna, zimna morderczyni.

Ona zaś w tym momencie wykazała się doskonałą kobiecą intuicją, bezbłędnie odgadując myśli Sergiusza.

– Ja ruskich mężczyzn nie lubię, bo są złe jak dziki, tylko by kąsali i ryli... Takich tylko zabijać. A wy mi się podobacie i wam jestem rada – powtórzyła z przekonaniem.

– Rozumiem, że mnie nie zabijesz? – zagadnął Sergiusz pół żartem, pół serio. W końcu, do diaska, coś należało powiedzieć!

Spojrzała mu prosto w oczy. Po tak jasnej blondynce należało spodziewać się oczu niebieskich, ale jej były brązowo-piwne. Teraz pojawił się w nich mroczny odcień.

– Jak nie będzie trzeba zabić, będę cię kochała – odrzekła zupełnie poważnie.

Strzyga. Po prostu strzyga!

Książka dla bestii

Po Swietłanie można było się naprawdę wielu rzeczy spodziewać, ale w sumie najtrudniejsze do zniesienia dla Sergiusza okazało się to nagłe popadnięcie w stan małżeński. I to nawet nie z dnia na dzień, a z rana na wieczór. Nieważne, że małżeństwo zawarto na niby, bardziej znaczący stał się fakt, że przez cały ten czas nie było kiedy wytrzeźwieć...

Okazało się, że wtajemniczenie starszego lejtnanta stanowiło ostatni element planu generała Brusiłowa. Wszystko inne było już gotowe. Przy deserze gospodarz oznajmił, że na dworcu kolejowym już czeka na „nowożeńców" luksusowa salonka wraz z kompletnym wyposażeniem na afgańską wyprawę. Osobiste rzeczy Sergiusza też już tam były. Mieli wyjechać z Petersburga nocnym pociągiem przez Moskwę do Niżnego Nowogrodu, tam przesiąść się na statek rzeczny płynący Wołgą do Astrachania, następnie czekała ich przesiadka na morski statek i hajda na drugi koniec Morza Kaspijskiego, potem na wielbłądach, osłach, jakach czy innych czortach mieli przytelepać się przez pustynię oraz góry i zameldować się w Kabulu przed końcem czerwca, kiedy tam dojrzewały owoce mango, podobno wyśmienite, jak słyszał gospodarz.

Co począć, służba nie drużba, ale tego Balzaka było już Sergiuszowi za wiele! Podczas obiadu u generała Swietłana zdała egzamin z właściwego zachowania się przy stole i wypadało przyznać, że z zastawą radziła sobie na mocną trójkę. Z konwersacją było dużo gorzej, ale nie beznadziejnie. Ustalili, że na przyszłość Swieta będzie udawać nieśmiałą. Podczas tej rozmowy dziewczyna pierwszy raz wspomniała, że czyta *Komedię ludzką* Balzaka, bo gdzieś od kogoś usłyszała, że to właśnie czytają wszystkie wielkie damy, więc i ona też powinna. W pierwszej chwili, a potem jeszcze i w drugiej, Sergiusz tę informację na swoje nieszczęście całkiem zbagatelizował. Wszak tyle wokół się działo...

Gdy pociąg ruszył, starszy lejtnant postanowił się położyć, ochłonąć i zebrać myśli. Na nic innego nie miał ochoty. Prócz małżeńskiego łoża, zasłanego po rusku piramidą piernatów po sam sufit salonki, mieli tu jeszcze dość wygodną kozetkę. Nie musieli więc koniecznie spać razem, a Sergiusz ze swej strony obowiązków małżeńskich od towarzyszki broni egzekwować nie zamierzał.

Swieta była jednak innego zdania i nie podziałało na nią nawet stwierdzenie, że bez ślubu to grzech, choć na prostą kobietę z ludu podziałać powinno. Zdaje się autorytet cerkwi prawosławnej po niedoszłym paleniu na stosie miał na nią umiarkowany wpływ. Jednak rozstrzygające było w tej mierze stanowisko imć pana Honoré de Balzaca.

Służbowa małżonka stanęła nad Sergiuszem w koszuli nocnej, z rozpuszczonymi włosami i zacytowała mu z namaszczeniem fragment, bodajże *Fizjologii małżeństwa*, o tym, że im bardziej młodzi małżonkowie są w sobie zakochani, tym więcej muszą płacić praczce za pranie ich pościeli.

– Generał przykazał, żeby wszyscy wokół myśleli, że my mąż i żona – oznajmiła, patrząc wyczekująco. – A jak my nie będziemy robić tego, co do męża i żony należy, to prześcieradło nas zdradzi!

Doprawdy, Swieta nie była kobietą, do której trzeba byłoby się zmuszać... To była właśnie ta druga chwila, kiedy Sergiusz zlekceważył wzmiankę o Balzaku. Uśmiechnął się na zgodę, wstał z kozetki i zaczął rozpinać koszulę.

Swieta szybkim ruchem ściągnęła swoją przez głowę, naga wsunęła się pod pierzynę i nakryła nią po sam nos, jakby nagle opuściła ją odwaga. Spod spuszczonych powiek patrzyła, jak Sergiusz pozbywa się oficerskich spodni.

Wydawało mu się, że światło ją peszy, więc je zgasił i przysunął się do niej, kładąc jej rękę na brzuchu.

– Oj… – wyszeptała cichutko.

Naprawdę przyjemnie było błądzić dłońmi po jej ciele. Pieścił ją może nie tak czule, jakby brał panienkę z pensji, ale też bez najmniejszej brutalności. Odniósł wrażenie, że Swieta nie umie się całować, więc nie nalegał na to. Kiedy poczuł, że jest gotowa, szybko w nią wszedł, co ona znów skomentowała kolejnym „oj", tylko trochę głośniejszym. I potem już stale powtarzała to swoje: „oj, oj, oj…", zrazu w rytmie stukotu kół pociągu, potem coraz szybciej, lecz wcale nie głośniej, nie podniosła głosu nawet w chwili szczytu, kiedy bez wysiłku wysoko uniosła biodra razem z leżącym na niej Sergiuszem. W chwili gdy kończył, przyjmowała go z całkowitą uległością.

– Ty się mnie nie boisz… – to były jej pierwsze słowa po wszystkim.

– Żołnierz nie boi się swojej broni – odpowiedział półgłosem.

– Ja jestem twoją bronią? – zaśmiała się cicho.

– A nie jesteś?

– Nu może troszkę… A czy ty wiesz, że broń trzeba repetować…?

Spodziewał się tego, ale potrzebował jeszcze trochę czasu.

– Inni się ciebie boją? – zagadnął.

– Najpierw bili, teraz się boją – odparła – ale tak czy tak, ryją mi między nogami jak te dziki, jakby chcieli szybko swoje kartofle wyryć, zeżreć, a potem uciekać. A ty nie. Ty mnie tak dotykał, jakby mnie po samej duszy gładził. Dlatego ja sobie pomyślała, że się mnie nie boisz. I mnie się to podoba.

– A ja myślałem, że to ty się mnie boisz.

– Nie boję się ciebie, tylko nie chciałam, żebyś ty się mnie przeląkł.

– I dlatego taką nieśmiałą udawałaś? A naprawdę to jaka dzika jesteś?

– Chcesz się przekonać? Naprawdę…? – zamruczała gardłowo.

– To teraz mnie pocałuj…

Jednak umiała się całować. Wręcz wybuchła mu w ustach. Tak namiętnie nie całował się jeszcze z żadną. Język Swiety był po prostu szalony, tańczył własny taniec świętego Wita. Wkrótce Sergiuszowi zabrakło tchu, więc przesunął wargi na piersi kochanki, ale jej język uparcie sunął za jego głową, wciskając się to w ucho, to w oko…

A potem wybuchł w nich taki ogień, że prześcieradło, które zgodnie z teorią Balzaka miało zaświadczać o autentyczności i solenności ich małżeństwa, powinno było się teraz spalić do szczętu.

Rano Swieta wyskoczyła z łóżka rześka jak ptak i nie zadając sobie trudu, by się w cokolwiek ubrać, zaczęła swoją brazylijską gimnastykę. Z pewnością było co podziwiać, ale Sergiusz wciąż leżał w półśnie. Nie mógł wykrzesać z siebie zdumienia nawet wtedy, gdy Swietłana przebiegła po suficie ich salonki. Dokonała tego, biorąc szybki rozbieg z jednego końca wagonu, bokiem wskoczyła na ścianę między zasłoniętymi oknami i kontynuując ruch po linii śrubowej, dwa razy głośno plasnęła bosymi stopami o powałę, po czym zbiegła na dół po przeciwległej ścianie, także na skos, ostatecznie wykonując błyskawiczny piruet i zatrzymując się oparta plecami o drugi koniec salonki.

„Jednak delirium…", taka była pierwsza myśl Sergiusza na widok gołej Rosjanki na suficie. Ale zaraz zdał sobie sprawę, że wychodzi na lenia i nieroba, więc czym prędzej powstał z betów, wciągnął kalesony i też zaczął markować poranną gimnastykę.

Dawno nie ćwiczył, ale przynajmniej było tu to, na czym się znał – w kącie wisiał worek bokserski, pod nim leżały dwie pary rękawic. Po kwadransie intensywnego boksowania zauważył, że Swieta stoi obok i bacznie mu się przygląda. Tymczasem, najwyraźniej dla towarzystwa, założyła majtki.

– Popróbujemy się? – spytała, sięgając po drugą parę rękawic.

Skinął głową i pomógł jej zaciągnąć sznurowadła na nadgarstkach. Na tym poprzestali, bo nie było jak zrobić węzłów, ale na krótki sparing to powinno wystarczyć.

Sergiusz zdecydował, że nie będzie jej oszczędzać. Wraz z tym postanowieniem padł bez tchu sekundę później, trafiony grzbietem stopy pod żebra lewego boku.

– Fff.. a...an...giel...skim bo-oksie... się... nie kopie... – wyrzucił z siebie, pokasłując.

– A dlaczego? – uklękła przy nim. W oczach miała niewinność i tylko niewinność.

– Takie... są... zasady...

– A na co zasady w walce? – zdziwiła się szczerze.

– Zasady są w sporcie... a to jest sportowa walka... dla treningu...

– Ja nie wiedziałam, że to trening – speszyła się. – Bo kiedy ja spojrzałam w twoje oczy, to było w nich takie coś, jakbyś ty naprawdę chciał mnie bić...

– Pomyślałem sobie... że nie będę z tobą walczyć na niby jak z dzieckiem – przyznał się zadziwiony jej intuicją, a raczej instynktem drapieżnika.

– To teraz ja już to będę wiedziała... – pomogła mu wstać i rozmasowała stłuczony bok. Żadne żebro nie było pęknięte. Chyba.

Razem poszli do łazienki, pod prysznic. Nie było tam wprawdzie prześcieradła, ale na zgodę kochali się po raz trzeci. Potem się szybko ubrali, Sergiusz po cywilnemu, w stylu młody-wytworny-solidny, w prążkowany ciemnogranatowy fraczek. Swietłana założyła białą plisowaną bluzkę z wysokim kołnierzykiem zapinanym pod samą brodą oraz zieloną spódnicę. Na koniec z łobuzerskimi uśmiechami założyli sobie nawzajem obrączki i trzymając się za ręce, pobiegli do wagonu restauracyjnego na śniadanie. Nie da się ukryć, że na nowożeńców wyglądali teraz bez dwóch zdań. Wszyscy, kogo tylko spotkali, serdecznie życzyli im szczęścia i wielu udanych dzieci... Swietłana trochę przez to spochmurniała, ale zachowywała się jak należy, więc jej smutek uznano za naturalne zawstydzenie początkującej mężatki i starsze, bardziej doświadczone damy zaczęły dyskretnie dodawać jej otuchy, nadmieniając aluzyjnie, że „apetyt rośnie w miarę jedzenia". Swieta utrzymała się w konwencji, co chwilę spuszczając oczy, uśmiechając się nieśmiało i uciekając wzrokiem. Nie zdołała się tylko zarumienić.

W sumie pierwszy bojowy sprawdzian z obycia eksprostaczki w eleganckim towarzystwie można było uznać za udany. Także i historia z prześcieradłem okazała się całkiem do rzeczy. W czasie gdy Swieta i Sergiusz jedli śniadanie, obsługa pociągu zmieniła im pościel i gdyby nie było na niej spodziewanych śladów małżeńskiego pożycia, z pewnością zostałoby to zauważone i szeroko oplotkowane. Tylko że zaraz potem ich służbowe małżeństwo przeżyło nagły kryzys, też za sprawą Balzaka, który w nadmiernej dawce okazał się trucizną…

Sergiusz miał mnóstwo roboty. Musiał przejrzeć przydzielony im ekwipunek, jakoś ogarnąć i zapanować nad całą „ślubną wyprawą", którą z iście rosyjskim rozmachem załadowano im do bagażowego przedziału salonki. Przede wszystkim zaś samemu przygotować się duchowo do tej ekspedycji.

Postanowił zacząć od broni. Mieli jej wielgachną skrzynię, hojnie wypełnioną z czubem. Były tam trzy karabiny Mosina, z tego jeden z celownikiem optycznym, angielski sztucer myśliwski, trzy nagany, trzy mauzery i najnowsze niemieckie cacko – pistolet parabellum wzór 1900. Na każdą lufę po trzysta naboi, co dawało po prostu górę amunicji. Do tego pięćdziesiąt funtów dynamitu w laskach, wraz ze spłonkami, lontami, elektrycznym iskrownikiem oraz kilometrowym zwojem kabla. I jeszcze skrzynka z tuzinem granatów ręcznych, szczęśliwie nieuzbrojonych – osobno puste, karbowane czerepy, zapalniki i odważki granulowanego ekrazytu w parafinowanych torebkach.

Należało to wszystko uporządkować i rozmieścić po trochu w pozostałych kufrach i walizkach, między innymi w tych z fatałaszkami Swietłany. Ona jednak nie zamierzała mu w niczym pomagać, bo na broni palnej nie znała się zupełnie. Jak wspomniał wcześniej generał Brusiłow, Swieta za nic nie potrafiła opanować odruchu zamykania oczu w momencie naciskania spustu, skutkiem czego strzelała wyłącznie Panu Bogu w okno, a że w żaden sposób nie można było jej tego oduczyć, więc dano spokój i skupiono się na szkoleniu jej w walce gołymi rękami i nożem. Dziewczyna miała więc swój osobisty zestaw sztyletów, bagnetów, kindżałów oraz zatrutych szpilek do włosów i w pełnej zgodzie z filozofią feldmarszałka Suworowa: „co puka to nie sztuka, to wolę, co kole", w czasie gdy Sergiusz użerał się z ich arsenałem, ona w najlepsze czytała sobie przeklętego Balzaka! Owszem, można było jej rozkazać, by zostawiła książkę i pomogła przy broni, ale za cenę dużego ryzyka, że coś jej się przy tym pokiełbasi... Balzak mimo wszystko był znacznie bezpieczniejszy w użyciu.

Oczywiście Swieta nie czytała francuskiego pisarza w oryginale, jak inteligentnym i wykształconym elitom przystało, tylko wynalazła jakieś jarmarczne wydanie, przetłumaczone na rosyjski tak, że chciało się rwać włosy z głowy. I rzecz jasna nie było to pełne osiemdziesiąt tomów *Komedii ludzkiej*, tylko zbiór co pikantniejszych fragmentów, przede wszystkim z *Fizjologii małżeństwa*, jak choćby ten dotyczący prześcieradeł, który tak bardzo wzięła sobie do serca. Ale przynajmniej wiedziała, o co chodzi, i tu był pies pogrzebany. Pół biedy, gdyby sylabizowała sobie tego Balzaka gdzieś w kącie, ale nie, ona co rusz znajdowała słowa, których nie rozumiała, i biegła zapytać Sergiusza.

Ten zajęty sortowaniem przemieszanych bezładnie pudełek z nabojami musiał bez końca tłumaczyć swej początkującej sawantce, po pierwsze co to jest sawantka, następnie czym się różni żabie udko od żabotu, omlet od opery i cassoulet od cointreau... Doprawdy niewiele brakowało, a zagięłaby go na sosie soubise. I jak łatwo zgadnąć, odpowiedź na każde z tych pytań rodziła tuzin następnych.

Na samym dnie skrzyni z bronią, pod warstwą paczek z amunicją, leżały trzy szable. Dwie współczesne, kawaleryjskie kozackiego typu i jedna stara polska, ułańska, najwyraźniej zdobyczna z 1831 roku. Zaskoczony Sergiusz wysunął ostrze, zobaczył napis „Bóg, Honor, Ojczyzna" i poczuł się tak, jakby Swieta znów kopnęła go w żebra. Nim zdążył się otrząsnąć i schować przebrzmiałą historię na dno, gdzie jej miejsce, jego strzyga bojowa znów wpadła z miną nadąsanej dziewczynki oraz żądaniem, aby wyjaśnić jej, co to był dyrektoriat...

Sergiusz uznał, że nie wytrzyma tego przez całą drogę do Kabulu, ani nawet do połowy tego dystansu. Góra do Moskwy! Postanowił, że gdy tylko tam dojadą, kupi Swietłanie do czytania coś bardziej odpowiadającego jej poziomowi umysłu. Pytanie tylko co?

Skoro o zakupach mowa, należało się zająć pieniędzmi. Mieli ich sporo – dziesięć tysięcy rubli, pół na pół w złocie i banknotach, i jeszcze kilkaset w srebrnym bilonie. Nie chciało mu się tego liczyć ani tym bardziej dźwigać przez pustynię, więc należało to wydać w pierwszej kolejności, zanim wyjadą z Rosji. A banknoty też chyba lepiej będzie wymienić na złote imperiały. Resztę budżetu stanowiły brytyjskie funty, w liczbie trzech tysięcy, oraz sterta wyświechtanych hinduskich rupii o niskich nominałach, których nie było sensu liczyć, skoro nie mieli pojęcia, ile właściwie są warte. O dziwo, nie było afgańskiej waluty, o ile takowej używano. Wyglądało na to, że na miejscu będą musieli polegać przede wszystkim na sile nabywczej rosyjskich złotych rubli. Nie było co narzekać na najmocniejszą walutę świata!

Zapasy żywności nie wzbudziły początkowo obaw Sergiusza. Puszek z tuszonką, kaszy, ryżu, fasoli, kawy zbożowej i cukru mieli na dwoje na jakieś trzy miesiące. Worek suszonych dorszy uszczęśliwił garbatą babuszkę na pierwszej stacji postojowej od chwili stwierdzenia jego istnienia. Co za dureń dał im dorsze, skoro po drodze mieli całe Morze Kaspijskie?! Wyglądało na to, że petersburscy intendenci szykujący wyprawę nie znali celu, poza tym że jest „daleko", więc na wszelki wypadek dali wszystko, ale akurat nie to, co potrzebne w Afganistanie.

Marnie było z mapami, a już całkiem źle z informacjami o obyczajach panujących w kraju, do którego się wybierali. Literalnie nikt nie wpadł na to, by postarać się dla nich o jakąkolwiek książkę czy cienką broszurę o Afganistanie, żeby choć artykuł z gazety wycięli. Kompletnie nic! Być może była to kwestia tajemnicy służbowej, którą zachowano do absurdu. W efekcie pozostawało tylko to, czego Sergiusz sam przypadkiem się dowiedział, a ta wiedza sprowadzała się do zasłyszanej kiedyś przy wódce informacji, że afgańskie kobiety chodzą w workach na głowie...

Do kompletu był jeszcze prezent od profesora Popowa, czyli jakieś radio-ustrojstwo, wyglądające na oko jak kupa poplątanego drutu z iskrownikiem. Tu na szczęście załączono obszerną instrukcję obsługi. Ponadto znakomity uczony doszedł do wniosku, że objaśnienia po rosyjsku to może być za mało, żeby tępy Polak wiedział, gdzie należy podłożyć dynamit. Dodał mu więc jeszcze podręcznik elektrotechniki, nowiutki, prosto z Paryża, konkretnie z tamtejszej politechniki, a także stos czasopism naukowych z artykułami na temat fal radiowych z ostatnich dwóch lat, również po francusku.

Język ten Sergiusz wprawdzie posiadł, ale postanowił wrócić do szkoły dopiero wtedy, gdy upora się z intelektualnymi aspiracjami Swietłany Teodorowny. Na razie, po dwóch dniach podróży, starszego lejtnanta Lawendowskiego zaczęło nękać uporczywe wrażenie, że trafił do teatru, gdzie podstępem skłoniono go do gry w jakiejś zwariowanej sztuce Gogola.

Chociaż z drugiej strony powodów do narzekania nie było. Swieta bardzo dbała, by ich prześcieradło nie budziło żadnych podejrzeń, więc nie pozwalała Sergiuszowi zasnąć, póki jej nie wziął przynajmniej dwa razy. W antraktach kazała sobie opowiadać o carskiej rodzinie i słuchała tych opowieści wzruszona do łez. Generał Brusiłow nie przesadził ani trochę. Swietłana była absolutną fanatyczką Mikołaja II osobiście i samodzierżawia w ogólności, choć ten polityczny termin rozumiała w znacznym uproszczeniu jako „wszystko, czego tylko Biały Car zapragnie". Sergiusz, który jako oficer cesarskiej gwardii przybocznej przesłużył w Carskim Siole, w dwóch ratach, prawie cztery lata, był w jej oczach półbogiem, herosem i arcykapłanem wiedzy tajemnej. I było jasne, że momentalnie być nim przestanie, jeśli popełni choćby najmniejsze *faux pas*. W obecności Swiety Sergiusz musiał uważać na to, co mówi nawet przez sen, ale nagroda za starania była wielka i słodka... Zwłaszcza kiedy powiedział Swietłanie, że ona czasem ma coś takiego w oczach, jakby sama Imperatorowa spojrzała... Z początku nie chciała wierzyć, komplement nie mieścił się jej w głowie, potem z dumy i zachwytu omal nie dostała palpitacji, a na koniec dała Sergiuszowi taką nagrodę, że i sama Katarzyna Wielka nie dałaby większej... Trzeba było panu generałowi przyznać, że wymyślił naprawdę dobry sposób podbudowania nadszarpniętego w Mandżurii wielkorosyjskiego morale starszego lejtnanta.

Tymczasem w wagonie restauracyjnym udawana nieśmiałość Swietłany stawała się na dłuższą metę coraz mniej wiarygodna. Zdawkowe z początku konwersacje nieuchronnie schodziły na bardziej złożone tematy i było kwestią czasu, aż któraś z dystyngowanych dam zapyta „młodą panią kupcową", cóż to ona ostatnio czytała, Swieta zacznie gadać o Balzaku i z miejsca okaże się, że nie jest tym, za kogo się podaje. To mógł być początek kłopotów. Należało więc szybko zainteresować dziewczynę literaturą, która nie będzie pozostawać w aż tak rażącym kontraście z jej wychowaniem i wykształceniem. Tylko co by to mogło być?

Przebłysk geniuszu oświecił Sergiusza tuż przed Moskwą. Balzak tak mu dojadł, że pociąg jeszcze nie zdążył zatrzymać się na stacji, a starszy lejtnant już chciał skakać na peron na złamanie karku i gnać na miasto, by kupić dla swojej strzygi baśnie braci Grimm!

Postój miał trwać trzy godziny. Na wyprawę do księgarni powinno spokojnie wystarczyć, lecz pozostawienie Swietłany samej na dłużej niż pięć minut pachniało dużymi komplikacjami. Tym bardziej że czekało ich teraz odczepianie i przetaczanie salonki bocznicami z Dworca Nikołajewskiego na Dworzec Kazański. Niby niedaleko, ale trzeba było wszystkiego samemu dopilnować, żeby nie wepchali przypadkiem albo nie przypadkiem na jaki ślepy tor... Swieta przecież by się nie zorientowała. Na tym zeszły im pierwsze dwie godziny w Moskwie. Sergiusz chodził po salonce jak niedźwiedź po rozpalonej blasze, ale nie było siły, nie mógł się ruszyć, póki nie dołączono ich do składu do Niżnego Nowogrodu. Oczywiście nie obyło się bez dziesiątaka dla zwrotnicowego i jego ludzi. Wobec wojska by się nie odważyli, ale cywilny kupiec miał, to grzech, żeby nie dał... Kiedy starszy lejtnant mógł się wreszcie wybrać po książkę, czasu już było nie za wiele.

Ponadto realizacja pomysłu od razu nastręczyła nadspodziewanych trudności. Woźnica pierwszej z brzegu stojącej przed dworcem dorożki, do której wskoczył Sergiusz, okazał się zbyt tępy, aby od razu pojąć, że klient nie chce jechać do najlepszego w mieście hotelu. Do knajpy z najzimniejszą wódką i burdelu z najgorętszymi dziewczynkami też nie... Sergiusz trzy razy musiał powtórzyć, że chce do księgarni. Dorożkarz patrzył na niego jak na poganina. Zanosiło się, że zaraz zaproponuje chrzest w cerkwi, i to bynajmniej nie najbliższej. No bo, narodzie prawosławny, czego tu się dziwić, skoro żaden moskiewski księgarz nie płacił dworcowym dorożkarzom prowizji za dowóz klientów do swej firmy!

Garść srebrnych rubli ekstra też nie załatwiła sprawy do końca, bo woźnica zwyczajnie nie wiedział, gdzie jest najbliższa księgarnia. I nie zanosiło się, żeby któryś z jego kolegów miał choćby blade pojęcie w tej mierze. Znaczy się, pewnie by mieli, gdyby Sergiusz na początek nie pokazał, że się spieszy i jak bardzo jest skłonny szastać pieniędzmi. Starszy lejtnant sam siebie zwymyślał w duchu od „durnych Polaczków", ale było już za późno.

Woźnice pozłazili z kozłów, zbili się w kupę i zaczęli radzić, jakby tu spełnić zachciankę tak niebywale wyrafinowanego klienta. Po dziesięciu minutach zaimprowizowana dorożkarska duma uchwaliła, że trzeba co nieco pojeździć po mieście i popatrzeć...

Sergiusz zrozumiał, że księgarnia cudownie odnajdzie się w ostatniej chwili, kiedy naprawdę trzeba się będzie spieszyć i słono dopłacić, by zdążyć z powrotem na dworzec. Nic więcej nie musiał już mówić, tylko gryźć wargi i bulić. Ewentualnie, gdy będzie po wszystkim, poprosić Swietłanę, żeby mu dała w mordę za głupotę. Tymczasem żarty na bok, należało coś wymyślić! Starszy lejtnant bywał w Moskwie jako kadet, znał więc miasto jako tako, akurat na tyle, by zauważyć, że dorożkarz wiezie go na plac Czerwony, oczywiście tak wybierając drogę, żeby przypadkiem nie trafić na żadną księgarnię. Jak dobrze pójdzie, pewnie jeszcze objadą Kreml dookoła, baszty sobie policzą…

– Jedź przez Arbat! – warknął Sergiusz. Miał nadzieję, że księgarnię znajdzie gdzieś bliżej dworca, ale w tej sytuacji nie miał wyboru. Tam przynajmniej pamiętał, że jakaś była.

Dorożkarz zmitygował się i przestał kluczyć. Niebawem zobaczyli z daleka, na froncie kamienicy szyld „KSIĄŻKI", napisany złotymi bukwami, stylizowanymi na przedpiotrową, cerkiewną cyrylicę. Zbliżali się do niego rozpaczliwie powoli, ale dojechali w czasie możliwym do przyjęcia. Na zakupy zostało niecałe dziesięć minut. Kolejki w środku szczęściem nie było, a księgarz okazał się na tyle przyzwoitym człowiekiem, że widząc wyraźny pośpiech klienta, nie przedłużył zbytnio recytacji litanii nowych tytułów, które też mogłyby być interesujące. Natomiast sugestia, by nabyć również bajki Andersena, była rozsądna i Sergiusz na nią przystał. Gorzej, że zachęcony sukcesem księgarz zaczął dociekać, w jakim wieku jest dziecko, dla którego przeznaczono ten prezent, bo może znajdzie się jeszcze coś odpowiedniego…

Kiedy wreszcie na ladzie stanęła elegancka paczka z kompletem niemieckich i duńskich baśni w języku rosyjskim, Sergiusz, odliczając należną sumę, pozwolił sobie na głębokie westchnienie ulgi i przyobiecał w duchu, że to już naprawdę ostatni raz zrobił z siebie takiego idiotę. Następnym razem będzie się spieszyć dopiero wtedy, gdy zaczną do niego strzelać.

Dzwonek nad drzwiami od ulicy, oznajmiający wejście nowego klienta, umknął uwagi starszego lejtnanta. Przykuł ją dopiero trzask zamykanego od wewnątrz skobla i nagła bladość na twarzy sprzedawcy.

Sergiusz odwrócił się powoli, sięgając od niechcenia po pierwszą z brzegu z wystawionych na ladzie nowości, jakby jeszcze ta książka go zainteresowała. Otworzył ją na chybił trafił i niby coś czytając, spod opuszczonej głowy zerknął na przybyszy.

Było to dwóch ulicznych opryszków w kraciastych marynarkach i nasuniętych na oczy czarnych kaszkietach. Jeden w średnim wieku miał brudną, żółtawą chustkę w butonierce, a w dłoni gotowy do strzału nagan. Młodszy, na oko niespełna dwudziestoletni, sprawiał wrażenie aplikanta w bandyckim fachu. Obaj nie wyglądali na pijanych ani morfinistów, a zatem napad w biały dzień na księgarnię wydawał się dość trudny do uzasadnienia. Sergiusz doszedł do wisielczego wniosku, że najwyraźniej prześladuje go duch Gogola. Pytanie tylko, za jakie grzechy?

– Przecież ja już zapłaciłem… – wystękał przerażony księgarz.

– Milcz! Nie o ciebie idzie! – Obaj ruszyli w kierunku Sergiusza.

Istniała granica głupoty, której starszy lejtnant jeszcze nie przekroczył. Mianowicie nie wyszedł na miasto bez broni. Przed skokiem na peron wepchnął w prawą kieszeń spodni owo niemieckie cacuszko.

Kłopot polegał na tym, że teraz po pierwsze należało do tej kieszeni sięgnąć, po drugie pistolet przeładować, po trzecie odbezpieczyć i dopiero po czwarte odpowiedzieć ogniem w słusznej sprawie. Tymczasem tamten już trzymał palec na cynglu. Wyglądało więc na to, że trzeba będzie oddać portfel i prosić dorożkarza o kredytowy kurs na Dworzec Kazański…

Na domiar złego, żeby przygotować parabelkę do strzału, Sergiusz potrzebował obu rąk, w których akurat trzymał książkę. Upuszczenie jej teraz na podłogę byłoby zdecydowanie złym pomysłem, podobnie jak wszystkie inne gwałtowne ruchy. Gdyby starszy lejtnant Lawendowski został w tej przeklętej księgarni przyłapany z opuszczonymi do kolan spodniami, jego sytuacja byłaby znacznie lepsza. Miałby bowiem wtedy dobry powód, by podczas podciągania portek choćby zbliżyć rękę do kieszeni...

Książka była gruba i w twardych okładkach, więc w razie czego mogła zatrzymać rewolwerową kulę. Pod dwoma warunkami – że się ją mocno ściśnie i tamten świadomie zechce rozstrzeliwać literaturę, a nie człowieka, bo z odległości trzech kroków trudno było o pomyłkę... Gdyby oprych był sam, można by w niego rzucić tym szacownym dziełem, czymkolwiek ono było, Sergiusz nie miał bowiem głowy interesować się tytułem, i tak zyskać sekundę lub dwie. Więcej zawodowemu żołnierzowi nie trzeba, ale było jasne, że młodszy bandyta nie da mu ani ćwierci sekundy i natychmiast wyląduje na jego plecach. Żadnej szansy zatem nie było.

– Idź! – bandyta lufą nagana pokazał drzwi na zaplecze. Jego pomocnik natychmiast ruszył przodem. Nie był głupi i nie przeciął linii ognia. Sergiusz wciąż musiał czekać na swoją szansę. A czasu na cokolwiek ubywało coraz szybciej.

Ruszył, gdzie kazali, wciąż trzymając przed sobą książkę. Nie odebrali mu jej, nie kazali zostawić i nie zrewidowali rutynowo. Wyglądało na to, że człowiek z książką w dłoniach wygląda tak bezbronnie i nieporadnie, że trudno podejrzewać go o posiadanie broni. To była dobra wiadomość. Druga, znacznie gorsza, była taka, że najwyraźniej nie chodziło im o pieniądze. To nie był napad rabunkowy. Ktoś postanowił przerwać afgańską misję...

Wyszli na podwórze kamienicy, które momentalnie opustoszało. Rezolutnych świadków zajścia było wielu i właśnie udowadniali swą wrodzoną moskiewską bystrość, sprawnie i szybko zamykając okna oraz zaciągając szczelnie zasłony.

– Uklęknij – powiedział do oficera ten z naganem.

Wybór Sergiusza sprowadzał się w tej chwili do tego, czy woli dostać kulę w tył głowy czy w czoło, jeśli się sprzeciwi. Musiał zyskać na czasie, więc ukląkł, jak mu kazali. Liczył na to, że zabójca okaże się pobożnym człowiekiem i pozwoli mu jeszcze zmówić ostatnią modlitwę. Wtedy nie będzie nic niezwykłego w tym, że książka wypadnie roztrzęsionemu skazańcowi z rąk i...

Bandyta wpadł jednak na inny pomysł. Wszystko dotąd szło tak gładko, że postanowił dać się wykazać pomocnikowi.

– Ty to zrób – powiedział półgłosem.

Sergiusz w skupieniu nasłuchiwał odgłosu kroków zza swoich pleców. Młody bandyta powinien teraz podejść, aby przejąć rewolwer. To byłby właśnie ten moment! Pomagier, ubezpieczając teren, stanął dość daleko, jakieś pięć kroków na lewo od swego szefa i nieco za nim. Starszy zabójca, oddając mu broń, powinien więc obrócić się nieco i stanąć do klęczącej ofiary półprofilem, tym chętniej że przecież klient nie patrzył...

Nic z tego. Pomocnik ruszył prosto do Sergiusza. W pół drogi rozległ się charakterystyczny szczęk sprężynowca.

Zamierzali poderżnąć mu gardło!

Zaaferowany czekającym go zadaniem młodzik tym razem wszedł w linię ognia. Pochylił się, wyciągnął lewą rękę, by chwycić czoło ofiary i odchylić jej głowę do tyłu... Wtedy w czubek nosa uderzył go twardy grzbiet książki, rzuconej w górę całą siłą ramienia i prostujących się nóg.

Sergiusz uderzył lewą ręką, skrętem tułowia poszedł w ślad za ciosem, jednocześnie prawą sięgając do kieszeni. Palce zacisnęły się na szorstkiej rękojeści pistoletu. Punkt pierwszy planu wykonany.

Zamroczony bólem opryszek zatoczył się do tyłu. Odruchowo łapiąc równowagę, ręką z nożem zamachnął się daleko w bok, tak że ostrze chwilowo nie było groźne. Zanim zdołał odzyskać koordynację ruchów, zrywający się z ziemi Sergiusz całym impetem wyrżnął go ciemieniem w podbródek. Książka załopotała kartkami gdzieś nad nimi.

Młody zabójca bezwładnie poleciał na starego. Starszy lejtnant, idąc tuż za przewracającym się przeciwnikiem, wykorzystał go jako parawan i tak ukryty przed wzrokiem tego drugiego wprawnym ruchem wprowadził pocisk do komory parabellum. Brzęk sprężynowca na bruku podwórka był znacznie głośniejszy od dwutaktu dobrze naoliwionego zamka, wyłuskującego nabój z magazynka z iście niemiecką precyzją. Punkt drugi wykonany.

Kciuk dłoni trzymającej kolbę już sam namacał bezpiecznik i przesunął go w pozycję „ogień". Punkt trzeci gotów.

Spadająca książka głucho uderzyła grzbietem o ziemię.

Stary zbir chwycił młodego za kołnierz i odepchnął go w bok. Na tym powinien był poprzestać i natychmiast zwrócić się przeciw Sergiuszowi, ale zamiast tego postanowił jeszcze pechowego kompana wyśmiać. Wciąż miał rewolwer w garści, więc czuł się panem sytuacji. Śmiech przeszedł w bolesne czknięcie, gdy oficer strzelił mu prosto w pępek. Punkt „cztery A"…

Wykorzystując podrzut broni, drugą kulę Sergiusz wpakował przeciwnikowi w środek mostka. Musiała zatrzymać się na kręgosłupie, bo bandyta miotnął się jak porażony prądem. Punkt „cztery B" gotów. Nagan wyleciał napastnikowi z ręki albo raczej został rzucony, jakby kolba nagle zaczęła parzyć. Punkt planu „cztery C", czyli trzeci strzał w krtań, został wykonany już tylko *pro forma*.

Młody opryszek dopiero teraz wywalił się jak długi. Starszy lejtnant doskoczył do niego, chwycił za marynarkę na piersiach, powlókł do ściany i docisnął do niej kolanem. Lufą parabelki szturchnął ociekający krwią nos. Nagły błysk bólu musiał otrzeźwić poturbowanego bandytę, bo jego oczy spojrzały przytomnie.

– Gadaj, kto kazał?! – syknął Sergiusz, doskonale zdając sobie sprawę, że jeśli już, to powinien zapytać tego starszego, a i to bez najmniejszych gwarancji, że odpowiedź cokolwiek wniesie do sprawy.

Młodzik lekko pokręcił głową. Nie wiadomo, co chciał w ten sposób oznajmić, że nie wie, czy że nie powie. Oficer już nie dociekał. Pilniejsza była odpowiedź na pytanie, co zrobić z jeńcem?

Formalne przekazanie go w ręce władz nie wchodziło w grę. Utknęlibyśmy w Moskwie na dobry tydzień, w najlepszym razie trzy dni. Zeznania, raporty, poświadczenia, uzgodnienia... Generał Brusiłow słusznie by się wściekł. Z kolei wlec ze sobą gówniarza do pociągu też nie było jak ani po co. Żeby resocjalizować? Wypuścić? Tylko świadka i mściciela im jeszcze brakowało...

Miał do czynienia z zimnym podrzynaczem gardeł, niezbyt wprawnym jeszcze, ale pełnym chęci do nauki. Nie powinien jej skończyć z dyplomem.

Lufa parabellum przesunęła się między oczy. Były jasnoniebieskie, takie głęboko, słowiańsko ufne.

– Wybacz, braciszku – powiedział Sergiusz głośno, wyraźnie, z petersburskim akcentem.

Oczy przestały zezować w lufę, pojawiło się w nich całkowite zrozumienie racji i egzystencji.

– Nic takiego... – szepnął moskiewski opryszek.

Kula wyrwała kawał potylicy i roztrzaskała ją o ceglany mur na drobne, różowe fragmenty. Sergiusz błyskawicznie uchylił się przed odbitą od ściany chmurą rozprysków krwi i mózgu. Nie oglądając się za siebie, wbiegł z powrotem do księgarni. Trochę mu było żal, że nie sprawdził tytułu książki, która uratowała mu życie. Kto wie, może była to *Obrona Sokratesa*?

Sprzedawca gdzieś się schował, ale paczka z zapłaconymi bajkami wciąż leżała na ladzie. Oficer chwycił ją i wybiegł na ulicę. Dorożki nie było, choć przecież kazał czekać. Może tamci dwaj ją przegonili...? Nieważne! Teraz już z Sergiuszem nie było żartów. Pobiegł w kierunku dworca, wypatrując następnej, wolnej albo i nie.

Akurat z najbliższej przecznicy wyjechała zajęta. Jakiś dystyngowany jegomość wyfrunął z niej na chodnik, łopocząc białym szalikiem. Bogu dzięki, że nie jechała kobieta z dzieckiem, bo Sergiusz też by się nie zawahał.

– Na Dworzec Kazański! – dźgnął stangreta lufą w nerkę. – Prosto i szybko, bo ci konia ubiję!

Groźba podziałała. Pognali na złamanie karku, nie bacząc na przechodniów i inne pojazdy.

Czasu jednak zabrakło. O godzinie odjazdu pociągu oni dopiero podjeżdżali przed dworzec. Sergiusz wyskoczył z dorożki, kiedy przebrzmiał odległy gwizd ruszającego parowozu. Na oślep rzucił za siebie garść srebra i z paczką książek w rękach, torując nią sobie drogę niczym taranem, z impetem runął w dworcową halę, roztrącając ludzi jak pocisk z armaty.

Pociągi co prawda rozpędzały się powoli, ale starszy lejtnant bardzo się spóźnił. Peron był już pusty, nie licząc zawiadowcy, który półtorej minuty temu dał znak do odjazdu, a teraz skwapliwie zszedł wariatowi z drogi i obserwował pościg z iście sportowym zainteresowaniem.

Ich salonka była ostatnia w składzie. Zaniepokojona Świetłana stała na tylnym pomoście i machała ponaglająco. Sergiusz przyspieszył. Dzieląca ich odległość skracała się powoli, a peron był coraz krótszy.

– Bierz! – rzucił jej paczkę.

– A co to? – chwyciła pewnie.

– Podarek!

– Dla mnie…? – ucieszyła się po kobiecemu. Odłożyła książki na podłogę i wyciągnęła do niego dłoń.

Zabrakło mu akurat chwili straconej na przekazywanie książek. Stale rosnąca prędkość pociągu właśnie teraz przekroczyła szybkość biegu starszego lejtnanta. Peron zaś kończył się dwa kroki dalej.

Swieta skoczyła głową w dół, wyciągając ku Sergiuszowi obie ręce. Chwycili się za nadgarstki, oficer wybił się w górę z krawędzi peronu.

Runęli razem, twarzami wprost w podkłady i kamienny tłuczeń. W pół drogi jednak ich lot zmienił kierunek. Nie lecieli ku ziemi, lecz popłynęli nad nią…

Dziewczyna wisiała zaczepiona zgiętą w kolanie prawą nogą o słupek barierki. Czubkami palców lewej nogi, niczym wytrawna baletnica, opierała się o krawędź zderzaka i przyciągała do siebie

Sergiusza, pewnie, spokojnie, bez szarpnięć, całkowicie kontrolując dynamikę tej akrobacji.

Oficer musiał jeszcze raz odbić się od umykającej do tyłu ziemi. Nie zawiódł towarzyszki, dobrze trafił stopą w płaską końcówkę podkładu i wyskoczył w górę. Swietłana płynnym, okrężnym ruchem skorygowała trajektorię jego lotu tak, że druga noga Sergiusza bezbłędnie trafiła na pierwszy stopień żelaznych schodków.

Sekundę później trzymali się w ramionach, dysząc sobie w usta. Starszy lejtnant ma się rozumieć dużo głośniej. No i rzecz jasna zaraz się pocałowali. Samo wyszło.

Daleko za nimi osłupiały zawiadowca przesłał im znak krzyża na drogę.

– Chodź! – dziewczyna poprowadziła Sergiusza do salonki.

Oficer stężał, gdy tylko przekroczyli próg. W powietrzu wisiał nieokreślony, ale niedający się z niczym pomylić zapach śmierci...

– Ilu zabiłaś? – wyrzucił z siebie.

– A ty? – odpowiedziała pytaniem na pytanie. Niesamowite, ale ona w takiej chwili droczyła się z nim, ani trochę nie kryjąc kokieterii.

– Dwóch...

Bez słowa kucnęła obok łóżka, sięgnęła pod nie i wywlokła za kołnierz ciało młodego mężczyzny o zsiniałej twarzy. Też moskiewskiego apasza.

– Czego chciał? – Sergiusz przyklęknął obok.

– Tego co wszyscy... – Powstała.

Nieborak jeszcze żył, a mówiąc ściślej, był dopiero w trzech czwartych trupem. Źrenice miał nieruchome i nie wydawał już żadnych dźwięków, ale klatka piersiowa oraz kąciki ust podrygiwały jeszcze w imitacji ruchów oddechowych. Znaczyło to, że mózg był już całkiem martwy, ale nerwy rdzenia kręgowego nadal walczyły o życie.

– To jego – Swietłana podniosła ze stołu zdobyczny nóż sprężynowy z rękojeścią z macicy perłowej i w zadumie obróciła go w palcach. – Nie trzeba wyjmować tego, czego nie umie się użyć...

Sergiusz przeszukał kieszenie napastnika, ale nie znalazł tam nic poza szylkretowym grzebykiem i garścią drobnych monet. Przyczyna śmierci nie rzucała się w oczy, musiał ustalać ją dłuższą chwilę. Wreszcie na koszuli, na wysokości serca wypatrzył małe rozdarcie i kilka kropli krwi. Do tego nieznaczne ślady na szyi, świadczące o fachowym przyduszeniu. Zbyt pewny siebie dureń zginął zakłuty własnym nożem, zanim zdążył pojąć, co się dzieje.

– Wyrzucimy go w nocy – dziewczyna spojrzała z namysłem na ciało. – Kiedy zesztywnieje, będzie poręczniejszy.

Sergiusz skinął głową na zgodę i wepchnął konającego z powrotem pod łóżko. Zaczął wstawać i w tym momencie opuściły go siły. Musiał usiąść.

– Co z tobą?! – Swieta przypadła do jego kolan, zatroskana i współczująca. – Ty nie ranny?

Zaprzeczył milcząco.

– Pokaż! – nie chciała uwierzyć. Czym prędzej zdjęła z niego marynarkę i obejrzała uważnie ze wszystkich stron. – Nic nie ma – oznajmiła po chwili z ulgą. – To czemu ty tak osłabł?

Tłumaczyć jej, co to jest spadek napięcia nerwowego po walce, trwałoby chyba za długo. Zresztą to nie byłaby przecież cała prawda. Czuł się… czuł jak.. Jak kat… Był ofiarą, która nagle zamieniła się rolą ze swoim katem. Ech, jakież to było rosyjskie! Ogarnęło go nagle dojmujące wrażenie, że nie jest już Polakiem. Ani trochę. Był Rosjaninem, przynajmniej teraz, w tej chwili, w stu procentach, do szpiku kości. I przytłoczyła go ta transformacja.

Swietłana przyglądała mu się wyczekująco.

– Zabiłem jednego, patrząc mu prosto w oczy – powiedział wreszcie Sergiusz. – Rozumiesz?

– Rozumiem… – Wyjęła szpilkę z koka, rozpuściła włosy i zaczęła rozpinać bluzkę.

W pierwszej chwili patrzył obojętnie, jak się rozbiera, ale ruchy Swiety stawały się coraz szybsze i niecierpliwsze. Bluzkę jeszcze zdjęła normalnie, ale z halką i stanikiem już się nie bawiła, tylko rozdarła je gwałtownie, odsłaniając zaróżowione piersi. Z tą samą furią przypadła do jego rozporka.

Nie miał siły jej powstrzymywać. Nie chciał powstrzymywać! Wybuchł w nim nieartykułowany ryk, chwycił ją całą garścią za włosy i pociągnął na łóżko. Rzucili się na siebie jak dzikie bestie.

Którymi byli. Przynajmniej teraz, w tej chwili, w stu procentach, do szpiku kości.

Zatracili się w sobie, w otchłani śmierci i rozkoszy, bez różnicy, aż do ostatecznego zapomnienia, aż scześnie wszystko, co boli i doskwiera…

Kiedy wróciły im zmysły, była już głęboka noc. Koła pociągu dudniły monotonnie. Ile godzin minęło? Sergiuszowi nie chciało się szukać zegarka. W każdym razie upłynęło wystarczająco wiele czasu, aby trup pod nimi dobrze zesztywniał i stał się poręczniejszy, jak mówiła Swieta.

Rzeczywiście był poręczniejszy. Nie tylko dlatego, że nie leciał im przez ręce, kiedy oboje, wciąż jeszcze w strzępach potarganych ubrań, nieśli go na tylny pomost wagonu. Zesztywniałego jak kłoda łatwiej było też wspólnymi siłami rozbujać i cisnąć daleko w ciemność, tak żeby nie upadł tuż przy torach, gdzie łatwo było go znaleźć, ale poleciał głęboko w czarny gąszcz krzaków rosnących na stoku nasypu.

Potem w milczeniu napili się wódki i wrócili do łóżka. Bardzo ostrożnie nawzajem zdjęli z siebie to, co jeszcze się ich trzymało. Ona czule wycałowała ślady własnych paznokci na jego plecach. On pieścił ją najdelikatniej, jak umiał. Nie czuł już ani śladu dotychczasowej wyższości. Teraz byli sobie doskonale równi i bliscy. Zbawieni czy potępieni – nie było żadnej różnicy.

Ta noc naprawdę zbliżyła ich do siebie.

A w różowym blasku jutrzenki Swietłana, ciesząc się jak dziecko, rozpakowała wreszcie swój prezent. Na widok kolorowych ilustracji aż piszczała z zachwytu.

Jaś Henrykowicz i Małgosia Teodorowna...

Śniadanie kazali sobie podać do łóżka.

Kucharza najwyraźniej bardzo ucieszyło to zlecenie, bowiem dołożył wszelkich starań, by nowożeńcom dogodzić. Posłał im najbardziej reprezentacyjny samowar, wręcz bijący po oczach blaskiem złotych grawerunków. Kawior był w trzech gatunkach, do tego świeżutki, orzeźwiający sok z brzozy. Marynowaną słoninę musiał dać chyba z osobistych zapasów, bo wprost rozpływała się w ustach. Szynka jeszcze pachniała jałowcowym dymem, ale szczytem wszystkiego były gorące bułeczki, które najwyraźniej sam upiekł, oraz topniejące na nich czosnkowe masełko. Doprawdy można było zacząć nowy dzień i nowe życie! Wszystko zupełnie od początku. Zło było, minęło, przepadło. Napluć na przeszłość!

Po śniadaniu Swietłanę coś naszło. Przegoniła dziewkę służącą, zabrała jej szczotkę i kubeł, i sama wzięła się za wielkie sprzątanie. Szczególnie starannie, wręcz z pasją, chodząc z kąta w kąt na czworakach w podkasanej halce, wyszorowała w salonce całą podłogę, zwłaszcza pod łóżkiem. Sergiusz specjalnie w tym celu musiał zdobyć dla niej źródlaną wodę, niby do picia. Nie było z tym kłopotu, bo za pięćdziesiąt kopiejek migiem dostarczono pełną stągiew na pierwszym postoju. Chwalić Boga, przeczystych źródełek Mateczce Rosji nie brakowało! Dziwne było tylko, że Swieta zachowuje się tak, jakby ten wagon był ich prawdziwym, świętym domem, w którym umarł członek rodziny, ale Sergiusz nie komentował. Grunt, że nie musiał pomagać dziewczynie przy przestawianiu mebli. Mógł spokojnie, z jasną głową przemyśleć ich sytuację, a następnie zająć się pisaniem i szyfrowaniem raportu dla generała Brusiłowa.

Ich misja została zdemaskowana. To nie ulegało wątpliwości. Fakt, że zabójcy zlekceważyli Swietłanę, wskazywał, że zdrajca nie znajdował się w bezpośrednim otoczeniu generała. Wobec tego łatwo było zgadnąć, że ktoś musiał obserwować gości Aleksandra Stiepanowicza Popowa. Należało teraz sprawdzić, który z asystentów akademika ma kontakty z angielską ambasadą. Cóż, powinni byli wcześniej sami na to wpaść, że jak się robi takie nieprawdopodobne cuda z falami radiowymi, to dobrze jest mieć na oku wszystkich ludzi liczących się w tej branży. Zwłaszcza że na całym świecie nie było tych ludzi zbyt wielu, może kilkunastu, a w całej Rosji tylko jeden Popow.

Zatem ktoś przyczepił im ogon… To akurat nie było wielkie zmartwienie. Jeżeli już go nie zgubili, zrobią to najpóźniej w Niżnym Nowogrodzie. Znacznie gorzej, że depesze poszły w świat, nie tylko do Moskwy, ale i w Kabulu też już będą na nich czekali… Ilu bowiem mogło mieszkać w tym mieście rosyjskich kupców, do których przyjechali akurat młodzi krewni z żonami? Oj, ciężko będzie ukryć się w tłumie! Potrzebna im była nowa legenda, a to oznaczało poważne opóźnienie. I kto wie, może nawet rozstanie ze Swietłaną…?

Tu starszy lejtnant Lawendowski stwierdził ze zdumieniem, że nie jest w stanie ogarnąć i zrozumieć własnych uczuć. Jechał do Afganistanu, by spotkać Patrycję. To się nie zmieniło. Z drugiej strony przyłapał się na myśli, że kiedy się to wszystko skończy, mógłby dalej żyć ze Swietą. Ktoś mógłby powiedzieć, że warci byli siebie oboje… Była to prawda i bez złośliwości. Rozumieli się, czuli do siebie pociąg fizyczny, ba, nawet się szanowali. Co prawda każde na swój sposób, ale jednak. Czego więcej można chcieć od związku kobiety i mężczyzny? Ile prawdziwych małżeństw mogło powiedzieć o sobie aż tyle dobrego? Zatem ślub w cerkwi ze Swietłaną…? A czemu nie? Kawaler i wdowa (mniejsza o to, że czarna, skoro i on kat), oboje prawosławni... Nie mogła mieć dzieci, to była jakaś przeszkoda, ale czy naprawdę dużo tam mogło takiej młodej i zdrowej babie brakować? Sergiusz jako oficer przyboczny Imperatorowej znał wszystkich liczących się w Europie i Ameryce lekarzy od spraw kobiecych, z niektórymi nawet zdarzyło się wypić. W Carskim Siole od lat o niczym innym się nie mówiło, jak o staraniach Najjaśniejszej Rodziny o męskiego potomka. Caryca po urodzeniu córek już tylko roniła albo wcale nie mogła zajść w ciążę. Sprowadzano więc do niej, kogo tylko się dało, od najsławniejszych profesorów po szamanów z syberyjskiej głuszy, natchnionych mnichów cudotwórców, jawnych szarlatanów, a ponadto jakieś koszmarnie zdeformowane i niedorozwinięte kaleki, w których pobożny ruski lud nieomylnie rozpoznał nowe, ziemskie wcielenie Chrystusa, a cesarzowa na sam ich widok dostawała spazmów... Krótko mówiąc, w razie czego Sergiusz dobrze wiedział, do kogo się zwrócić w sprawie bezpłodności Swietłany. Żyć zatem razem by można, ba, ale i nie żyć też równie dobrze. Gdyby przyszedł rozkaz rozstania, po prostu pocałowaliby się i rozstali. Swietłana chyba by się nie zmartwiła, sprawiała wrażenie, jakby brała wszystko, co jej życie przyniesie, o nic nie prosząc i na nic nie narzekając. Odcięta od swoich korzeni była jak drzewo rzucone do wody – płynęła, dokąd nurt poniesie. A gdzie były korzenie Sergiusza Lawendowskiego? W Przywiślańskim Kraju? W szlacheckim zaścianku nad rzeką Liwiec? Zatem on i Swietłana się nie kochali, prawda, ale czy wspólny los nie mógł być równie ważny? I co warta była ta jego miłość do Patrycji, skoro ona, kiedy ją odnajdzie, znów przegna go od siebie jak psa? Było jasne jak słońce, że nie pozwoli carskiemu stupajce wychowywać swoich dzieci, w których żyłach płynęła krew nieposkromionych polskich i irlandzkich buntowników, a zastępy chińskich rebeliantów na dodatek błogosławiły im z zaświatów. Gdyby robota tak nie nagliła, należało się teraz ze Swietą dokumentnie urżnąć i zerżnąć...

Telegram do Petersburga Sergiusz wysłał w połowie drogi między Moskwą a Niżnym Nowogrodem. Na zagubionej w głuszy stacyjce nikogo nie zdziwiło, że kupiec podróżujący w interesach używa szyfru. Należało tylko dopłacić trochę więcej za bardziej skomplikowaną usługę i wszystko poszło jak z płatka. Odpowiedź generała otrzymali szybko. Depeszę przekazano w nocy, na przedostatniej stacji. Składała się z czterech słów: KONTYNUOWAĆ STOP POMOŻEMY STOP.

A w mglistym poranku, na peronie w Niżnym Nowogrodzie czekała na nich obstawa – czterech drabów w długich czarnych, skórzanych płaszczach. Idioci! Brakowało im tylko transparentu z napisem: „Witamy uczestników tajnej wyprawy wojskowej do Afganistanu". Sergiusz z miejsca się wściekł, tym bardziej że dowodzący tamtymi bałwan na dodatek mu zasalutował. Tylko napluć na taką konspirację! Nawet to, że komitet powitalny reprezentował carską armię nie ulegało najmniejszej wątpliwości na długo, zanim zdążyli podać ustalone hasło, bowiem wszyscy co do jednego bardzo się pilnowali, żeby nie trzymać rąk w kieszeniach. Widać uprzedzono ich, z kim mają do czynienia, i jakby coś nie tak, weseli nowożeńcy najpierw zabiją, potem będą przesłuchiwać. Pewnie potwierdzenie ich kwalifikacji też już tu dotarło z Moskwy. Na Swietłanę gapili się wprawdzie z lekkim niedowierzaniem, lecz żaden nie odważył się zgłaszać otwartych wątpliwości.

Dziewczyna w przeciwieństwie do Sergiusza bawiła się dobrze. Z miejsca obsobaczyła, że witają młodą parę bez chleba, soli, wódki i kwiatów, i za nic nie dała po sobie poznać, że żartuje. Tamci nie wiedzieli, gdzie podziać oczy.

Szczęściem przynajmniej ich przesiadka była dobrze zorganizowana. Bagażowi pod nadzorem obstawy sprawnie przenieśli cały ekwipunek na czekającą przed dworcem platformę towarową. Jechali długo, mocno klucząc po mieście. Po półgodzinie w jakimś zaułku zmienili konie z karych na gniade oraz kolor plandeki przykrywającej manele. Najpierw była szara, następnie burożółta.

I zaraz potem wjechali w przechodnie podwórko, gdzie przeładowali wszystkie rzeczy na platformę pokrytą zielonkawym brezentem i zaprzężoną w jabłkowitą kobyłę. Swietłanie i Sergiuszowi polecono założyć mnisie habity, naciągnąć kaptury i pojechali w dalszy objazd miasta. Starszy lejtnant był w Niżnym Nowogrodzie pierwszy raz, ale tutejszego kremla i pomników nie było kiedy podziwiać. Razem z pozostałymi wypatrywał w skupieniu, czy ich ktoś nie śledzi.

W pewnej chwili Sergiuszowi i Swietłanie polecono wejść do jakieś kamienicy, a ich rzeczy pojechały dalej z parą, której oddali habity. W tym domu zjedli obiad i kolację. Czasu było dużo, dano im osobny pokój, ale oboje nawet się do siebie nie odezwali. Cały okres oczekiwania spędzili, siedząc niemal bez ruchu. Sergiusz przy oknie, Swieta wpatrywała się w drzwi. Jedyną rozrywką starszego lejtnanta było obserwowanie przyczajonej towarzyszki. Naprawdę miała w sobie cierpliwość leśnej pumy i ponad wszelką wątpliwość szósty zmysł, bo ilekroć na nią spojrzał, zaraz odwracała ku niemu głowę i odpowiadała lekkim uśmiechem. Sam Bóg we wszystkich trzech swoich Osobach musiał dziwić się temu, co kryło się w duszy tej dziewczyny.

Przyszli po nich po zmroku. Tylko hasło i żadnych słów więcej. Znów klucząc i zmieniając dorożki, pojechali do rzecznego portu. Tam czekała na nich łódź, która natychmiast wypłynęła na środek Wołgi, a potem na wiosłach w górę rzeki. Po godzinie w ciemnościach mrugnęły latarki, a łódź przybiła do burty dryfującego z prądem parowca z maszyną na jałowym biegu. Od strony rufy rzucono im sznurową drabinkę. Ktoś szepnął: „Powodzenia", a Sergiusz i Swieta błyskawicznie wdrapali się na pokład. Milczący marynarz zaprowadził ich do kajuty pierwszej klasy, w której się zamknęli. Trzy minuty później parowiec dał małą naprzód i niebawem, jak gdyby nigdy nic, przybił do portu w Niżnym Nowogrodzie, gdzie rano razem z resztą ładunku umieszczono też ich bagaże.

O dziesiątej, zgodnie z rozkładem wypłynęli do Astrachania. Każdy ewentualny szpieg w porcie mógłby szczerze przysiąc, że na statek o poczciwej nazwie „Wiatka" nie zaokrętowała się żadna para. Schodzący z pokładu podróżni z Kostromy też jako żywo o żadnych nowożeńcach nie słyszeli...

Kapitan „Wiatki" Iwan Pawłowicz Gubkin, spokojny starszy mężczyzna już tylko z połówką aureoli siwych włosów wokół rumianej łysiny, nie dziwił się niczemu ani nie zadawał pytań. Około południa zaszedł do ich kajuty, by się kurtuazyjnie przedstawić oraz zawiadomić, że w Kazaniu będą pojutrze, ale on radzi im pokazać się na pokładzie dopiero za tydzień, gdy dotrą do Samary.

W tej sytuacji bajki Andersena i braci Grimm okazały się prawdziwym błogosławieństwem. Swietłana była nimi oczarowana, zafascynowana i każdą czytała z wypiekami na twarzy trzy razy z rzędu, żeby na dłużej starczyło. Pytania, owszem, nadal miała, ale już nie tak wiele i nie tak uciążliwych do wytłumaczenia jak wtedy, gdy męczyła Balzaka. A trzeciej nocy na „Wiatce" Swieta rozśmieszyła Sergiusza do łez, udając w łóżku księżniczkę na ziarnku grochu.

Za dnia natomiast starszy lejtnant zgłębiał arkana najnowocześniejszej elektrotechniki. Urządzenie, które sprezentował im profesor Popow, było odbiornikiem dostrojonym do częstotliwości fal wysyłanych przez tajemnicze źródło w Afganistanie. Kiedy zbliżą się do niego na odległość kilku kilometrów, między kulami iskrownika powinna zacząć samorzutnie przeskakiwać maleńka elektryczna iskra. Jeżeli zaś zdołają rozwiesić długą antenę i uziemią rezonator, to może nawet uda się zwiększyć ten dystans do kilkunastu kilometrów. W sprzyjających warunkach, powtarzając próby na różnych odległościach i kierunkach, można było uzyskać przybliżone namiary ogniska fal. Zważywszy rozmiary i warunki geograficzne Afganistanu, potrzebowali około stu lat, żeby przebadać w ten sposób całe jego terytorium, ale podobno Allah jest miłosierny i litościwy...

Odbiornik Popowa wyposażony był dodatkowo w szklaną rurkę z szarozłotym kryształkiem galeny ołowiowej, nakłutym igłą z irydu, która była osadzona na sprężynie z pokrętełkiem, oraz parę słuchawek telefonicznych. Dzięki temu ustrojstwu po uzyskaniu odbioru z bliskiej odległości powinno dać się usłyszeć słowa przenoszone w radiowym eterze. Profesor zastrzegał się jednak sążniście w swojej instrukcji, że ów „eksperymentalny galenowy obwód detekcyjny", jak go nazwał, jest niewypróbowany, bo nie było na czym, i nie ma absolutnie żadnej pewności, że będzie działać.

Przy okazji studiowania instrukcji Sergiusz został wtajemniczony w dwa największe, dotychczas nierozwiązane, problemy radiotechniki. Pierwszym było zagadnienie amplifikacji, czyli wzmacniania prądów. Hipotetyczny wzmacniacz elektryczny był niezbędny do uzyskania niegasnących oscylacji w nadajniku fal radiowych, a następnie w ich odbiorniku do wzmocnienia sygnału uchwyconego przez antenę. Od sprawności takiego wzmacniacza zależała odległość, na jaką możliwa była komunikacja radiowa. Profesor Popow był przekonany, że ów ktoś w Hindukuszu z całą pewnością takim amplifikatorem dysponuje. Co więcej, ktoś dysponujący odbiornikiem z podobnym wzmacniaczem mógł odbierać wiadomości z Afganistanu w dowolnym miejscu ziemskiego globu… No, prawie dowolnym, nie popadajmy w fantastykę! Słowa „ogólnoświatowy spisek" nasuwały się w tej sytuacji same i trudno się było dziwić, że generał Brusiłow dostał dla wyjaśnienia tej sprawy wszelkie tajne i jawne pełnomocnictwa. Tylko z tymi tajnymi przesadzili, bo naprawdę przydałoby się więcej wtajemniczonych, którzy mogliby fachowo pomóc i doradzić.

Druga kwestia to problem wysłania fali radiowej. Dotychczas używane iskrowniki działy w sposób, który można było porównać do bezładnego walenia chochlą w rondel, podczas gdy tu potrzebny był precyzyjnie dostrojony klarnet lub flet… Popow sugerował, że tę rolę mógłby spełnić nowy transformator Tesli, który w przeciwieństwie do zwykłego transformatora zwiększał nie tylko napięcie, ale i częstotliwość prądu, aż do milionów woltów i herców, po czym wyrzucał elektryczność z cewki wtórnej wprost w powietrze w postaci kłębiących się wstęg błękitnych błyskawic, których fotografie drukowały ostatnio wszystkie amerykańskie gazety, gdyż doprawdy było na co popatrzeć. Popow załączył wycinek przedstawiający Teslę siedzącego na krześle i spokojnie czytającego gazetę, podczas gdy nad jego głową kłębiło się istne piorunowe pandemonium.

Kłopot polegał na tym, że transformator Tesli nie mógł obyć się bez iskrownika i tu krąg technicznych zagadek się zamykał. Dalej w swoim liście profesor Popow snuł już czysto fantastyczne dywagacje na temat „nadajnika radiowego przyszłości", składającego się ze współpracujących razem hipotetycznego wzmacniacza i transformatora Tesli, który miał pełnić rolę „nadawczego obwodu antenowego". Wywód wieńczyła wizja całego „skomunikowanego radiem świata", której Juliusz Verne by się nie powstydził.

Na koniec listu petersburski akademik zaklinał Sergiusza na wszystkie świętości, aby ten, zanim użyje dynamitu, przynajmniej postarał się przeniknąć tajemnicę tak niezwykłego urządzenia i przekazał mu choć trochę wskazówek, jeśli nie cały „marsjański wzmacniacz". Akademik zapewniał, że za tę wiedzę gotów jest sprzedać duszę diabłu, a nawet posunął się do żenującego pochlebstwa, że Sergiusz Lawendowski jako Polak, przedstawiciel tak wysoce kulturalnego narodu, z pewnością nie może ograniczyć się li tylko do samego aktu barbarzyńskiej destrukcji. Tu ciekawostka, okazało się bowiem, że generał Brusiłow wybrał Sergiusza właśnie po desperackich naleganiach Popowa, by w żadnym wypadku nie posyłać do Afganistanu rodowitego Rosjanina...

Całe to gadanie o polskości niewiele Sergiusza wzruszyło. Był przede wszystkim żołnierzem i w pierwszej kolejności miał do wykonania zadanie wojskowe. Zatem żadnych inteligenckich sentymentów, tylko dynamit, lont, zapałka i żegnaj „marsjańska techniko"!

Po wszystkim, jeśli wystarczy czasu, owszem, można będzie trochę kijem w kupie gruzu pogrzebać. Tu pytanie: czego właściwie szukać? okazywało się zasadne. Wobec tego Sergiusz bez wydziwiania wziął ten francuski podręcznik oraz pisma fachowe i zaczął sam łamać sobie głowę nad zagadką amplifikacji prądów elektrycznych. Choć francuski znał biegle, brakowało mu wielu terminów technicznych i dochodzenie ich znaczenia było największym problemem. Niektóre rzeczy musiał zgadywać.

Na dobrą sprawę prądy elektryczne umiano już wzmacniać, odpowiedni rozdział jak wół stał w podręczniku. Robiono to za pomocą prądnic, do których korpusów doprowadzano ów słaby prąd, a z wirnika pobierano wzmocniony – im szybciej wirnik się kręcił, tym większe było wzmocnienie. Z jakichś powodów jednak nie stosowano tego pomysłu do wytwarzania fal radiowych. Chyba dlatego, że wchodzące w grę częstotliwości były za małe. W nadajniku radiowym taką amplidynę, jak nazywało się to urządzenie, należało rozkręcić do prędkości, przy której siły odśrodkowe rozerwały by ją jak bombę.

Zatem musiało to być coś małego, gdzie nic się nie kręciło... Konkurencyjna szkoła amplifikacji stawiała na przekaźniki, tłumacząc to tym, że jeśli słaby prąd skierować do elektromagnesu przekaźnika, to ten, poruszając stykami, może włączać lub wyłączać prąd znacznie od siebie silniejszy, czyli z definicji następowało wzmocnienie. Tylko że takie pstrykanie odbywało się wolniej niż w amplidynie, zatem urządzenie to było jeszcze mniej użyteczne dla radiotechniki. Słowem: *non plus ultra*, ani kroku dalej! Granica nauki była wyraźna jak krawędź czarnej przepaści. Zwolennicy amplifikacji przekaźnikowej mogli tylko bredzić o tajemniczych aparatach, które będę przełączać prądy w okamgnieniu, nie mając przy tym w swym wnętrzu żadnych ruchomych części mechanicznych. To był już czysty absurd! Nikt nie miał ani krzty wyobrażenia, jak takie coś miałoby wyglądać i na jakiej zasadzie działać. Hipoteza profesora Popowa, że taka technologia musiałaby przybyć na Ziemię z Marsa, wydawała się absolutnie uzasadniona. Tylko Bóg raczy wiedzieć, czym do tych przeklętych Marsjan strzelać?! Srebrnymi kulami…? A skąd, proszę ja was, wziąć srebrne naboje zespolone do mosina wzór 1891?! A może, skoro są jeszcze w Europie, osikowych kołków nastrugać…?

Albo lepiej stuknąć się w durny łeb i zacząć wreszcie myśleć jasno! Uczeni nie mogli wiedzieć, co dzieje się w tajnych, wojskowych laboratoriach. Anglia to nowoczesny kraj… Stany Zjednoczone Ameryki uchodziły wprawdzie za nowocześniejszy, ale Ameryka to była prowincja, podczas gdy Wielka Brytania ogarniała swoimi wpływami cały świat. Wszędzie miała swe posiadłości i komu jak komu, ale Anglikom takie radio przydałoby się w sam raz! Możliwe więc, że do badań nad telegrafem bez drutu przykładali się oni pilniej od innych nacji. I kto wie, może mieli już ten tajemniczy amplifikator…? Zdaniem generała Brusiłowa mieli na pewno!

Tylko co by to mogło być?

Sergiusz, drapiąc się w głowę, rozejrzał się po kajucie. Popatrzył na zaczytaną, siedzącą na łóżku Swietłanę. Tym razem dziewczyna była tak pochłonięta lekturą, że nie wyczuła, że on się jej przygląda, i nie podniosła głowy. Kiedy oboje nie czytali, to się bili. Ściślej mówiąc, Swieta go biła. Starszy lejtnant w pokorze nadrabiał braki kondycyjne, których nabawił się w ogrodach Carskiego Sioła oraz stołecznych knajpach. Ale nadrabiał szybko. Wczoraj zdołał zwalić ją z nóg celnym lewym sierpowym. Gdy wstała, miała w oczach coś takiego, że Sergiusz pomyślał, że już po nim. A ona podeszła i wpiła się w jego usta…

Skup się, człowieku! Pospiesznie przepędził wspomnienie tego, co nastąpiło potem, i jak sroka w gnat wpatrzył się w stos swoich francuskich czasopism, potem przeniósł wzrok na kołyszącą się pod sufitem żarówkę. „Wiatka" wbrew emerytalnemu wiekowi swojego kapitana, była bardzo nowoczesnym i szybkim parowcem. Nie dziwiło, że wybrano dla nich właśnie ją. Ten statek nie miał bocznych kół napędowych, jak większość starych łajb dosługujących swego żywota w roli flotylli rzecznych, tylko turbinę parową i rufową śrubę, tak samo jak każdy szanujący się okręt wojenny. A do tego własną dynamomaszynę i elektryczne oświetlenie.

Żarówka...

Starszy lejtnant gapił się na nią, szukając oświecenia. Tam w środku przecież też nic się nie ruszało... Prąd do niej wpływał i wypływał... A do takiego amplifikatora powinny wpływać i wypływać dwa albo i trzy prądy – ten słaby, ten wzmocniony i ten silny, ale jeszcze surowy... Właściwie drugi i trzeci, to mógłby być ten sam prąd, który wchodziłby jako surowy, a wychodził wzmocniony, czyli jako naśladujący ten słaby...

Sergiusz wziął kartkę i zaczął szkicować żarówkę, do której wpływałyby dwa prądy – słaby i mocny, zbiegające się razem. No, jakby nie patrzeć, taka żarówka powinna mieć trzy końcówki i trzy druty wewnątrz... Tylko dlaczego słaby prąd miałby nad silnym panować? Raczej powinien się w nim rozpłynąć i przepaść bez śladu. A gdyby tak wziąć to po wojskowemu i przyjąć, że słaby prąd ma wyższą rangę? Że jest jak oficer, który rozkazuje masie szeregowców, fizycznie przecież od niego silniejszych... To by zaś znaczyło, że jest nad nimi i obok nich... Oficer stoi i rozkazuje, a szeregowcy maszerują mimo niego. Z tego by wynikało, że obok żarzącego się drutu, przez który płynie silny prąd, powinno być coś jak mała trybuna honorowa, na której stoi generał...

Nie!

To było kompletnie bez sensu! Przecież w takim razie włącznik światła musiałby znajdować się wewnątrz żarówki zamiast na ścianie... Idiotyzm! Zirytowany Sergiusz wstał od stołu i zaczął sprzątać papiery. Miał tej elektrotechniki serdecznie powyżej uszu! Podręcznik i pisma spakował najgłębiej, jak się dało, by o nich raz na zawsze zapomnieć. Teraz należało koniecznie zdobyć jakieś wiadomości o Afganistanie! Trzeba by tu zacząć od rozmowy z kapitanem i Sergiusz postanowił załatwić to jak najprędzej.

Mimo wszystko idea udziwnionej żarówki nijak nie chciała wyjść mu z głowy...

Kapitan Gubkin wiedział o Afganistanie tyle co starszy lejtnant, ale obiecał dyskretnie zasięgnąć języka i posłać kogoś zaufanego, żeby w którymś z mijanych miast poszukał traktującej o tym kraju książki... Sergiuszowi od tej propozycji ścierpła skóra, ale nie oponował. W ciągu następnych dni udało się sprowadzić na statek dwa szkolne podręczniki geografii: jeden dla gimnazjum męskiego, drugi z seminarium duchownego, w którym skupiono się na rozmieszczeniu świętych miejsc prawosławia i nie robiono zbytniej różnicy między Afganistanem, Tybetem a Cejlonem. Ot, zatwardziali poganie tam mieszkali, Bóg ich pokarze za niewierność! Ostatni był jakiś bałamutny romans przygodowy, gdzie już na pierwszej stronie pomylono Mongołów z Hindusami i starszy lejtnant z miejsca wyrzucił te brednie za burtę, żeby przypadkiem się niczym nie zasugerować.

Zanim poszukiwania rzetelnej wiedzy krajoznawczej przyniosły poważniejszy efekt, „Wiatka" dopłynęła do Carycyna, gdzie czekała wiadomość, że siatka angielskich szpiegów została zlikwidowana, a Sergiusz i Świetłana są bezpieczni w granicach Rosji. Poza nimi muszą już radzić sobie sami. Kiedy zaś dotrą do Kabulu, mają zgłosić się nie tylko do kupca Kuroczkina, ale ponadto odszukać niejakiego Maulana Hafizullaha, szejka czy też chana, tytułu dokładnie nie sprecyzowano, który jako zaprzysięgły wróg Anglików zapewni im dodatkową ochronę i pomoc.

Sergiusz uznał te informacje za przesadnie optymistyczne. Szumne określenie „likwidacja siatki szpiegowskiej" oznaczało, że w praktyce wytropiono dwie, trzy, może cztery osoby, a autor raportu bardzo chciał szybko dostać awans i nie męczyć się zbyt długim śledztwem. Anglików z pewnością stać było na więcej, choć niewykluczone, że z działań na terenie cesarstwa rzeczywiście zrezygnowali. Najpewniej z powodów logistycznych. Ruch na Wołdze był duży, obserwacja wszystkich portów i statków płynących w dół rzeki okazała się trudna nawet w sytuacji, gdy na karku szpiegów nie siedział rosyjski kontrwywiad, choćby i kompletnie rozleniwiony przez ćwierć wieku pokoju. Lepiej było poczekać, aż malowani nowożeńcy zakończą swoją podroż poślubną w paszczy brytyjskiego lwa. Wszak tam właśnie mieli się zameldować, więc pal licho, jaką drogą wejdą na ząb.

Rezygnacja ze szpiegowskiego masowego ruszenia nie wykluczała jednak działań detalicznych. Jednego bystrego szpiega do portu morskiego w Astrachaniu to Sergiusz na miejscu Anglików sam zaraz by posłał. Wypatrzy ich, nie wypatrzy – spróbować nie zawadzi! Znaczyło to jednak też, że w Carycynie można spokojnie zejść na ląd i poszukać księgarni z dobrym działem „Podróże geograficzne" i tam wreszcie coś sensownego wyszperać. Także Swietłanie przydałoby się dokupić nowych bajek, bo bestia z dnia na dzień czytała coraz szybciej. Ostatecznie udało się jedno i drugie, choć przed wejściem do carycyńskiej księgarni Sergiusz nie zdołał powstrzymać się od dyskretnego przygotowania parabelki do strzału. Wyglądało na to, że nabawił się urazu na całe życie.

Droga z Carycyna do Astrachania upłynęła pod znakiem pilnych studiów geograficznych. Możesz się spytać, narodzie prawosławny, jak się ma wiedza książkowa o Afganistanie do prawdziwych stosunków panujących w tym kraju? Ano, bardzo dobrze się ma! Gdyby nie podręcznik geografii oraz wspomnienia jakiegoś podróżnika, nigdy nie wpadliby na to, że latem będą tam potrzebować zimowych ubrań... W samym Kabulu nie powinno być jeszcze tak źle, ale droga do tego miasta biegła przez wysokie przełęcze, gdzie mógł leżeć kopiasty śnieg. Należało się poważnie liczyć z dniami i nocami spędzonymi w zaspach na trzaskającym mrozie. Tymczasem w ich bagażu nie było nic cieplejszego od półkożuszków, idealnych do słuchania słowików w chłodne wieczory. Nie mieli walonek, czapek, szalików i rękawic, pomijając bokserskie oraz te do wieczorowych sukni Swietłany... Naprawdę paradnie by w tym Hindukuszu wyglądali! Sergiusz, stwierdziwszy ów stan rzeczy, przez pół dnia klął we wszystkich znanych sobie językach i jeszcze trochę improwizował, tworząc internacjonalistyczne przekleństwa na miarę brukowego esperanto. Kudy tam chytrzy angielscy szpiedzy wobec wszechrosyjskiej, rutynowo-imperialnej tępoty wojskowej intendentury! Pytanie, czego jeszcze nie mieli? Czego ważnego nie wiedzieli? I którym bokiem oraz jak szybko im ta ignorancja wyjdzie?!

Potrzebowali przewodnika! Człowieka znającego kraj i ludzi, choćby nawet był on samym angielskim lordem. Inaczej po prostu zginą. Brakujące rzeczy mogli bez trudu dokupić w Astrachaniu lub jeszcze dalej, jednak zaufanego eksperta powinni byli wziąć ze sobą już w Petersburgu. Każdy dzień drogi na południe ograniczał ich możliwości w tym względzie. Wątpliwe, aby zdrów na umyśle człowiek z dnia na dzień dał się namówić na wyprawę, podczas której łatwo można położyć głowę. Jakim cudem generał Brusiłow o tym nie pomyślał? Czemu nie poradził się kolegów ze sztabu generalnego, którzy służyli wcześniej na Środkowym Wschodzie? Czyżby im nie ufał? Aż tak głęboko Anglicy infiltrowali rosyjskie dowództwo? Wyglądało, że generał mimo wszelkich pełnomocnictw improwizował w pośpiechu, ot, wydał rozkaz „przygotować wyprawę" i nie pilnował szczegółów, a intendentura dała, co miała, czyli suszone dorsze. Albo też wiara Aleksieja Aleksejewicza w inteligencję Siergieja Henrykowicza stanowczo przerastała możliwości tego drugiego.

Nie było rady. Wyglądało na to, że będą musieli wynajmować osobnych przewodników na poszczególne etapy podróży, bez żadnych gwarancji, że da się na nich polegać w potrzebie. I że wystarczy pieniędzy na tylu pomocników, wśród których z pewnością znajdą się naciągacze i złodzieje. Oby tylko oni, bo jeszcze mogli się trafić pełnomocni przedstawiciele band grasujących na Jedwabnym Szlaku. Szli zatem na żywioł w nieznane…

Droga sercu Swietłana Teodorowna była akurat przy baśni o Jasiu i Małgosi, więc skomentowała sytuację tak, że Sergiusz poszedł upić się do nieprzytomności. To znaczy, poszedłby, gdyby nie stuprocentowa gwarancja, że po pijaku obszernie wyjaśni towarzyszce, co myśli o państwie Mikołaja II w ogóle, a o nim samym w szczególności. Między nami mówiąc, to był jednak kompletny bałwan!

Wobec tego czemu służył? Tu starszy lejtnant pomiarkował się nieco i ochłonął. Służył idei imperium wszystkich ludów słowiańskich, zjednoczonych pod berłem cara Wszechrosji jako reprezentanta największej z bratnich nacji. To do Sergiusza naprawdę przemawiało. Jedna krew, jeden kraj, jeden monarcha! Carowie bywali mądrzy lub głupi, święci lub okrutni, ale imperium trwało i wzrastało mimo wszystko. Pech Sergiusza polegał na tym, że trafił akurat na epokę sentymentalnego cara półgłówka, który całymi dniami nic tylko grał w karty lub w tenisa albo bez końca bawił się z dziećmi. Nikt nigdy nie widział go z książką lub gazetą w ręku. Co począć, taki los, należało wytrwać. A co do Polski, to ona nażyła się już osobno, nie dała rady sama i teraz jej miejsce było razem z innymi. Koniec, kropka! On służył przyszłości, a nie starym chimerom! Boże odpuść moim winowajcom i nie wódź mnie na narodowe pokuszenie, amen! Sergiusz wyobraził sobie, że mówi te słowa z dumą, prosto w oczy Patrycji, i od razu poczuł się lepiej. Jej odpowiedzi wyobrażać sobie, przezornie, nie miał ochoty.

Jakby powyższych kłopotów było mało, po przybyciu do Astrachania wynikł nowy problem. Tym razem z zakresu babskiej psychologii powikłanej uczuciami patriotycznymi. Do Swietłany dotarło nagle, że mają opuścić ziemię Świętej Rusi. Zdaje się, że do tej pory wyobrażała sobie ten Afaganistan jako odległą gubernię. Całą pierwszą noc w hotelu przeryczała w poduszkę, a rano oznajmiła, że musi do cerkwi. Sergiusz dla świętego spokoju machnął ręką na przygotowania do dalszej podróży i poszli do soboru Uspienskiego. Na widok olśniewająco białej, majestatycznej świątyni w dziewczynie zaskomliła grzeszna dusza i Swieta postanowiła odrobić wszystkie zaległości w zakresie wyrzutów sumienia. Do samego soboru nie weszła, nawet nie do przedsionka, gdzie zwyczajowo modliły się prostytutki i cudzołożnice. Padła na kolana tuż przed wejściem i zaczęła walić czołem o próg. No, przyznacie chyba, że jak na dystyngowaną młodą mężatkę to już była gruba przesada! Sergiusz natychmiast złapał ją za fraki i postawił na nogi, że niby się tylko potknęła. Mimo błyskawicznej reakcji starszego lejtnanta i tak zrobiło się zbiegowisko, bo może bidulka z dzieciątkiem pod sercem zasłabła? Wzruszone babuszki jedna przez drugą zaczęły Swietłanę pocieszać i błogosławić, a Sergiusz tylko czekał, kiedy ona go zabije. Szczęściem, na poświęconej ziemi strzyga awanturować się nie odważyła.

Nie uchodziło, aby tacy eleganccy młodzi państwo, którym przydarzył się nieszczęśliwy wypadek, tak po prostu sobie poszli. Posłano z miejsca po popa i dobrze, że nie po samego archireja, po czym w całej procesji odprowadzono ich na plebanię, żeby młoda pani wypoczęła. Tam Swietłana grobowym głosem zażądała spowiedzi.

Tylko tego brakowało! Sergiusz nie obawiał się o tajemnicę wyprawy, ale miał poważne podejrzenia, że batiuszka rozgrzeszenia odmówi. Odtrącona Swieta stałaby się kompletnie nieobliczalna. Strach się bać, ale co było robić?!

Duchowny i Swieta poszli do soboru przed ikonostas, starszy lejtnant został na plebanii i chodząc z kąta w kąt, myślał tylko o tym, czy by nie poprosić o dużą wódkę. Zwłaszcza że tamci długo nie wracali. Można to było tłumaczyć obszerną listą grzechów penitentki, można też i tym, że spowiednik już nie żył, a świątynia została sprofanowana zbrodnią... Diabli nadali!

Wrócili pod dwóch godzinach. Z rozgrzeszeniem i o dziwo, bez pokuty tudzież dodatkowych zaleceń. Tak po ludzku. Zdaje się, że Cerkiew spłaciła swój dług wobec tej dziewczyny. Swietłana była już spokojna, a batiuszka bez słowa pokiwał palcem na Sergiusza.

Nie to, żeby starszy lejtnant w Boga nie wierzył, ale dotąd starał się nieprzesadnie często właźić Najwyższemu w oczy. I tak się składało, że nie modlił się nawet przed walką. W Mandżurii, kiedy bił się pod Bursztynowym Sztandarem, dopiero po drugiej szarży na Japończyków przypomniał sobie i się przeżegnał.

Teraz zupełnie nie miał pojęcia, co mówić. Stał i gapił się na ikonostas.

– Nie wiem, czego żałować – powiedział wreszcie.

Owszem, wspomniał oczy moskiewskiego opryszka na sekundę przed śmiercią, ale zrobił, co należało, a roztkliwianie się nad sobą nie było grzechem. Byłoby nim dopiero wtedy, gdyby przez nie nie wykonał zadania.

– Nie wiesz, czego żałować – powtórzył jak echo pop. – Znaczy, ty nie wiesz, kim jesteś.

– Nie wiem… – przyznał szczerze Sergiusz.

– Poznasz siebie, to i grzechy swoje poznasz – odparł batiuszka. – Teraz idź. Rozgrzeszenia ci nie daję, ale daję błogosławieństwo na drogę do twojej własnej duszy. Zmów *Ojcze nasz*.

Kiedy starszy lejtnant skończył, kapłana już przy nim nie było. Rozejrzał się. Pod ścianą stała Swietłana w czarnej chuście narzuconej na głowę i ramiona.

Sergiusz podszedł do niej, razem zapalili świeczki.

– Służymy Białemu Carowi – powiedziała tylko i przeżegnała się trzy razy.

Potem wyszli z soboru. Swieta dała jałmużnę żebraczce, wzięła go pod ramię i znów było jak dawniej.

Ale tylko do następnego ranka… Po śniadaniu poszli na astrachański targ, no a tam jego towarzyszka popadła w drugą babską skrajność. Zaczęła bez opamiętania robić zakupy. Najwyraźniej postanowiła, że skoro musi opuścić Rosję, to na pocieszenie zabierze ze sobą połowę jej kultury materialnej. Na początek wykupiła cały stragan z matrioszkami.

To jeszcze Sergiusz zmilczał, uznał bowiem, że laleczki mogą przydać się w Afganistanie na podarki. Jednak Swietłana, w nagłym przypływie rzewności, rozdała wszystkie już pół godziny później, zostawiając sobie tylko trzy. Rozwrzeszczana dzieciarnia zbiegła się do niej chyba aż z Baku.

Dwa tuziny kolorowych chust malowanych w kwiaty i ptaki Sergiusz wytrzymał. Tuzin safianowych trzewików też. I przymierzanie nieskończonej liczby czepków, toczków i diademików. Nawet pomysł kupienia żywego, młodego i nad wyraz rezolutnego misia (sprzedawca łańcuch dawał darmo) zdołał towarzyszce wyperswadować, nie podnosząc głosu, ale na tym jego tolerancja dla futra niespodziewanie się skończyła. Przy mufkach wzięli go diabli. Zaczął kląć po polsku, aż zawirowały mu czerwone płatki przed oczami, a następnie wywrzeszczał z furią, że dopiero po jego trupie Swieta będzie nosić taką włochatą szczotkę!

I wtedy nagle ktoś zagadał do niego po czesku.

Polski Kandyd i perski Pangloss

Miał czterdzieści i cztery lata, bystre czarne oczy, krótkie szpakowate włosy oraz równie krótką, ale znacznie ciemniejszą bródkę, przystrzyżoną na półokrągło, zamiast w modny szpic, co w półmroku nadawało mu wygląd nieogolonego niemowlaka. Nazywał się Farhad Darius Kacper Zakani i wbrew pierwszemu wrażeniu nie był Czechem, tylko Persem, czasami tytułującym siebie Trzema Królami w jednej osobie, a przeważnie profesorem ariologii uniwersytetu w Teheranie (lepiej było od razu uwierzyć w tych Trzech Króli!). Twierdził, że wraca właśnie z podróży naukowej po krajach słowiańskich, gdzie szczególnie jako przedmiot badań zainteresowali go Polacy. Sergiusz nie miał bladego pojęcia i raczej wątpił, że w Persji mają jakiś uniwersytet, ale uwierzył na słowo, niech mają! Dlaczego Persom żałować? Z trochę większym trudem przyszło mu uwierzyć, że Zakani wziął go za Czecha, ponieważ w chwili ich spotkania starszy lejtnant mówił po czesku, bardzo brzydko wyrażając się o intymnych rejonach ciała damy. Natomiast ani przez chwilę Sergiusz nie dał wiary w to, że ich spotkanie było przypadkowe. Takie zbiegi okoliczności, proszę ja was, zdarzały się tylko w tanich romansach przygodowych o sztucznie naciąganej fabule albo w krajach wielkości chustki do nosa. Nie w Rosji!

Oto bowiem, ot tak, na targu w Astrachaniu spotkali wykształconego Persa, znającego od dziecka afgańskie obyczaje oraz oba używane w tym kraju dialekty języka perskiego – dari i farsi, a ponadto biegle rosyjski, polski, ukraiński i francuski. W stopniu elementarnym zaś kaszubski, słowacki, bułgarski, serbo-łużycki i serbo-chorwacki. Czeskiego dopiero się uczył, stąd nieporozumienie.

Mało tego, ta osobliwa znajomość nie skończyła się – jak powinna – na kurtuazyjnym wypiciu herbaty. Zakani, usłyszawszy, że Sergiusz jest polskim kupcem (udawać rosyjskiego w tej sytuacji już nie było sensu), podróżującym w interesach do Afganistanu ze świeżo poślubioną żoną Rosjanką, wpadł w zachwyt nad swoim szczęściem i z miejsca ofiarował się im towarzyszyć, gdyż – jak stwierdził – będzie miał absolutnie niebywałą okazję przeprowadzenia naukowych obserwacji Polaka powracającego do swych indoeuropejskich korzeni oraz aryjskiego matecznika, który, ma się rozumieć, znajdował się gdzieś na przedmieściach Kabulu. Nie przypadkiem bowiem tradycyjne afgańskie czarki do picia nazywały się *pijole*…

W ramach pogłębiania autoprezentacji Zakani pochwalił się, że jest w jednej sześćdziesiątej czwartej krwi Pasztunem. Na pytanie Sergiusza, która to będzie woda po kisielu, profesor przymknął oczy i z wielką godnością, niczym Fin *Kalewalę*, wyrecytował imiennie wszystkie te koligacje, idąc osiem pokoleń i trzysta lat wstecz. Następnie oznajmił, że w Afganistanie nawet tak odległe więzy krwi są w pełni uznawane i szanowane. Człowiek potrafiący wskazać choćby najdalszą, ale wspólną gałąź rodowego drzewa był natychmiast uznawany za członka rodziny i mógł liczyć na wszelką pomoc żyjących krewnych. Znajomość rodzinnej genealogii w „kraju poetów i honoru", jak określił cel ich podróży, to podstawa wykształcenia oraz kultury osobistej. Można nie umieć pisać i czytać, bo i jaki właściwie z tego pożytek dla pasterza czy rolnika, ale absolutnie nie można nie wiedzieć, jak miał na imię praprapradziadek oraz jego szwagierka. Tylko zwierzęta nie znają swoich przodków i dalszych krewnych!

Na koniec tego wykładu Swietłana, patrząc na Zakaniego, miała wyłącznie zimny mord w oczach. Ten zaś ani się speszył, tylko gadał i gadał…

Wieczorem w hotelu stuknięty Pers stał się przyczyną iście małżeńskiej kłótni, podczas której Sergiusz i Swieta gwałtownie posprzeczali się o to, które z nich go zabije, w jaki sposób, a przede wszystkim kiedy? To ostatnie okazało się zagadnieniem prawdziwie hamletycznym, ponieważ profesor Zakani z miejsca wykazał swą ogromną użyteczność w roli doradcy. Już po godzinie znajomości wiedzieli, że powinni kupić szybkowar, bo inaczej gotowanie posiłków w Afganistanie będzie trwać nieznośnie długo, a to za sprawą ogólnie znanego prawa fizycznego, każącego wodzie wrzeć w niższej temperaturze, jeżeli ciśnienie powietrza jest niższe, jak to zwykle bywa wysoko w górach. Z tego samego powodu powinni szybko pozbyć się puszek z tuszonką, które zamknięte hermetycznie na rosyjskich nizinach w Hindukuszu mogły gwałtownie i w najmniej spodziewanym momencie uwolnić swoją zawartość. Trudno będzie zabiegać o przyjaźń, wzajemne zrozumienie czy choćby tylko życzliwą neutralność muzułmanina upaćkanego z nagła wieprzowiną. No chyba że potrafią przekonać poszkodowanego, że zamiast świeżej wolą baraninę puszkowaną… Słowem, namolnego perskiego profesora wypadało zabić najwcześniej po ostatnich zakupach dokonanych pod jego kierunkiem. On zaś uwag do ich wyposażenia miał naprawdę wiele, poczynając od tego, że nie ma sensu wieźć do Afganistanu ryżu, bo można go tam dostać wszędzie w dowolnych ilościach. Suszone i marynowane jarzyny i owoce też psu na budę, bo akurat na miejscu będzie w bród świeżych. Cukier do herbaty ujdzie, ale wozić słodycze do środkowo-wschodniej Azji to po prostu obraza Orientu! Wszelkie suszone mięso, rośliny strączkowe – proszę bardzo. Mąka pszenna i żytnia tylko w ilościach podstawowych, żeby nie kupować za często. Oliwa koniecznie, i to dużo! Będzie potrzebna do posiłków i oświetlenia. Wędzona słonina? Skoro lubią, niech wezmą, ale należy zapakować ją osobno, tak by nie miała kontaktu z żywnością, którą może spożywać prawowierny muzułmanin. Podarki jak najbardziej, ale matrioszki to niezbyt dobry pomysł, pani kupcowa może je dawać kobietom i dzieciom we własnym zakresie, ale na poważne spotkania w męskim gronie lepsze będą serwisy do herbaty, co najmniej pół tuzina. I ze dwa tuziny dobrych noży, połowa zdobionych, w tym ze trzy naprawdę kosztownie. Natomiast dla sługi uniżonego Farhada Dariusa Kacperka (właśnie tak zdrobnił!) Zakaniego przydałby się antałek dobrego gruzińskiego lub ormiańskiego winka. Ostatecznie może być węgierski tokaj… Łaskawca! Prośba ta w żadnym wypadku nie była wstydliwa, gdyż profesor nie zaliczał się do wyznawców proroka Mahometa, lecz był niewiernym abstynencji zaratustraninem i w winie zamierzał szukać zarówno prawdy naukowej, jak i drogi do Pana Mądrości.

Odkładając na bok wszystkie żarty i pożytki z tej znajomości, należało stwierdzić, że zostali namierzeni po raz drugi. Zakani na znak protestu przeciw brytyjskiej polityce kolonialnej wobec jego ojczyzny nie chciał znać ani jednego słowa po angielsku i tak bardzo nie wyglądał na angielskiego szpiega, że z pewnością musiał nim być. Pytanie, dlaczego się ujawnił? Wszak powinien był po cichu wynająć kolejną ekipę zabójców, która zabrałaby się do Swietłany i Sergiusza bez poprzedniej nonszalancji. Zamierzał wciągnąć ich w zasadzkę czy w jakąś grę? A może drań postanowił pobawić się z nimi jak kot z myszą?

Z drugiej strony Zakani był tak wymarzonym przewodnikiem, że wbrew sobie chciało się uwierzyć w jego legendę… Sergiusz po wewnętrznej walce postanowił go jednak sprawdzić i poprosił o zreferowanie szczegółów naukowej wyprawy, którą Pers jakoby właśnie odbył, pokazanie notatek i zbiorów naukowych eksponatów.

Było tak, jakby starszy lejtnant spuścił sobie na głowę lawinę, by upewnić się, czy śnieg jest prawdziwy. Zakani wpadł w amok i gadał bez przerwy przez dwanaście godzin. Niewątpliwie był tym, za kogo się podawał, a podróż, z której właśnie wracał, była trzecią w jego karierze. Wiózł ze sobą kolekcję kobiecych strojów regionalnych, na widok której Swietłana zapomniała o zabijaniu i zabrała się do przymierzania. Innych skrzyń wypełnionych ludowym rękodziełem kupowanym na obszarze od Odry po Wołgę i od Bałtyku po Adriatyk miał więcej niż oni swojego wyposażenia. Oczywiście nie zamierzał wlec tego wszystkiego ze sobą do Afganistanu, tylko wysłać do Teheranu, gdy tylko znajdą się na południowym brzegu Morza Kaspijskiego. O każdej ze zgromadzonych rzeczy Zakani potrafił opowiedzieć wiarygodną historię jej pochodzenia i nabycia. Środki, nawiasem mówiąc, miał nieograniczone, ale dla zasady, kiedy znajdą się na terenie Afganistanu, miał zamiar pobierać od nich zwyczajową stawkę przewodnika plus deputat winny. Z głupia frant Sergiusz zagadnął go o swoje rodzinne strony i okazało się, że Pers był w mazowieckim Węgrowie, widział znajdujące się tam groby szkockich tkaczy oraz mogiłę styczniowych buntowników. Jeżeli był szpiegiem, to jego znajomość spraw dotyczących starszego lejtnanta Lawendowskiego była po prostu przerażająca. Sergiusz przeżył ulotną chwilę triumfu, gdy okazało się, że profesor Zakani choć był w Krakowie, to nie widział Wawelu i generalnie nie pamiętał, co robił w tym mieście poza tym, że spotkał tam kogoś bardzo ciekawego, a potem obudził się z ciężkim kacem w pociągu do Wiednia. Zważywszy, że rzecz wydarzyła się w 1899 roku, wiarygodność opowieści Persa była nie do podważenia. Kto to jest Przybyszewski, Sergiusz wiedział.

Krakowska przygoda, choć nader mglista, miała dla teherańskiego uczonego przełomowe znaczenie, gdyż po wszystkim okazało się, że nie dość, że absolutnie nic mu nie zginęło, to jeszcze w kieszeni płaszcza znalazł nietkniętą butelkę wódki oraz pęto kiełbasy. Był to, jak uważał Zakani, przejaw sławnej perskiej gościnności, która razem z polskim, a właściwie perskim poczuciem humoru jednoznacznie potwierdzała jego teorię, jakoby Polacy byli jednym z zaginionych w mroku dziejów perskich plemion, bardzo blisko spokrewnionym z pierwotnymi Ariami. Może nawet zachodziła w tej mierze pełna tożsamość…

Skurczybyk tak ich zagadał, że w końcu zapomnieli go zabić. Ani się obejrzeli, jak we troje z rozmnożoną także po trzykroć górą bagażu znaleźli się na pokładzie „Jermaka" płynącego do Krasnowodska, skąd koleją transkaspijską mieli dojechać przez Tedżeń do Merwu, nazywanego także Mary.

Przez pierwszy dzień podróży morskiej Zakani od rana do zmierzchu zabawiał Swietłanę dowcipami o szyitach. Sergiusz zielonego pojęcia nie miał, co to są za cholery i z czego tu się śmiać, ale Swieta bezbłędnie wychwytywała zawieszenia głosu oraz mimowolne, wyczekujące spojrzenia zwiastujące puentę i wybuchała zdrowym rosyjskim śmiechem, kiedy było potrzeba, budząc głęboki podziw profesora dla jej inteligencji oraz domowego wykształcenia. Starszy lejtnant przezornie nadmienił, że miała dobrą guwernantkę, z pochodzenia Tatarkę. Co naprawdę Swieta czuła, okazało się następnego ranka, gdy stwierdzono, że nocą z pokładu zniknął jeden z marynarzy…

Oficjalnie uznano to za nieszczęśliwy wpadek, ale statek obiegła plotka, że zaginiony był pies na baby i któryś z mężów lub ojców mógł się nieco zdenerwować. Ponoć kapitan dyskretnie sprawdził alibi wszystkich mężczyzn podpadających pod te kategorie. Kobiet nie podejrzewano.

Swietłana do niczego się nie przyznała. Sergiusz po wieczornej sesji ariologicznej z Zakanim, a następnie po uwiarygodnieniu małżeństwa ze Swietą spał jak zabity i nie zauważył, by ona wychodziła nocą z kabiny. W sumie to cieszył się, że jego strzyga po przejściach w Astrachaniu odzyskała dobrą kondycję psychiczną. Ludzkość mogła się cieszyć, że Swietłana Teodorowna nie była tak całkiem *moral insanity*, ale dla ich misji byłoby znacznie gorzej, gdyby akurat teraz doznała boskiego oświecenia i postanowiła iść do klasztoru. Szczęściem wzloty rosyjskiej duszy ku niebiańskim niwom, choć burzliwe na starcie, z reguły trwały krótko.

Natomiast Zakani przerzucił się na dowcipy o Turkach. Na przykład taki: matka z synem, idąc przez pustynię, spotkali występnego Turka, który zgwałcił oboje i uciekł. Po wszystkim matka pyta syna: „Mój synu, czy rozpoznasz tego złego człowieka, kiedy dojdziemy do miasta?". Na co syn: „Ależ matko, przecież kiedy rzecz się działa, to ty leżałaś z nim twarzą w twarz…".

No dobrze, mili moi, jeżeli tak ma wyglądać tajna misja wojskowa, to lepiej od razu strzelić sobie w łeb i oszczędzić wstydu. Najpierw była gogoliada, a teraz zamienił stryjek siekierkę na kijek i *voilá!* wolteriada jak się patrzy, ze starszym lejtnantem Lawendowskim w roli zadziwionego światem Kandyda. Swietłana co prawda słabo pasowała do roli zgwałconej Kunegundy, ale za to Zakani nadrabiał z nawiązką jako doktor Pangloss. Nie było wątpliwości, że żarty skończą się szybko i Sergiusz poprzysiągł sobie być tym, który je skończy. Zdecydował, że stanowcze kroki w tej sprawie podejmie w Krasnowodsku, a na razie, cóż było robić, śmiał się z dowcipów o Turkach. Ewentualnie mógł jeszcze samemu wyskoczyć za burtę.

W tym szaleństwie była jednak metoda naukowa. Niespodziewanie okazało się, że Sergiusz i Zakani znają o Turkach te same kawały, które choć w zmienionej formie wydawały się jednak pochodzić z tego samego źródła. Przykładem stara, polska szlachecka facecja o jejmości pytającej swego spowiednika, czy uprowadzenie przez Tatarów do tureckiego haremu, na pastwę wszelakiej sprośności i bezeceństwa, liczy się za męczeństwo? Dobrodziej na to, że jak najbardziej, a wtedy jejmość woła wielkim głosem: „Boże miłosierny, ach, ześlij mi jak najszybciej palmę męczeństwa!".

Zakani znał tę anegdotę w wersji z mieszkanką Kazwinu zamiast polskiej szlachcianki, więc niezwłocznie i skrupulatnie rzecz zanotował, po czym oświadczył, że oto jest kolejny dowód na to, że Polacy są zbiegłymi Persami. Wyraził też uprzejme przypuszczenie, że przyczyną wyjścia Polaków z ziemi perskiej było ich nieposkromione umiłowanie wolności i wrodzona niechęć do satrapii. Pytanie, czy stało się to przed exodusem Mojżesza z Egiptu czy po, musiało pozostać bez odpowiedzi. Ruch ludów na Bliskim Wschodzie był naprawdę duży i trudno rozeznać, kto po kim, gdzie i którędy wędrował. Ale na pewno, jak twierdził perski Pangloss, Polacy nie walczyli przeciwko Grekom pod Maratonem. Był to jawny znak, że Ormuzd – Pan Dobra i Mądrości – ma Grecję w szczególnej opiece…

Ponadto zdaniem Zakaniego polsko-perskie więzy krwi zachowały swą moc mistyczną, wpływając przez setki lat na realną politykę Rzeczypospolitej i Persji wobec wspólnego tureckiego sąsiada, zwłaszcza w XVII i XVIII stuleciu. O istnieniu polsko-perskiego sojuszu militarnego źródła historyczne milczały, ale zestawienie dat było jednoznaczne. Kiedy na wojnach z Turkami dobrze wiodło się Polsce, swoje wygrywała też Persja. Kiedy zaś w XVIII wieku Rzeczpospolita osłabła i upadła, w zależność od Turcji i innych światowych potęg dostała się także Persja, z tą różnicą, że zabory na odległość były dla Rosji, Francji i Anglii trudno wykonalne, a nikt nie chciał, by Turcja sama korzystała z perskiego tortu. Niemniej, tu na sekundę w roześmianych oczach Zakaniego pojawił się zimny błysk, także w zniewolonej Persji musi dojść do rychłej insurekcji, która przegna precz rodzimych i zamorskich tyranów.

Słuchając tych słów, Sergiusz doznał lekkiego zawrotu głowy, bo wyglądało na to, że po Polsce, Bałkanach, Abisynii i Chinach antyrozbiorowa gorączka ogarnia już cały świat. No doprawdy, brakowało jeszcze bliskowschodnich bokserów w Teheranie!

Starszy lejtnant zaczął już jednak rozumieć, jakim cudem w Kabulu mogła być widziana Patrycja. Należało też poważnie liczyć się z obecnością w Afganistanie sierżanta Fedorczyka oraz z jego obietnicą, że następnego spotkania jeden z nich nie przeżyje. Teraz pojawiało się pytanie, czy profesor Zakani nie ma przypadkiem czegoś wspólnego z towarzystwem z Mandżurii? Jeśli tak, to doprawdy lepiej by było, gdyby był raczej angielskim szpiegiem…

Sergiusz uznał, że przydałby mu się teraz silny i dobrze uzbrojony oddział wojska. Rzecz w tym, że nie miał na to żadnych szans. Nie tylko dlatego, że rosyjska armia w Afganistanie byłaby źle widziana. Ostatecznie można by ich ubrać po cywilnemu. Jednak nauczony smutnym doświadczeniem generał Brusiłow tym razem nie przesadził z pełnomocnictwami specjalnymi. Starszy lejtnant dostał na drogę tylko list polecający Ministerstwa Wojny do komendantów napotykanych po drodze placówek wojskowych, zawierający informację, że Sergiusz Lawendowski, blisko spokrewniony ze znaną kupiecką familią Kuroczkinów, jest szanowanym w wyższych sferach Petersburga przedsiębiorcą, któremu należy udzielić wszelkiej pomocy w granicach rozsądku. Te ostatnie słowa: „granice rozsądku" paliły Sergiusza jak policzek, ale pretensje o chińskie zaszłości mógł mieć tylko do siebie. Przechytrzyli go, taka prawda. Na specjalne okazje starszy lejtnant miał kilka haseł, zapewniających priorytetową obsługę na stacjach telegrafu. I to było już wszystko. Nazwiska mu nie zmieniono, bo uznano, że będzie wiarygodniejszy jako eksżołnierz, który wraz ze stanem cywilnym postanowił zmienić źródło utrzymania. To akurat był dobry pomysł, zważywszy na fakt, jak szybko doszło do dekonspiracji wyprawy. Z fałszywym paszportem nie miałby już żadnych szans, a pozostając sobą, wciąż w razie czego mógł mówić, że atak w Moskwie był nieporozumieniem i on naprawdę jedzie na Środkowy Wschód tylko po to, by się dorobić. Czterech durni w Niżnym Nowogrodzie też można było od biedy wytłumaczyć jako śledczych, którzy zatrzymali ich w celu wyjaśnienia moskiewskiego zajścia. W końcu nawet najtępszy stójkowy, przepytawszy dorożkarzy i zawiadowców, doszedłby co i jak najdalej po godzinie śledztwa.

Nie pozostawało zatem nic innego, tylko dalej inspirować się Wolterem i brnąć w rolę Kandyda. Przydałby się wobec tego jakiś zaufany Marcin, który stale miałby doktora Panglossa na oku…

W Krasnowodsku do Sergiusza i Swietłany szczęście się uśmiechnęło. Po pierwsze dlatego, że po tygodniu żeglugi nastał wreszcie dzień wolny od gadaniny Zakaniego, która na dłuższą metę okazała się gorsza od choroby morskiej. Profesor musiał się zająć ekspedycją swoich trofeów naukowych do Teheranu i zeszło mu na tym kilkanaście godzin z dala od pary służbowych kochanków.

Podczas przeładunku ich bagaży z ładowni „Jermaka" do wagonu kolejowego, podstawionego na biegnącej przez doki bocznicy kolei transkaspijskiej, do Sergiusza podszedł krzepki, siwobrody starzec, który przedstawił się jako były marynarz floty czarnomorskiej, weteran spod Synopy oraz Sewastopola, i zapytał z godnością, czy pozwolą mu zarobić na przenoszeniu bagaży, bo Bóg jeszcze sił nie odebrał, więc żebrać mu nie uchodzi.

– Jak się nazywacie? – zapytał Sergiusz.

– Nikołajew, wasza wielmożność. Jewgienij Piotrowicz, ale wołają mnie Jewgieniusza albo Martwiec...

– Ile macie lat, Jewgieniju?

– Siedemdziesiąt pięć, wasza wielmożność.

– I mówicie, że walczyliście pod Synopą... – zamyślił się Sergiusz. – Jako kto?

– Młodszy artylerzysta wtedy byłem, wasza wielmożność.

– Na którym okręcie liniowym?

– Na „Imperatorowej Marii", wasza wielmożność.

– Kto na nim dowodził?

– Sam admirał Nachimow, wasza wielmożność, świeć Panie nad duszą bohatera... – stary matros przeżegnał się zamaszyście.

– A ile na „Marii" było dział?

– Sto dwadzieścia, wasza wielmożność.

– Jaki miała kaliber wasza armata?

– Dwunastofuntówka to była, wasza wielmożność.

– Strzelaliście z niej żeliwnymi kulami?

– Nie, wasza wielmożność, to były granaty rozrywające.

– Pod Synopą zatopiliście całą turecką flotę? Co do sztuki... – zawiesił głos.

– Nie, wasza wielmożność, jeden Turek nam uszedł.

– No, a jak się tę waszą dwunastofuntówkę ładowało?

– Od przodu lufy, na dwadzieścia trzy tempa, wasza wielmożność!

– Prawdę mówicie – uśmiechnął się Sergiusz.

– A wy, wasza wielmożność, skąd tak dobrze na wojennym dziele się znacie, a? – weteran spojrzał mu prosto w oczy.

– Czemu to na stare lata – starszy lejtnant zignorował pytanie – z emerytury marynarskiej nie żyjecie?

Nikołajew posmutniał i spuścił głowę.

– Po wojnie bułgarskiej w osiemdziesiątym piątym roku ja ciężko zaniemógł na tyfus, wasza wielmożność. Było ze mną źle, już prawie jak nieżywy leżałem. Pisarzowi nie chciało się czekać, aż dojdę, to i zapisał mnie jako umarłego, bo mu się gdzieś tam spieszyło. No, ale Bóg łaskaw i pozwolił jednak wstać z niemocy, tylko że w papierach ja był już za trupa, a czynownikom sobaczym nie chciało się nic poprawiać. Tak i kazali iść precz staremu, gdzie oczy poprowadzą...

W trakcie rozmowy baczenie na bagaże dawała Swietłana. Właśnie w tej chwili przyuważyła jakiegoś młodego ulicznika, który próbował wyłamać zamek w jednym z kufrów. Doskoczyła, złapała złodziejaszka za kołnierz, wykręciła rękę, poprowadziła do nabrzeża i zamaszystym kopniakiem w tyłek posłała do morza.

Dziwne. Powinien był wybuchnąć śmiech, a nie wybuchł. Dokerzy będący świadkami zajścia udali, że nic nie widzieli. Nikołajew tylko lekko zaciął wargi, ale nie skomentował.

– I tak już prawie dwadzieścia lat włóczycie się po świecie? – Sergiusz podjął przerwany temat.

– Nad Morzem Czarnym szczęścia nie znalazłem, to poszedłem pływać na Kaspijskie – odparł z wahaniem weteran. – Ale mnie rzadko kiedy na pokład biorą, mówią, że trzeba im młodych... Tak i ja żyję, jak się da, ale Bóg widzi, że zawsze uczciwie. Oj, nie będzie teraz dobrze, wasza wielmożność...

Zza wagonu wyszło trzech pstrokato ubranych zbirów. Dokerzy jakby się pod ziemię zapadli. Ci na „Jermaku" przerwali pracę i cofnęli od burty. Najwyraźniej nie chcieli nic widzieć.

– Wy mojego braciszka skrzywdzili – środkowy z opryszków pokazał na wodę, w której parskał i chlapał się jego młody kompan, bezskutecznie usiłując wyleźć na stromo obmurowany brzeg. – Za to należy się odszkodowanie. Jak to mówią, za straty moralne...

Wszyscy trzej zarechotali głośno.

– A jak ty zamierzasz prosić? – zapytała wyzywająco Swietłana.

– Wasza wielmożność – szepnął pospiesznie Nikołajew – wasza małżonka dzielna niewiasta, ale powiedzcie jej, żeby poniechała. Lepiej dać haracz...

– Milczcie i patrzcie! – uciął Sergiusz.

Herszt podszedł do Swietłany i w swoim mniemaniu przerażająco szybko błysnął jej przed twarzą wyskakującym ostrzem sprężynowca.

– A tak...! – Chyba chciał jeszcze coś dodać, ale dalsze słowa zagłuszył trzask łamanej w łokciu ręki z nożem, a potem przeraźliwe zwierzęce wycie.

– Ty nie wyjmuj, czego nie potrafisz użyć – powiedziała spokojne Swietłana, gdy opryszek zrobił przerwę dla nabrania tchu. Potem rzuciła go brzuchem na pobliską skrzynię i z rozmachem wbiła odebrany sprężynowiec w prawy półdupek. Ostrze ze stłumionym trzaskiem utkwiło głęboko w kości miednicy. Dziewczyna złamała je nieznacznym ruchem tuż przy rękojeści, podniosła opryszka za kołnierz i precyzyjnie czubkiem buta kopnęła w ranę.

Delikwent nie zawył z bólu, wręcz zaryczał jak syrena okrętowa. Nie widząc źródła dźwięku, naprawdę można się było pomylić. Pozostali dwaj otrząsnęli się z wrażenia i ruszyli na Swietę, ale Sergiusz przerwał tę zabawę, strzelając bliższemu z nich w kolano. Korciło go, żeby w łeb, dokładnie między oczy... ale oparł się pokusie. Nie był przecież mordercą. Ostatni opryszek podniósł szybko ręce do góry.

– Zabieraj to ścierwo! – rozkazał mu starszy lejtnant, wskazując lufą parabelki jego okaleczonych kompanów. – Wrócicie, zginiecie!

Tamten bez słowa zarzucił sobie na kark ramiona omdlewających z bólu towarzyszy, chwycił ich pod pachy i wszyscy trzej, kusztykając i słaniając się jak pijani, powlekli się w głąb portu. Na spodniach przywódcy rosła szybko wielka plama moczu, gówna i krwi. Smarkacz w wodzie zdołał wreszcie uchwycić krawędź nabrzeża i się podciągnąć, ale na widok pogromu pospiesznie osunął się z powrotem do morza i zachowywał tam cichutko jak ryba.

– Kim wy jesteście?! – zapytał zbielałymi wargami stary matros.

– Służymy Białemu Carowi, ojczulku – odpowiedziała Swieta, podchodząc bliżej.

– A wy chcielibyście wrócić do służby? – zagadnął Sergiusz.

– Jak Bóg na niebie... – weteran spod Synopy przeżegnał się ze łzami w oczach i zaraz wyprężył w postawie zasadniczej.

– Ale wy morski człowiek, a my wysoko w góry idziemy – zastrzegł starszy lejtnant.

– Ja przez cały Kaukaz pieszo przeszedł. Poradzę, *wasze wysokobłagorodie*! – zapewnił dziarsko starzec.

– Języki jakieś znacie?

– Ja tu ze wszystkimi, co żyją wokół tego morza, umiem się dogadać, *wasze błagorodie*.

– A z Afgańczykami?

– Z tymi dzikimi Persami? Też poradzę, tylko mi nie każcie, *wasze błagorodie*, ichnich glizd czytać, bo tego nie znam.

– A dacie sobie radę z nowym karabinem Mosina?

– Poradzę.

Sergiusz wydobył ze skrzyni wspomnianą broń oraz kilka paczek naboi. Podał wszystko starcowi i bez słowa wskazał mewę płynącą jakieś osiemdziesiąt metrów od brzegu. Potem stanął z boku i uważnie patrzył, jak weteran ładuje karabin i składa się do strzału. Chybił, ale kula poderwała wodę w bardzo przyzwoitej odległości jednej dłoni od ptaka.

– Przydacie się, Jewgieniju Piotrowiczu! – oznajmił oficer, klepiąc go po ramieniu.

– Możecie mówić mi Jewgieniusza, *wasze błagorodie* – odparł starzec. – Co dokładnie mam robić?

– Będę wam mówił Jewgienij, boście nie byle mużyk. Na razie pilnujecie naszego wagonu. Potem przyjdzie tu taki jeden Pers. Macie go mieć na oku, tak nieznacznie... Nie ufam mu, ale jest mi potrzebny.

– Rozumiem, *wasze błagorodie* – skinął głową starzec.

85

– Tylko mi nie salutujcie! – polecił szybko Sergiusz. – I nie tytułujcie po wojskowemu, tylko tak jak na początku. Dla ludzi ja jestem kupiec, a wy, Jewgieniju, strzeżecie mojego dobytku.

– Tak, wasza wielmożność, wszystko zrozumiałem. Ja zaraz pogonię tych przeklętych leni do roboty! – Energicznie zarzucił karabin na ramię i zaczął kolejno wyciągać pochowanych w różnych zakamarkach dokerów.

Przeładunek znów ruszył.

Trzy dni później bez przeszkód dojechali do Merwu. Sergiusz zameldował się u komendanta miejscowego garnizonu, pokazał papiery i poprosił o eskortę do afgańskiej granicy, a jeśli można, to także jeszcze jakichś ludzi na dalszą drogę. Nie liczył na więcej niż dwóch, ale opuchły z opilstwa major Romanienko zaoferował mu tylko jednego aresztanta, którego z jakiegoś powodu chciał się pozbyć ze stanicy. Starszy lejtnant, nie okazując rozczarowania, kazał się prowadzić do celi.

– Szeregowy Antonii Antonowicz Maliniak! – zameldował się od niechcenia wypłosz około trzydziestki.

– Jesteście Polakiem? – Sergiusz przeszedł na polski. – Skąd?

– Z Ząbek koło Warszawy, panie kolego. Ach, jak to dobrze spotkać rodaka na obczyźnie!

– Za co siedzicie?

– Tak ogólnie za niesubordynację…

– A konkretnie?

Aresztant spojrzał znacząco na towarzyszącego im strażnika. Sergiusz polecił mu się cofnąć, a sam podszedł bliżej. Maliniak nachylił mu się do ucha.

– Wytarzałem się z babą komendanta… – oznajmił konfidencjonalnym szeptem.

– I nie kazał was powiesić?

– Nie, panie kolego, bo wtedy by się wszystko wydało. Na razie wiemy tylko my troje… No, teraz czworo. Wyciągnie mnie pan stąd, panie kolego?

– Mowy nie ma! – oznajmił stanowczo Sergiusz. Cofnął się za próg i sam zatrzasnął kratę. – Jeden Polak mi wystarczy...

Major był równie rozczarowany jak jego więzień, ale na pocieszenie przyjął trzydzieści rubli w złocie i nie robił trudności z eskortą ani z wyrobieniem papierów dla Jewgienija, bo weteran miał tylko mocno wyświechtane przez osiemnaście lat włóczęgi świadectwo własnego zgonu. Wieczorem *gospodin komiendant*, jak Pan Bóg przykazał, upił się z petersburskim gościem do utraty przytomności. Własnej, bo Sergiusz przezornie łyknął zawczasu trochę tej oliwy, której kupno doradził Zakani.

Rano zaczęli ładować manele na wiosłowe łodzie, którymi mieli popłynąć trzysta kilometrów w górę rzeki Murgab, wypływającej z gór Afganistanu i kończącej bieg w piaskach pustyni Kara-kum.

Podróż była miła. Cały czas płynęli jakby przez niekończącą się oazę, pełną palm daktylowych, cedrów i drzew cytrusowych. Było bardzo ciepło, lecz nie gorąco. Ich perski Pangloss wyjątkowo milczał, kontemplując widoki. Stary matros wprawiał się w strzelaniu z mosina, polując na wodne ptaki. Zawsze w pobliżu, jak spod ziemi wyrastał jakiś miejscowy smyk, który za drobną opłatą upolowaną kaczkę czy gęś dostarczał na pokład łodzi. Skoro zaś Jewgieniusza upolował, to i Jewgieniusza przyrządzał, niepostrzeżenie wchodząc w rolę kucharza, a tak naprawdę Nikołajew umiał po prostu wszystko. Starszy lejtnant, patrząc na swojego weterana, odnotował wyraźną poprawę samopoczucia na myśl o spotkaniu z sierżantem Fedorczykiem.

Jedyny kłopot sprawiała Swietłana, której Sergiusz nie pozwolił wiosłować razem z przydzielonymi im żołnierzami, więc nosiło ją od nadmiaru energii. Po drodze rozbiła nosy kilku Turkmenom, którzy zbytnio się na nią gapili.

Sześć tygodni od wyruszeniu z Petersburga dotarli do pogranicznej Kuszki. Pozostało im jeszcze tysiąc kilometrów z okładem najtrudniejszej trasy lądowej. Można by rzec, że w Kuszce skończyła się wycieczka, a zaczynała prawdziwa podróż.

Na granicy Sergiusz zapatrzył się na powiewającą na maszcie czarno-czerwono-zieloną afgańską flagę. Owszem, widział wcześniej jej reprodukcje w podręcznikach geografii, ale jednak był zaskoczony, że serio używają tu czegoś takiego. Spodziewał się raczej totemu lub czaszki zatkniętej na buńczuk. Bardziej by pasowały do topornych, pudełkowatych domów, skleconych z cegieł z niewypalonej gliny.

Tymczasem Zakani dawał kolejny popis swej przydatności. Tak długo wymieniał zwroty grzecznościowe z afgańskim oficerem i wypytywał go o zdrowie własne oraz reszty rodziny, że tamten zrezygnował z przetrząsania bagaży niewiernych *safidkuni*, czyli „białych tyłków", i zadowolił się jednym serwisem do herbaty oraz dwoma ozdobnymi kindżałami dla dorastających synów. Następnie teherański profesor przystąpił do organizacji karawany, w przeciwieństwie do przysłowiowo safandułowatych europejskich akademików, wykazując się przy tym naprawdę imponującą energią i sprytem. Już po dwóch dniach w Afganistanie było dla Sergiusza jasne, że bez Zakaniego jego wyprawa skończyłaby się mniej więcej kilometr od granicy. Mieszkaliby sobie tu aż do przejedzenia zapasów i pieniędzy, czekając, aż konie i osły w okolicy rozmnożą się z pomocą Allaha, a następnie podrosną należycie, względnie zostaną sprowadzone z odległych prowincji Arabii w liczbie umożliwiającej przedsięwzięcie wyprawy. Potem powinni wyzdrowieć poganiacze, których dopadły nagle jakieś „zimne" lub „gorące" choroby, ale na pewno uleczy je pielgrzymka do Mekki. Ewentualnie trzeba poczekać, aż miejscowy znachor stamtąd wróci. Zyska wtedy honorowy tytuł *hadżi*, co uprawni go do wyższego honorarium… *Inszallah!* Czemu to bowiem na bogatych cudzoziemcach mieli zarabiać jacyś dalecy, obcy ludzie, skoro mogli zarobić sami swoi? Zresztą po cóż się spieszyć? Wszak pośpiech to wynalazek szatana! Czyż trzeba jeszcze dodawać, że ceny zauważalnie rosły z dnia na dzień…

Zakani zaczął od tego, że niemal na stałe zaszył się w *czajchanie*, to jest w herbaciarni, gdzie intensywnie pogłębiał znajomość z kapitanem/pułkownikiem/generałem Istalifi, czyli komendantem granicznej stanicy, którego spotkali na przejściu. Ranga wojskowa zależała od stanu aury i humoru Istalifiego, zgodnie z zależnością, że w im gorszym nastroju był dowódca, tym wyższym stopniem należało go tytułować. Pogoda, nawiasem mówiąc, była ostatnio marszałkowska, więc tak czy owak, poza piciem herbaty nic nie dało się robić. Po trzech dniach profesor i oficer doszukali się wspólnych korzeni rodowych, dzięki czemu Zakani mógł udać się z powrotem na rosyjską stronę i tam zakupić dwa konie i dwa osły, bez obawy, że wracając do Afganistanu, natknie się na cło zaporowe. Z krewniaka nie wypadało zdzierać.

Efekt zagrożenia rosyjsko-turkmeńskim importem był taki, że natychmiast na miejscu znalazło się wszystko, co niezbędne do dalszej wyprawy – zwierzęta, nagle ozdrowiali poganiacze, uprząż, sprzęt obozowy, i to po całkiem przystępnych cenach. Na pytanie Sergiusza, czemu nie kupili tego wszystkiego przed granicą, Pers odpowiedział spokojnie, że ludzie tam są równie chytrzy, a on nie ma żadnego Turkmena w rodzinie.

Gorzej, że Zakani przyprowadził w sumie trzy osły, z czego jeden chodził na dwóch nogach... Na widok Antoniego Maliniaka starszego lejtnanta po prostu zamurowało. Okazało się, że major Romanienko, strzeźwiawszy nieco, wpadł na szatański pomysł pozbycia się konkurenta do wdzięków ślubnej małżonki i dwa dni później posłał za nimi jeszcze jedną łódź z trzema ludźmi i Maliniakiem na pokładzie. Kalkulacja ta była całkiem logiczna, gdyż dyskretnie zamordować podwładnego w Merwie Romanienko nie mógł, wieść na pewno by się rozeszła, a może sumienie lub małżonka nie pozwalały. Trzymać go na miejscu oznaczało dalszy rozrost poroża i nieuchronną kompromitację. Zesłanie do innego garnizonu też, bo sukinsyn na pewno rozgadałby wszystko po drodze, a obowiązkowo pochwaliłby się przy wódce nowym kamratom, jaki to z niego kozak. Z Afganistanu zaś Maliniak miał naprawdę dużą szansę nie wrócić.

Zwłaszcza, że pobyt zaczął od bezczelnego gapienia się na kobiety, usiłując dojść, jak ładna buzia kryje się pod siatką burki, a nawet próbował zaglądać pod te okrycia, wykazując przy tym natarczywość prowincjonalnego lowelasa. Teraz to już nawet Zakani przestał się śmiać. Maliniak nabrał go na granicy, przez którą nie chciano przepuścić golca bez bakszyszu. Wprawdzie Romanienko dał, ile trzeba, ale pieniądze wyciekły, konkretnie Maliniak przepił je ze swoją eskortą, przekonawszy sierżanta, że jakoś to będzie… I było. Rozpoznawszy perskiego uczonego, którego widział wcześniej przez okno celi, nałgał mu bez zmrużenia oka, że Sergiusz przeogromnie go potrzebuje i że to komendant Merwu nie chciał go uwolnić z aresztu, ale potem zmienił zdanie. Profesor był przekonany, że robi starszemu lejtnantowi miłą niespodziankę, a ponadto obserwacja dwóch Polaków w praindoeuropejskim habitacie wydała mu się nie lada gratką naukową.

Kiedy prawda wyszła na jaw, wypadło stwierdzić, że tak wściekłego Persa nie widział nawet Aleksander Macedoński. Behawior, czyli zachowanie, Maliniaka wobec miejscowych kobiet to już nie była kropla, a kubeł, który przepełnił czarę cierpliwości uczonego. Zakani oznajmił Sergiuszowi, że albo ten *mordegał buru*, czego w żadnym razie nie należało tłumaczyć przy damach, a zwłaszcza matce zainteresowanego, zostaje tutaj, albo on, Farhad Darius Kacper Zakani, jak mu Ormuzd miły, dalej nie jedzie!

Sergiusz miał naprawdę dużą chęć zostawić Maliniaka własnemu losowi. Powstrzymało go jednak poczucie odpowiedzialności za dobre imię reszty mieszkańców Przywiślańskiego Kraju w tych stronach. Dla wszystkich rodaków na siedem pokoleń wprzód lepiej było stale mieć sukinsyna na oku.

– Co umiecie robić poza śpiewaniem w chórze eunuchów? – zapytał surowo, wchodząc z powrotem w rolę dowódcy wyprawy, z której chwilowo wytrącił go Zakani.

– Nie jestem żadnym eunuchem, panie kolego! – oświadczył z godnością Maliniak.

– Dla was jestem panem Lawendowskim. A eunuchem migiem zostaniecie, jeśli nie przestaniecie zaczepiać tutejszych dziewcząt.

– Ale im się to podoba... panie Lawendowski – zwrot grzecznościowy dodał z bezgranicznym niesmakiem. – Dla nich to cie-
kawa odmiana, a każda kobitka na odmianę leci!

– Ich ojcom i braciom raczej się ta odmiana nie spodoba.

– Normalka, panie... Lawendowski. A bo to u nas po wsiach
inaczej jest? Wszędzie w mordę można dostać, jak przyłapią
z panną w sianie. Widły i kłonica też mogą się przytrafić, no ale to
jeszcze nie powód, żeby kiecek nie zadzierać!

– Tu stracicie jaja, nie zęby.

– Gadanie! Niby gdzie?! W kraju, w którym chłop to *baba*...?
Strachy na Lachy! A zresztą, panie... Lawendowski, takie ryzyko
męska rzecz. Melduję posłusznie, że będę jebał jak partyzant na
tyłach wroga!

Sergiusza zaswędział cyngiel parabelki, ale się opanował.

– Pytałem, co umiecie robić? Na czym się znacie?

– Tak ogólnie na wszystkim, panie Lawendowski, krawaty wią-
żem, powodujem ciąże...

Bez zamachu Sergiusz wyrżnął go pięścią w podbródek, aż ukru-
szyły się zęby. Po treningach ze Swietą wyszło to naprawdę doskonale. I jeszcze poprawił prawym sierpowym, tak że gnojek nakrył się
nogami. Nieznacznym ruchem dłoni oficer powstrzymał idącą mu
na pomoc Swietłanę. Na drastyczne środki jeszcze przyjdzie czas...
Pochylił się i postawił Maliniaka z powrotem na nogi. Z gęby rodaka na obczyźnie odpadł wreszcie uśmieszek małego cwaniaczka.

– Drugi raz pasy zedrę – zapowiedział lakonicznie Sergiusz.

– Dobra, dobra, szefie... dogadaliśmy się! – zapewnił szybko
Maliniak. – W cywilu, zanim w sołdaty wzięli, terminowałem na
rymarza, buty też naprawię, jakby co.

– To już coś – westchnął z rezygnacją starszy lejtnant. – Będziecie na biwakach robić wszystko, co potrzeba. Wszystko, co stary
Jewgienij każe – uściślił.

– To znowu Ruskie mają mi rozkazywać? – wzruszył ramionami. – No dobra, ale konia własnego dostanę?

– Osła. A i to do prowadzenia za uzdę.

– Mam być poganiaczem jak ci miejscowi? Szefie, to co oni sobie tu o białych ludziach pomyślą?!

Cholernik miał rację. Należało jednak dbać o prestiż wyższej rasy...

– Dobrze, dam wam konia. Ale żadnej broni! – dodał Sergiusz w nagłym przebłysku przezorności. – Tylko nóż.

– To jak ja mam się bronić, jak mnie te dzikusy będą chciały wytrzebić?!

– Róbcie wszystko, by nie mieli powodu gonić za waszym interesem. Teraz idźcie narąbać drewna.

– A za ile, szefie?

– Wyżywienie i pół rubla za każdy dzień.

– Mało.

– Albo kopa z powrotem na ruską stronę.

– Stoi, szefie! – wyciągnął rękę.

Sergiusz uścisnął ją ze szczerym obrzydzeniem. Potem usiadł, myśląc intensywnie, jak przekonać Zakaniego do pozostania. Spontaniczny wybuch Persa rozwiał większość podejrzeń, jakie starszy lejtnant względem niego żywił, a po rozmowie z Maliniakiem już zupełnie nie miał siły doszukiwać się w zachowaniu profesora drugiego dna. Tyle dobrego, że Swietłana, widząc przygnębienie Sergiusza, przez całą noc starała się być dla niego naprawdę miła.

Szczęśliwie Zakani do rana ochłonął. Przy śniadaniu przeprosił za swoje wczorajsze zachowanie i zapewnił, że już pogodził się z myślą, że niekulturalni Polacy także istnieją. Co prawda czytał Dostojewskiego i znał wszystkie pogardliwe uwagi pisarza na temat rodaków Sergiusza, ale dotąd nie dawał im wiary, biorąc je za złośliwości zgorzkniałego polskiego renegata, któremu w młodości przetrącono moralny kręgosłup. Teraz cóż, widać nawet w prostej linii potomkowie legendarnych Ariów też się czasem degenerują... Trzeba brać prawdę naukową taką, jaka jest! Ech, wstyd pomyśleć, do czego jeszcze ta badawcza sumienność miała Persa doprowadzić.

Ręka złodzieja

Po tygodniu przygotowań i negocjacji wyruszyli do Mazari Szarif. Ich karawana liczyła siedem koni, dziesięć osłów i pięciu poganiaczy, których po dotarciu do miasta mieli zastąpić górale dobrze znający przełęcze prowadzące do Kabulu. Aktualnie zatrudnieni tubylcy zapewniali, że mają w Mazari Szarif godnych zaufania krewnych, więc nie trzeba będzie zaczynać całej zabawy od początku.

Wbrew początkowym obawom Sergiusza podróżowali szybko i bez komplikacji. Szlak był dobrze przetarty przez ostatnie trzy tysiące lat, a połowa drogi biegła przez niziny starożytnego królestwa Baktrii. Dziesiątego dnia od opuszczenia Kuszki trafiła im się przepiękna, majowa pogoda. Słońce wzeszło na idealnie bezchmurnym niebie i wtedy ujrzeli szczyty Hindukuszu, piętrzące się majestatycznie na południowym wschodzie.

Swietłana mało co, a pobiłaby Zakaniego. Zapytała go, co to jest, o tam, na horyzoncie, a otrzymawszy grzeczną odpowiedź, że góry, wpadła w furię przekonana, że Pers sobie z niej kpi. Przecież ona jest spod Uralu i wie dobrze, jak wyglądają góry! Wszak wchodziła na drzewa i oglądała nieraz! Więc wie! Że góra jest obła i wygląda jak duży kurhan, a nie taka zębata i wielgachna jak to tam! Zatem proszę nie robić z niej jurodiwej, która nie wie, co to góra, tylko powiedzieć, tak a tak, co to właściwie jest?! Może Księżyc? W to uwierzy, bo już tak długo jadą, że z pewnością mogli do Księżyca dojechać!

Zakani tak zgłupiał, słysząc tę hipotezę, że nieopatrznie sprostował, że jednak góry.

– Ja tobie dam góry… – wysyczała strzyga ogarnięta żądzą mordu. Sergiusz powinien był szybko zareagować, by ocalić w pierwszej kolejności legendę starannego domowego wykształcenia Swietłany, ale nie zareagował, bo się zwyczajnie zagapił. Szczerze mówiąc, i jemu to, co widział, nie mieściło się w głowie. Jak bodaj każdemu mieszkańcowi europejskich nizin. Można było tylko stać i patrzeć w nieskończoność, rozdziawiając gębę… Przecież te góry wydawały się większe niż odległość pomiędzy ziemią a niebem! No to jak one miały być z tej ziemi?! Pomysł z Księżycem wcale nie był głupi. To było całkowicie adekwatne użycie posiadanego zasobu pojęć do opisu obserwowanego zjawiska, świadczące o naturalnej inteligencji Swietłany. Aczkolwiek w połączeniu z jej brakiem wykształcenia oraz moralnych zahamowań dawało mieszankę piorunującą…

Zanim starszy lejtnant oprzytomniał i zdołał coś zrobić, byłoby już po Zakanim. Szczęściem między Persa a Rosjankę wkroczył stanowczy i spokojny Jewgienij, do którego Swieta nigdy nie mówiła inaczej jak „ojcze".

– Bóg, córeńko, dał nam szeroko, a im wysoko, ale jedno i drugie stworzył na swoją miarę – rzekł z powagą stary matros i przeżegnał się trzykroć, kłaniając się nisko dziełu bożemu.

Swietłanie złość przeszła jak ręką odjął i zaraz zrobiła to samo co weteran. Ich Afgańczycy, kiedy dowiedzieli się, o co tym *horedżi* – cudzoziemcom, poszło, mało nie pękli z narodowej dumy i rasowej wyższości. Natomiast profesor Zakani zaczął patrzeć na Sergiusza i Swietłanę z dotychczas nieokazywaną podejrzliwością. Życie bywa naprawdę przewrotne…

Następnego ranka z problemem na miarę Hindukuszu zgłosił się do starszego lejtnanta szeregowy Antonii Maliniak. Oświadczył mianowicie, że „by sobie pojebał" i potrzebuje w tym celu wziąć parę godzin wolnego w najbliższej wiosce. Ponadto gotów był iść o zakład, że dopnie swego, a durne „szmaciane łby" nic mu nie zrobią. No i co szanowny szef na to?

Zagadnień wymagających zajęcia stanowiska było w tych dwóch zdaniach tyle, że Sergiusz nie wiedział, od czego zacząć. Po pierwsze, jak potwierdzić spełnienie miłosnego aktu w celu rozstrzygnięcia zakładu? Ten problem Maliniak miał już rozwiązany, mianowicie szef może patrzeć przez lornetkę z daleka, a on już wybierze odpowiednie miejsce, żeby było widać. Jemu patrzenie nie przeszkadza, a wręcz przeciwnie... Problemów technicznych z uwiedzeniem miejscowej kobiety jurny szeregowiec też nie widział, a pewność tę opierał na swej dogłębnej znajomości żeńskiej psychologii, konkretnie na tezie, że każda niewiasta potrzebuje odmiany, zwłaszcza taka kompletnie stłamszona przez swojego chłopa i dodatkowo przymuszona do noszenia worka na głowie. Taka z całą pewnością potrzebuje przeżyć ekscytującą miłosną przygodę, którą będzie potem wspominać do końca życia. One nie są z innej gliny niż nasze swojaczki! Trzeba tylko, po pierwsze, przyuważyć znudzoną mężatkę, bo z panną jest zbyt wiele zachodu i nie da się jej przekonać do sprawy w kwadrans na migi. Z odróżnieniem, która jest która, też nie kłopot, bo one przecież nie noszą tych worków na głowach, kiedy za wsią piorą swoje szmaty, bo w burce prać nieporęcznie. Zatem po drugie, wybór właściwego miejsca, czyli krzaków koło strumienia. Potem trzeba się dać wybrance zauważyć, tak by tylko ona to spostrzegła, i pokazać jej jasno, o co chodzi. One zawsze w pierwszej chwili uciekają, ale gdy się namyślą, zawsze, no prawie zawsze, wracają, że niby to zapomniały czegoś doprać albo zabrać z brzegu. A jak jakaś inna baba przypadkiem ich przyuważy, to też nie kłopot, bo zgodnie z Koranem dopiero dwie kobity mogą robić za jednego świadka. Stąd takiej wścibskiej babie bardziej niż gonić do wsi i szukać kooperantki opłaca się przyłączyć do zabawy, co i nieraz już bywało... Zatem jak, szefie, czyż to nie jest doskonały plan? A na dodatek dogłębnie sprawdzony w trzech guberniach po ruskiej stronie, więc jakby szef postawił flaszkę, opowie się to i owo...

Sergiusz rzadko zapominał języka w gębie, ale tym razem stać go było jedynie na pensjonarskie zastrzeżenia odnośnie bezpiecześństwa i priorytetów wyprawy. Maliniak słusznie uznał te argumenty za małostkowe, bo cóż to za mężczyzna, który nie ryzykuje?! Zresztą on nie ma zamiaru nikogo narażać, dlatego właśnie prosi o wolne i będzie w tym czasie osobą całkowicie prywatną...

Tu w sukurs Sergiuszowi przyszedł przysłuchujący się rozmowie Zakani, który ujawnił przed Maliniakiem swoją znajomość polskiego i poinformował go, że w Afganistanie obowiązuje stara indoeuropejska reguła odpowiedzialności zbiorowej. Członek rodu odpowiada za członka rodu i ta zasada łatwo może zostać rozciągnięta na przedstawicieli jednego narodu i jednej rasy. Plan zaspokojenia męskich potrzeb, acz niewątpliwie błyskotliwy i zdradzający cechy iście aryjskiej przebiegłości, na dłuższą metę bez wątpienia doprowadzi do katastrofy.

– Ale mnie sparło! – Maliniak miał na to tylko taką odpowiedź. – Walenie konia w dwudziestym wieku nie uchodzi!

– Polecam osiołka – odparł rzeczowo Zakani. – W tych stronach to popularny erotyczny obiekt zastępczy. Znacznie tańszy od własnej żony i zdrowszy od cudzej.

– Widziałem... – szeregowy obejrzał się na jednego z poganiaczy. – Ale ja nie lubię włochatych dup z ogonami!

Sergiusz doszedł do wniosku, że jego problem z właściwym odnalezieniem się w tej sytuacji wynika z faktu, że ma na sobie cywilne ubranie. Gdyby to była jawna wyprawa wojskowa, tyłek Maliniaka byłby już malinowy i nie do odróżnienia od tyłka pawiana za sprawą co najmniej stu pięćdziesięciu kijów. Teraz, będąc zmuszonym udawać kupca, starszy lejtnant nie potrafił uchwycić równowagi w zakresie egzekwowania dyscypliny.

– Nigdzie nie pójdziecie – stwierdził tylko.

– Szefowi dobrze mówić, bo dupczy co noc... – wymownie spojrzał na Swietłanę.

– Won na swoje miejsce! – warknął Sergiusz, otrząsając się z dyscyplinarnych rozterek.

– Dobra, dobra... – niedoszły afgański casanova wstrzymał konia, wracając na tył karawany.

Swieta do tej pory nie dała poznać po sobie, że rozumie po polsku. Zresztą nie musiała. Kluczowe słowa w obu językach były wspólne. Podczas całej scysji nie zaszczyciła Maliniaka ani jednym spojrzeniem, ale kiedy zatrzymali się na południowy popas, podeszła do niego bez słowa i kopnęła w klejnoty tak, że wyleciał pół metra w górę.

Nieszczęśnik odzyskał przytomność pół godziny później, zdolność artykułowanej mowy po dwóch godzinach, a mówienia o sprawach damsko-męskich dopiero po tygodniu. Dwa dni chodził lub siedział w siodle zgięty w pałąk. Wynajęci Afgańczycy, mimo że reprezentowali całkiem inny krąg kulturowy, zaczęli patrzeć na Swietłanę jak na wcielenie bogini Kali.

Późnym popołudniem dotarli do wioski o nazwie Bam. Nawet gdyby Sergiusz wyraził zgodę, a Maliniak był zdolny do amorów, to chyba jednak nic by z tego nie wyszło, bo trafili akurat na egzekucję i cała dorosła ludność zgromadziła się na placu przed miejscowym meczecikiem.

Zakani szybko rozpytał się wśród wieśniaków i wrócił z wiadomością, że mają być ukarani dwaj złodzieje złapani na gorącym uczynku. Jeden z nich był dodatkowo mordercą, gdyż podczas pojmania bronił się zaciekle i zabił kogoś ze ścigających, zatem straci nie rękę, a głowę. Sąd pod przewodnictwem tutejszego mułły właśnie wydał wyrok, a dla gości przewidziano honorowe miejsca w pierwszym rzędzie.

Pierwsze miało być obcięcie ręki. Na środku placu czekał już z pieńkiem i tasakiem miejscowy rzeźnik, ponoć ogólnie szanowany specjalista od uboju rytualnego. Dwaj mężczyźni przyprowadzili szamocącego się, przerażonego chłopca, w wieku około trzynastu lat. Tłum nie zareagował gniewnie, lecz z wyraźnym pomrukiem współczucia.

– To starszy kuzyn sprowadził biedaka na złą drogę – wyjaśniano Zakaniemu z kilku stron naraz, a Pers tłumaczył to Sergiuszowi i pozostałym na rosyjski. – Szkoda go... ledwie przestał być dzieckiem... ale złapano go podczas ucieczki... miał przy sobie skradzione przedmioty... co począć... Szariat to szariat!

Zmuszono chłopca, by uklęknął przy pieńku, i przywiązano do niego jego prawe przedramię. Następnie do skazańca zbliżył się mułła z Koranem. Parę kroków za duchownym trzymał się starszy mężczyzna z dużą torbą, wyglądający na wędrownego konowała.

Mułła zmówił modlitwę, w trakcie której chłopiec zaczął głośno płakać, co z kolei wprawiło w wielkie zakłopotanie rzeźnika pełniącego obowiązki kata. Mężczyzna rozejrzał się po zgromadzonych, jakby szukając zastępcy.

– Ty najrówniej utniesz i dobrze się zagoi! – zaczęto wołać, by dodać mu otuchy. – Ty najlepiej z nas to zrobisz!

Wyraźnie nie chciano zrobić chłopcu krzywdy...

Sergiusz postanowił spróbować swoich sił w negocjacjach z tubylcami.

– Panie Zakani, pan tłumaczy i nie dodaje nic od siebie – powiedział i trącił konia, wyjeżdżając z tłumu.

Domorośli egzekutorzy spojrzeli na niego z ciekawością. Przerwa w wykonywaniu kary wyraźnie była im na rękę.

– *Salam alajkum!* – zaczął starszy lejtnant, starając się przypomnieć sobie wszystko, czego przez ostatnie dni nauczył się od Zakaniego. Zdaje się powinien dodać jeszcze słowo „bracia", ale nie wiedział, jak jest liczba mnoga od *berodar*.

– *Alajkum as Salam, mister seb* – odpowiedział bardzo uprzejmie mułła.

– Chciałbym kupić dłoń tego złodzieja! – oznajmił Sergiusz.

– Czcigodny *hadżi* się pyta, na co szanownemu panu potrzebna jest dłoń tego młodego złodzieja – Pers przekazał odpowiedź mułły.

– Słyszałem, że zasuszona dłoń złodzieja przepędza złe uroki, przynosi szczęście i uzdrawia z choroby.

– To prawda – odrzekł z powagą mułła. – Szanowny pan jest bardzo mądrym i przezornym człowiekiem. Zatem za jaką cenę szanowny pan pragnie kupić rękę tego złodzieja?

– Ręka małego, początkującego złodzieja nie może być chyba warta zbyt wiele – zaczął targ Sergiusz.

Egzekutorzy zaczęli intensywną naradę w swoim gronie. Skazaniec chlipał, wpatrując się w tasak.

– Ta ręka ma jeszcze piękną i gładką skórę, a kiedy się ją zasuszy, będzie jeszcze piękniejsza niż teraz, szanowny panie – ciężar negocjacji przejął na siebie fachowiec, czyli rzeźnik. – I nie jest tłusta, a więc nie zacznie gnić podczas suszenia ani nie zjełczeje.

– Jednak ręka początkującego złodzieja ma niewiele mocy uzdrawiania – odparował Sergiusz.

Trochę to trwało, ale w końcu uzgodniono cenę i rzeźnik znów ujął tasak. Chłopiec wrzasnął ze strachu i szarpnął się gwałtownie, ale więzy trzymały mocno.

– Chwileczkę! – zawołał Sergiusz. – Życzę sobie, aby na końcu tej ręki była cała reszta złodzieja!

Gruchnął śmiech. Wyglądało na to, że Zakani miał rację i polskie poczucie humoru doskonale sprawdzało się w kręgu kultury perskiej.

– Chwała Allahowi miłosiernemu i sprawiedliwemu – zawołał mułła – za to, że zesłał nam dobrego cudzoziemca, który zgodził się zapłacić okup za winnego!

Następnie mułła zwrócił się do okradzionego, był to staruszek ze śladami pobicia na twarzy, pytając go, czy przyjmie okup.

– *Inszallah*, przyjmę – odparł poszkodowany.

– Stary Dżagdalaka to dobry człowiek! – zaczęto wołać wokół placu.

Pozostało teraz wytargować wartość okupu.

– A do czego szanowny pan potrzebuje złodzieja? – zainteresował się mułła.

– Zabiorę go do Indii, żeby okradł angielskiego wicekróla – odparł oficer.

Tym razem trochę nie wyczuł reakcji zgromadzonych. Spodziewał się śmiechu, a usłyszał pomruk uznania. Jednak stwierdził, że dobrze mu idzie, więc kontynuował.

– To wielkie przedsięwzięcie, wymagające wielkich kosztów… – Zakani przetłumaczył chytrą odpowiedź mułły.

– Rękę już kupiłem – przypomniał Sergiusz. – No to ile może być wart mały złodziej bez ręki, którego mi teraz sprzedajecie?

Huragan śmiechu trwał dobre pięć minut. Ludzie zaśmiewali się do łez, powtarzając sobie słowa cudzoziemca, klepiąc się nawzajem po plecach i wpadając sobie w ramiona. O mało co, a egzekucja przerodziłaby się w festyn taneczny. Kobiety hałajkowały radośnie. Ogólną wesołość powiększył jeszcze sam skazaniec, do którego dopiero teraz dotarło, że ocalił skórę, i zaczął głośno zapewniać, że jest złodziejem bardzo wysokiej jakości…

Mułła, jedną ręką ocierał łzy cieknące z oczu, a drugą dobrodusznie pacnął smarkacza świętą księgą w kark, nakazując mu, aby niepytany, nie odzywał się przy dorosłych.

Szybko dobito targu i uwolniono skazańca, który – jak się okazało – miał na imię Ged, a do trzynastu lat brakowało mu jeszcze dwóch księżycowych miesięcy. Zakani był pełen uznania dla Sergiusza, bo kupione osobno dłoń i reszta ciała dawały łączny koszt dużo poniżej ceny młodego, zdrowego niewolnika, a formalnie rzecz biorąc – dłużnika, który musiał odpracować swój dług.

Tymczasem mieszkańcy wioski w krotochwilnym nastroju przystąpili do pozbawiania głowy sprawcy zabójstwa. Na plac wniesiono delikwenta przywiązanego do drzwi od domu, po czym najstarszy przedstawiciel poszkodowanego rodu oświadczył głośno, że nie przyjmą okupu. Mułła nie robił dalszych ceremonii. Brat ofiary wyjął nóż i obciął głowę skazańca, szybko, beznamiętnie i z równą wprawą, jakby dekapitował barana.

Maliniak, patrząc na to, porzygał się tak, że mało nie spadł z konia. Swietłana na widok krwi zarumieniła się z podniecenia i rozdęła nozdrza. Jewgienij zrobił nieznaczny znak krzyża, a Zakani poinformował, że Sergiusz ma na koncie drugi dobry uczynek w tym dniu, ponieważ wcześniej mściciele zapowiadali, że będą odpiłowywać głowę zabójcy tępym nożem, jak długo się da, a przynajmniej do wieczornej modlitwy. Tak zaś wszystko poszło migiem, bez negatywnych emocji. *Allah akbar!*

Ged nie płakał po kuzynie, przez którego omal nie stracił prawej ręki. Sergiusz przydzielił go do osobistych posług Swietłanie, którą chłopiec z miejsca zaczął tytułować *hola dżon*, czyli cioteczką, czym strzygę tak rozczulił, że traktowała go jak młodszego brata lub prawdziwego siostrzeńca.

W tej wiosce musieli jeszcze przenocować, a Zakani z prośbą o gościnę zwrócił się do pobitego staruszka. Ów zgodził się natychmiast, choć jak się okazało, w jego domu po najściu dwójki bandytów nie zostało wiele zdatnych do użytku przedmiotów. Sędziwy Dżagdalaka mieszkał jednak sam, więc u niego było najwięcej miejsca. Okazało się, że Pers ma także powód wychowawczy. Ged z początku wzbraniał się przed wejściem do domu swojej ofiary, ale gdy Zakani powiedział mu, że honor Pasztuna wymaga naprawienia wyrządzonej szkody, z wielkim zapałem zabrał się do pomocy w porządkach i noszenia wody.

Swietłana bez ceregieli zaanektowała kobiecą część domu i zaczęła robić pieróg. Chyba nie zachowywała się zbyt stosownie, ale ani gościnny gospodarz, ani nikt przy zdrowych zmysłach, zwłaszcza Zakani po dyskusji o Księżycu, nie ośmielił się jej zwrócić uwagi. Dżagdalaka omal nie wydał całego otrzymanego okupu, by urządzić dla nich huczne przyjęcie. Zanim się obejrzeli, wynajął muzyków i już biegł kupić jagnię i haszysz, jednak Pers w porę przekonał go, że z woli Allaha, on, Sergiusz i Swietłana są teraz rodziną Geda, a więc im wypada naprawić spowodowane przez chłopca straty. Gdyby wiedzieli wcześniej, jak są one duże, nie targowaliby się aż tak bardzo, by obniżyć okup.

Na wspomnienie targów przed meczetem staruszek z zapuchniętym lewym okiem uśmiechnął się szeroko, prezentując ponadto cztery wyrwy po świeżo wybitych zębach, po czym spoważniał na długo i z frasunkiem drapiąc się w głowę, przystał w końcu na kompromis pomiędzy prawem gościnności a honorem nowego rodu Geda i pozwolił gościom skorzystać z własnego jedzenia. Zaraz potem zauważywszy, że Swieta ogląda z ciekawością ocalały z pogromu fajansowy dzbanek malowany w kolorowe kwiaty i biegnące jelenie, natychmiast podarował go Rosjance, zapewniając, że ten przedmiot, choć jest zbyt mało warty, by mógł być godnym podarkiem dla czcigodnej żony znakomitego zagranicznego gościa, był zawsze ulubionym naczyniem jego zmarłej żony, więc ma nadzieję, że czcigodnej pani też będzie się podobać i dobrze służyć.

W odpowiedzi Sergiusz zrewanżował mu się całym serwisem do herbaty. Na to z kolei staruszek złapał motykę i dziarsko rozwalił ścianę, żeby dostać się do ukrytych kosztowności, których bezskutecznie szukali złodzieje. Zaraz potem na głowie Swietłany znalazł się starożytny czepiec ze srebrnych i złotych liści, z dołączonymi doń dwiema długimi, sięgającymi piersi zawieszkami, wysadzanymi rubinami i błękitnymi lapis-lazuli, które mieniąc się dawały efekt „mrugającego oka". W Sergiuszu zagrała aryjska krew i w zamian podarował starcowi najozdobniejszy kindżał z trzema dwunastokaratowymi brylantami, więc Dżagdalaka z punktu zaczął rujnować fundamenty własnego domu...

Bóg, Allah i Ormuzd raczą wiedzieć, czym by się to skończyło, ale na szczęście Zakani czuwał i w porę wyszukał odpowiedni *casus* w niepisanym kodeksie honorowym pasztunwali, kończąc rywalizację w obdarowywaniu szlachetnym remisem. Ostatecznie wszyscy zgodnie zasiedli do wieczerzy przy dźwiękach bębenków i rytmicznego jojczenia napędzanej ręcznym miechem *armoni*.

Przy posiłku Zakani wspomniał, że wprawy w tego typu negocjacjach nabrał, podróżując po Albanii, bo tamtejszy kanun tylko w drugorzędnych szczegółach różni się od pasztunwali. W końcu jedni i drudzy to indoeuropejscy górale, którzy przebrani w stroje drugiej strony, byliby na oko zupełnie nie do odróżnienia.

Zdaniem Zakaniego wszyscy potomkowie Ariów mieli z początku te same obyczaje, których najpierwszym było prawo gościnności wraz z zasadą: „Gość w dom, Bóg w dom", rozumianą dosłownie, bo każdy przybysz z daleka mógł być bóstwem wędrującym po ziemi i patrzącym, czy ludzie przestrzegają ładu. Napaść boga, obrazić go lub choćby tylko odmówić mu czegoś, znaczyło skazać się na haniebną śmierć przez pożarcie żywcem przez zwierzęta wychodzące z głębi mokrej ziemi, czyli glisty i myszy. Duszę takiego potępieńca dodatkowo rozdziobywały lelki, nie pozwalając, by szlachetne ptaki, jak sokoły i orły, uniosły ją do niebiańskiego Wyraju, skąd z powrotem na ziemię na kolejne życie znosiły ją bociany. Innymi wspólnymi aryjskimi zwyczajami były zasada rodowej zemsty i picie z czaszek wrogów. Ten ostatni nawyk, jak zaznaczył z dumą Zakani, wyplenili już perscy misjonarze Zaratustry, i to tak starannie, że zostały po nim tylko słowa „czasza" i „czara" na określenie naczyń do spełniania uroczystych toastów. Zaratusztranie starali się wydobyć z wiary i zwyczajów Ariów to, co najszlachetniejsze. Całemu światu zaś podarowali ideę diabła, Arymana, z którym pobożny człowiek nie może wchodzić w żadne pakty. Wcześniej sądzono, że z każdym bogiem, choćby najsurowszym, można i trzeba się ugodzić, składając mu jakieś ofiary. Niestety, nie zdołano przekonać Ariów do zaniechania pochodzących od złego ducha praktyk, takich jak odpowiedzialność zbiorowa i bezczeszczenie ognia poprzez wkładanie do niego ciał umarłych. Tych rzeczy zdołało dokonać dopiero chrześcijaństwo, które upowszechniło naukę, że grzesznik sam odpowiada za własne winy przed sądem Boga i dlatego nie może za winnego ponieść kary nikt inny z jego rodu. Tak więc zasługę moralnego podniesienia Ariów dzielą pomiędzy siebie uczniowie Zaratustry i Chrystusa, a pośrednio Mojżesza, ani trochę zaś muzułmanie, którzy nic mądrego i ani dobrego nie wnieśli.

– A matematyka, filozofia, alchemia? – zaoponował szybko Sergiusz.

– Matematyka była sztuką hinduską, tajemnica produkcji złota chińską, a filozofia grecką – wyliczył Zakani. – Arabowie potraktowali te nauki jak dzieci swoje zabawki, porzucając je i psując, kiedy im się znudziły.

Własna wzmianka o Arabach w widoczny sposób Persa rozsierdziła.

– To są dzikusy! – podniósł głos. – Ślepi na piękno, dobro i mądrość! Choćby nawet cały piasek ich pustyń zamienił się w złoto, a oni wznieśli z niego najpiękniejsze pałace i w nich zamieszkali, to ich nie uszlachetni ani o włos! Arabowie zawsze pozostaną bezmyślnymi barbarzyńcami! Albo Bóg się pomylił, wybierając Mahometa na proroka, albo – ponieważ Pan Mądrości nie może się mylić – musimy podejrzewać, że to anioł Gabriel, ten, który dyktował Koran, okazał się kolejnym upadłym aniołem i zbuntował się w trakcie przekazywania objawienia, wypaczając je aż do zaprzeczenia, od siebie dodając wezwania do przemocy i wyuzdania.

– Chyba nie chcemy obrazić naszego drogiego gospodarza – zmitygował go szybko Sergiusz.

– Ależ nie – uspokoił się Zakani. – Islam w wydaniu perskim, a więc także i afgańskim, jest znacznie bardziej okrzesany. Tutaj arabskie barbarzyństwo jest tonowane przez aryjską szlachetność. Proszę zauważyć, panie Lawendowski, że ci ludzie na rynku wyraźnie wzbraniali się przed zastosowaniem prawa szariatu, choć wiedzieli, że muszą w tej sytuacji prawo zastosować, a innego nie znali. Dawne prawa Ariów nie były tak okrutne. Chłopiec dostałby chłostę i odsłużył resztę swej winy u pana Dżagdalaki – wymieniwszy imię gospodarza, skłonił mu się uprzejmie – a potem pewnie zostałby przez niego usynowiony i odziedziczył majątek. Tego drugiego by się powiesiło, aby nie brudzić jego krwią rąk ani świętej ziemi. Natomiast pana Maliniaka, no cóż... hm!

– Słucham, słucham, panie Zakani – zachęcił go z uśmiechem Sergiusz. – Może doradzi mi pan jakąś aryjską metodę wychowawczą…

– Radykalną – odparł Pers. – Za łeb, w bagno i przybić osikowymi widłami do dna, żeby nie wypłynął jako utopiec! Ewentualnie przedtem jeszcze zedrzeć mu skalp z połowy głowy, to gdyby na dodatek okazało się, że leżał też z własną matką. A wracając do rzeczy, chciałbym zwrócić pańską uwagę na kolejny szczegół. Otóż nasz dobrotliwy mułła, który czuwał tu nad wymierzaniem sprawiedliwości, ani razu nie otworzył księgi Koranu, którą trzymał w rękach, zauważył pan?

– Zauważyłem – skinął głową Sergiusz. – Recytował modlitwy z pamięci.

– Oni tu w przeważającej większości nie potrafią czytać po arabsku – wyjaśnił Zakani. – Znają na pamięć tylko okolicznościowe modlitwy, które wbito im do głowy podczas nauki w medresie. I tyle. Doprawdy, zupełnie nie wiem, panie Lawendowski, czy byłoby dla nich lepiej, czy gorzej, gdyby dowiedzieli się, co ta księga zawiera, i zaczęli ją studiować…

Nazajutrz przed odjazdem pan Dżagdalaka podszedł do Geda, który natychmiast padł przed nim na kolana. Gospodarz udzielił chłopcu uroczystego błogosławieństwa, prosząc Allaha, aby zawsze miał go w swej pamięci i opiece. Nie nawiązał przy tym ani półsłówkiem do doznanej krzywdy, a Ged z najwyższym szacunkiem ucałował rękę starca.

Maliniaka musieli przywiązać do siodła, gdyż ten przez całą noc tak się pocieszał haszyszem, że do południa nie był w stanie wsiąść na konia o własnych siłach.

Znaki grozy

W Mazari Szarif stanęli w połowie czerwca. Starszy lejtnant miał mieszane uczucia co do tempa ich podróży, ale zbladły one całkiem wobec niespodzianki, która czekała na nich w tym mieście. Kiedy rozeszła się wieść, że szukają ludzi na drogę do Kabulu, zgłosił się do nich Rosjanin, niejaki Rumiancew, wysłany z listami do kupca Kuroczkina dwa tygodnie przed wyjazdem Sergiusza i Swietłany z Petersburga. Krótko mówiąc, nie dość, że dogonili własnego kuriera, to jeszcze na miejscu wrogowie czekali najpewniej w stanie pełnej gotowości, podczas gdy ich sprzymierzeńcy kompletnie o niczym nie wiedzieli...

Rumiancew z miejsca dostał w zęby.

– *Wasze błagorodie*, za co?!

Sergiusz poprawił mu jeszcze raz za używanie przy ludziach wojskowego tytułu i dwa za zadawanie głupich pytań. Co nie zmieniało postaci rzeczy, że listy Iwanowi Iwanowiczowi Kuroczkinowi najlepiej będzie wręczyć osobiście, zawiadamiając go za jednym zamachem, że właśnie został szczęśliwym wujem młodej pary...

Kurier zaczął się tłumaczyć, że zachorował po przekroczeniu granicy Rosji. Twierdził, że podejrzewał u siebie cholerę. Jaka naprawdę to choroba, łatwo się było domyślić po tym, jak łatwo wszedł w komitywę z Maliniakiem i poinformował go, że w Mazari Szarif mają burdel pełen egzotycznych piękności. Szeregowy natychmiast zażądał wolnego wieczoru i premii za szkodliwe warunki pracy. Tym razem bardzo się pilnował, by nie spojrzeć aluzyjnie na Swietłanę.

Sergiusz zgodził się od razu. Nie mógł już patrzeć na zakazane gęby Rumiancewa i Maliniaka, a potrzebował w spokoju zebrać myśli. Swietłana też wyszła do miasta po nowe ubranie dla Geda, ma się rozumieć, zabierając ze sobą chłopca i Zakaniego. Starszy lejtnant kazał Jewgienijowi zrobić herbaty, po czym zaszył się na uboczu, zastawiając się, co tu dalej robić.

Należało zacząć od tego, że on na miejscu swego angielskiego przeciwnika już dawno posłałby starszego lejtnanta Sergiusza Lawendowskiego i całą jego wesołą ekskursję dywersyjno-naukową do głębokiego piachu. Jeżeli tamten nie zrobił tego do tej pory, to na pewno załatwi sprawę przed Kabulem. Zdekonspirowana, źle zorganizowana i słabiutka militarnie wyprawa mogła wciąż od biedy uchodzić za misję kupiecką (bo jaki szanujący się dowódca wojskowy posłałby coś takiego przeciw imperium brytyjskiemu i jego strategicznym instalacjom?), ale nie miała żadnych szans wykonać zadania, zwłaszcza bez elementu zaskoczenia, który na dobrą sprawę w ogóle nie wyjechał z Petersburga. Jednak wpuszczenie ich do Kabulu byłoby grubym błędem. Tam mogliby skorzystać z pomocy możnych protektorów i niebezpiecznie urosnąć w siłę, a co gorsza, zniknąć z oczu i zupełnie wymknąć się spod kontroli.

Zatem zostaną zaatakowani w drodze do Kabulu. To pewne. I co dalej…?

Sergiusz stanowczo nie miał ochoty drugi raz w swej karierze zostać dowódcą wyprawy, która przepadła w górach bez wieści. Tylko co właściwie mógł zrobić, skoro siły, którymi tu dysponował, nie były nawet dziesiątą częścią tego, co miał w Mandżurii, a obecny przeciwnik był znacznie silniejszy od wojsk tajnego polsko-chińskiego królestwa. Jego jedyny atut to to, że angielscy agenci działali na wrogim sobie terenie…

Zatem po pierwsze, wzmocnić eskortę i wynająć dobrze uzbrojonych górali. Chyba można im szepnąć, że obawiają się zemsty angielskich szpiegów – to raczej pomoże, niż zaszkodzi… Tylko za co ta zemsta? Powiedzmy, że mój krewny był w Londynie i naplół na świeży grób królowej Wiktorii, to powinno wystarczyć... Listy Rumiancewowi już zabrane, ale trzeba by mu dać jakieś nowe...

A przede wszystkim... Spojrzenie starszego lejtnant zmroczniało. Rumiancew idzie na straty! Niech go dopadną i wycisną z niego fałszywe informacje... Że nie idą do Kabulu najprostszą drogę, tylko jakąś okrężną, gdzie wygodnie będzie przygotować na nich zasadzkę... Tu Sergiusz przestudiował mapę i postanowił, że powie Rumiancewowi, że z miejscowości Dowshi, gdzie rozwidlała się droga z Mazari Szarif, pójdą w wysokie góry w kierunku szczytu Szach Fuladi, bo na północno-wschodnich stokach tej góry ukryte jest to, czego szukają, czyli „maszyna radiowa". Brzmiało nieźle... Ze szczytu tej góry, wysokiej na przeszło pięć kilometrów, fale radiowe chyba mogły dolecieć do Petersburga. Mniejsza o to, że nikt by na taki szczyt nie wlazł, bo oddychać nie ma czym, ale Rosjanom nasłanym przez Popowa takie miejsce mogło wydać się podejrzane. To brzmiało wiarygodnie. Rumiancew będzie zatem pędził z tą wieścią do Kabulu. Tylko do kogo? Do kupca Kuroczkina, na pewno. I tak było duże podejrzenie, że do niego zmierzają, więc trzeba je osłabić i kurier zaniesie mu list ze zwykłym zamówieniem, żeby Kuroczkin kupił dla nich żywność i wysłał ją pod Szach Fuladi. Do tego zwykły zadatek. Żeby zaś zasugerować, że nie Kuroczkin jest tu najważniejszy, wymyśli się, powiedzmy, Ormianina Abowiana... Niech Rumiancew pyta o niego na kabulskim bazarze, wszyscy go tam znają! Temu Abowianowi ma wręczyć kopertę z czystą kartką papieru i niech mądrzy Anglicy myślą, jak wywołać taki atrament sympatyczny... Żeby było bardziej tajemniczo, dołoży się do tej koperty połówkę przedartego fantazyjnie hinduskiego banknotu, powiedzmy, że odżałujemy dziesięć rupii...

A naprawdę oni pójdą z Dowshi najkrótszą drogą do stolicy, dwa, trzy dni po Rumiancewie, żeby tamci mieli czas go przesłuchać i popędzili szykować zasadzkę pod Szach Fuladi... Ten plan wyglądał naprawdę dobrze.

Co prawda zakładał z góry, że Rumiancew zginie na torturach, ale to żołnierska rzecz. Materiał ludzki należy zużywać bez sentymentów, dla dobra sprawy. Taki dureń i tak do niczego lepszego się nie nadawał. Zresztą Sergiusz zapłacił mu za ostatnią wizytę w burdelu, więc bilans wrażeń nieco się wyrównywał...

Starszy lejtnant wypił duszkiem szklankę przestudzonej herbaty. Tylko skąd wziąć dobrą i zaufaną afgańską eskortę? Zakani pewnie by to załatwił, ale mowy nie ma, żeby powierzyć mu to zadanie. Sergiusz musiał załatwić je sam. Przypomniał sobie, że Rumiancew wspominał, że w Mazari Szarif mieszkają rosyjscy kupcy, więc wśród nich można popytać.

Kurier, jak się należało spodziewać, wrócił dopiero rano. Starszy lejtnant dał mu przygotowane wieczorem listy, nowe dyspozycje i dowiedziawszy się, jak trafić do tutejszych Rosjan, niezwłocznie wysłał w drogę. Pożegnał idącego na śmierć Rumiancewa bez zmrużenia oka, po czym kazał się Swietłanie wystroić i poszli z wizytą.

Udało się od ręki, za pierwszym razem! Ochrona karawan była tu fundamentem wszelkich interesów, więc zaufanych ludzi nie trzeba było długo szukać. Kupiec Afanasjew polecił Sergiuszowi pracujący od lat w tej branży i cieszący się znakomitą reputacją klan Esmatullahów, którzy akurat byli w mieście i rozglądali się za nowym zleceniem. Dla starszego lejtnanta mieli oni jeszcze tę zaletę, że pewnego czcigodnego patriarchę ich rodu Anglicy powiesili w 1842 roku w Kabulu, razem z innymi przedstawicielami plemiennej starszyzny, w ramach represji za wyrżnięcie do nogi pierwszego brytyjskiego garnizonu. Trzeciego garnizonu woleli już w stolicy Afganistanu nie zostawiać... Niby hańbę przodka szybko zmyto krwią najeźdźców, ale tak naprawdę afgańscy górale mogli uznać sprawę za zakończoną dopiero wtedy, gdy Anglia podzieli los Atlantydy.

Gospodarz niezwłocznie wybiegł z domu, by odszukać Esmatullahów, zanim kto inny złoży im ofertę. O zapłacie za fatygę słyszeć nie chciał, taka przysługa między kupcami to jak między braćmi! Zwłaszcza że chodzi o krewnych drogiego, szanownego i przezacnego Iwana Iwanowicza!

Starszy lejtnant wolał uniknąć rozmowy o przyszłych wspólnych interesach, bo jego słabe przygotowanie fachowe wyszłoby od razu na jaw, więc nie czekał na powrót Afanasjewa. Na ustalony znak Swietłana zaczęła marudzić, że musi koniecznie wracać, bo trzeba jej szyć ubranka dla dziecka... Szycie było prawdziwe, ale dziecko już od trzynastu lat na świecie, jednak kupiec uwierzył sugestii i uznał, że nie będzie się spierać z humorzastą niewiastą przy nadziei. Sergiusza zaprosił na rozmowę od serca w dogodnej dla niego chwili.

Tym sposobem Sergiusz i Swieta wrócili do swojego karawanseraju już po niecałej godzinie, dzięki czemu nie ominęła ich okrutna perska zemsta za oszukaństwo w Kuczce.

Maliniak, mimo że zasiedział się burdelu dłużej od Rumiancewa, okrutnie wyrzekał na obsługę. Miały być piękności, a były tłuste kloce! Żadną miarą nie chciał przyjąć do wiadomości, że są różne kanony kobiecego piękna. O Rubensie, rzecz jasna, nie słyszał. Zakani zaś nie zamierzał mu tego tłumaczyć, tylko z ojcowskim zatroskaniem jął drążyć sprawę brodawek, o których pośród innych licznych zastrzeżeń wspomniał rozżalony Polak. Pers polecił opisać je sobie drobiazgowo; umiejscowienie, kolor, wielkość, fakturę oraz długość i barwę rosnących na nich kłaków. W miarę jak przybywało szczegółów, poważniał i frasował się coraz bardziej, a jego mina i ton głosu zdradzały coraz głębsze współczucie. W końcu sam Maliniak zapytał, czy coś jest nie tak? Czy te brodawki nie świadczą aby o jakiejś wstydliwej chorobie...? Zakani długo wykręcał się od odpowiedzi i próbował zmienić temat, po czym przyciśnięty do muru coraz niecierpliwszymi pytaniami oświadczył, że woli nie mówić, by nie zepsuć „drogiemu przyjacielowi" ostatnich miesięcy życia... Blady Maliniak zażądał łamiącym się głosem całej brutalnej prawdy. Wtedy zaczęła się porażająca klinicznymi szczegółami opowieść o potwornej, endemicznej odmianie galopującego syfilisu, której pierwszym symptomem był wysyp sinych brodawek, właśnie takich jak u przygodnej towarzyszki „drogiego przyjaciela".

Zakani był tak dobrym gawędziarzem, tak przekonująco zawieszał niewiarę słuchacza i umiejętnie dozował napięcie, że u Maliniaka o mało co wystąpiłyby opisane objawy na zasadzie stygmatów. Oczywiście, że Pers zmyślał! Sergiusz jako oficer miał podstawową wiedzę o wszystkich chorobach wenerycznych wpływających na zdolność bojową żołnierzy, a o takiej z pewnością musiałby słyszeć, ale nie uważał, by zemsta Zakaniego była zbyt okrutna. Śmiertelnie przerażony Maliniak przez następny tydzień, kiedy tylko się dało, a jeśli mógł, to i co godzinę, biegał na stronę, by sprawdzić, czy mu aby jakaś sina brodawka w rozporku nie kiełkuje. Dopiero ósmego dnia Pers wspaniałomyślnie oznajmił, że skoro do tej pory nie było objawów, na pewno nie jest to galopujący syfilis, choć nadal może być zwykły... Maliniak odetchnął z ulgą. Perspektywa paraliżu lub zgnicia żywcem za dwadzieścia lat go nie przerażała. I nigdy nie zorientował się, że został nabrany.

Wczesnym popołudniem, kiedy Zakani już skończył z Maliniakiem i w milczeniu delektował się zemstą, stawiło się dwunastu Esmatullahów. Sergiuszowi na ich widok dosłownie opadła szczęka. Spodziewał się czarnobrodych, śniadych górali o ciemnych oczach, błyszczących płytko skrywanym szaleństwem, słowem, dzikszej wersji nizinnych Pasztunów, których zatrudniał do tej pory. Ujrzał zaś niebieskookich blondynów, cera krew z mlekiem, gładko ogolonych z wyjątkiem najstarszego, który nosił krótką, rudawą brodę. Wszyscy o orlich nosach i tak pięknych, regularnych rysach twarzy, że w Berlinie, Londynie, Paryżu, a nawet Sztokholmie nie dałoby się znaleźć bardziej rasowych Europejczyków. Gdyby zabrać im ich afgańskie chałaty, kaftany i te berety z wałkiem dookoła, a ustroić we fraki, halsztuki i lakierki, po czym ustawić w *foyer* opery, byliby nie do odróżnienia od delektujących się wysoką sztuką nordyckich arystokratów, także i na drugi rzut oka, bo arystokratyczne postawy i gesty mieli wrodzone. Ponadto w większości dobrze znali rosyjski.

– Wrogowie Anglików są naszymi braćmi! – oznajmił Aga Din, brodaty szef klanu, dobiwszy targu z Sergiuszem.

Tylko co do ich uzbrojenia starszy lejtnant pomylił się mniej. Oczywiście nosili szable i kindżały. Sądził też, że będą mieli tradycyjne, długie, skałkowe flinty z kolbami wygiętymi w pałąk i może do tego jakiś angielski karabin. Proporcje były dokładnie odwrotne – stare flinty mieli tylko dwie, bo jak tłumaczyli, zbyt celne i daleko niosły, aby z nich całkiem zrezygnować, no a przede wszystkim spoczywało na nich błogosławieństwo pokoleń walecznych przodków, których ręce dotykały tych strzelb. Resztę broni palnej stanowiły brytyjskie, jednostrzałowe odtylcówki z czasów wojen z Zulusami. Wbrew pozorom bardzo tutaj praktyczne, bo czarny proch do podrabiania naboi sytemu Martin–Henry łatwiej było zdobyć, a w suchym, górskim klimacie znikała zmora karabinów odtylcowych ładowanych prochem dymnym, spalenizna po czarnym prochu nie miała bowiem skąd wchłaniać pary wodnej i dużo wolnej zamieniała się w gęstą maź blokującą przelatujący przez lufę pocisk. Stąd też siła odrzutu broni nie zaczynała wzrastać już po kilkunastu strzałach, co podczas dłuższej walki łatwo mogło się skończyć złamaniem obojczyka.

Własny wygląd nie dziwił Esmatullahów ani trochę. Byli wiernymi, od dziecka mówili w dari, strzegli zasad honoru i na każde wezwanie szacha stawali do obrony kraju, no to jak mogli nie być Pasztunami?! Odmienny kolor skóry tłumaczyła rodzinna legenda o założycielu rodu imieniem Mazid, młodszym bracie samego Ghaisa Abdur Raszida, praojca wszystkich Pasztunów, który wraz z bratem i towarzyszami dobrowolnie przyjął wiarę od samego Proroka. Podczas gdy Ghais pojął za żonę córkę przyjaciela Mahometa, młody Mazid niezwłocznie wyruszył z pielgrzymką do Mekki, wtedy jeszcze zajętej przez pogan. Został więc pierwszym *hadżi*. W nagrodę za ten pobożny i bohaterski wyczyn Prorok podarował pierwszemu Esmatullahowi białą szatę, po założeniu której natychmiast skóra i włosy Mazida zbielały, a jego oczy nabrały koloru nieba. To widome błogosławieństwo Allaha odziedziczyli wszyscy synowie i córki Mazida. Zatem oni, Esmatullahowie, zwykłymi białymi ludźmi nie byli w żadnym wypadku, absolutnie wykluczone!

Co się zaś tyczy ich poczucia humoru...

Poprzedni poganiacze nie omieszkali na odchodne swoich *horedżi* oplotkować, dużo uwagi poświęcając Swietłanie i temu, jak potraktowała Maliniaka. Zakani podsłuchał, jak Aga Din po naradzie z krewniakami orzekł, że skoro ta *Orosi*, Rosjanka, słucha swojego męża, a obcych mężczyzn kopie gorzej niż wielbłąd, to musi to być dobra kobieta, mimo że chodzi ubrana nieprzyzwoicie skąpo. Natomiast Maliniaka z miejsca zaczął tytułować *szahid*, co oznaczało poległego za wiarę męczennika.

Sergiusz, Swieta, Jewgienij i reszta Esmatullahów pół dnia skrycie krztusili się ze śmiechu, wciąż od nowa, ilekroć spojrzeli na „bohatera poległego w świętej wojnie". Zakani triumfował i pilnie sporządzał notatki do dysertacji na temat jedności aryjskiego poczucia humoru. Natomiast Maliniak, dowiedziawszy się, co znaczy *szahid*, przetłumaczył to sobie jako „świętej pamięci" i utwierdził w przekonaniu, że wkrótce umrze na chorobę weneryczną.

Dwa dni po zatrudnieniu klanu Esmatullahów opuścili Mazari Szarif i rozpoczęli wspinaczkę „na Księżyc", jak mawiała Swietłana. W drodze Sergiusz postanowił, że jednak nauczy ją strzelać z nagana. Wydawało mu się, że wpadł na dobry pomysł, jak rozwiązać problem upartego zamykania oczu w chwili naciskania spustu. Mianowicie stanął za Swietą i siłą rozwierał jej powieki palcami. Nic z tego nie wyszło. Mimo że oczy miała otwarte, wciąż nie potrafiła z dziesięciu kroków wcelować w pień sosny szerokości męskiego tułowia, chyba że przypadkiem. Przyglądający się z boku Jewgienij zauważył, że tuż przed oddaniem strzału jej oczy dziwnie martwiały „całkiem jak u ślepego"... Krótko mówiąc, Siergieju Henrykowiczu, rób co chcesz, a rosomaka strzelać nie nauczysz!

Esmatullahowie podeszli do sprawy ze zrozumieniem. Wiadomo, kobieta. Znacznie lepiej z naganem poradził sobie Ged, który wcelował w to samo drzewo z odległości trzydziestu kroków już za trzecim razem, a potem kilkanaście strzałów z rzędu ani razu nie spudłował. Jednak Sergiusz nie zgodził się przydzielić mu broni na stałe. Nie pomogły tłumaczenia, że będzie bronił „cioteczki" do ostatniej kropli krwi i że przy nim na pewno włos jej z głowy nie spadnie. Ba, nie przeważył nawet argument, że przecież on, Ged, jest bardzo poważną osobistością, bo wszak brał już udział w prawdziwej egzekucji!

Jeden z Esmatullahów przyjaźnie poklepał chłopca po ramieniu i powiedział, że na rewolwer musi poczekać do czasu, aż utną mu głowę...

Było im naprawdę wesoło w drodze do Dowshi.

Dokładniej mówiąc, do miejsca odległego o dzień marszu do tego miasta. Tam przypomniał o sobie Rumiancew.

Położono go w poprzek traktu, niewątpliwie wiedząc, że nadchodzą oni, a nie kto inny. Kurier był na plecach i piersiach obdarty ze skóry, miał spalone dłonie, stopy i przyrodzenie. Musiano go posadzić okrakiem na ognisku albo rozpalić je między jego nogami... Jeszcze żył, choć był głęboko nieprzytomny.

To jeszcze nie wstrząsnęło Sergiuszem. Tego się przecież spodziewał i na to liczył. Natomiast zupełnie nie oczekiwał, że kurier zachowa się jak na porządnego kuriera przystało i sam odgryzie sobie język, żeby nic nie powiedzieć... Nie było także pewne, czy listy dostały się w ręce wroga, jak powinny, czy może ofiarny Rumiancew zdołał je jeszcze zakopać? Fakt, że nie okazano mu miłosierdzia i nie dobito, wskazywał, że oprawcy nie dostali, czego chcieli, i byli naprawdę wściekli.

Maliniak gapił się na czerwono-czarny strzęp nadpalonego, ludzkiego mięsa i tym razem rzygał werbalnie:

– Ja pierdolę… ja pierdolę… o ja pierdolę… – powtarzał monotonnie. – Ja pierdolę…

Sergiusz stał porażony świadomością, że jego plan wziął w łeb! Plan, dla którego z rozmysłem i zimną krwią posłał człowieka na upiorną śmierć, okazał się nie wart funta kłaków! Oto on, starszy lejtnant Lawendowski znów zawiódł. Był złym i głupim dowódcą, który potrafi tylko posyłać swoich ludzi na zatracenie, nie zyskując nic w zamian! Sergiusz poczuł się tak podle, że stojąc nad konającym kurierem, myślał już tylko o tym, by strzelić sobie w łeb. Ręka, nie wiedzieć kiedy, sama odnalazła w kieszeni parabelkę. Wyjął ją, odbezpieczył…

– Nie trzeba, *wasze błagorodie* – powiedział cicho stary Jewgienij. – Jego już nic nie boli… jego już aniołowie na rękach kołyszą… o carstwie niebieskim jemu śpiewają…

Myślał, że Sergiusz chce skrócić cierpienie konającego.

Starszy lejtnant wziął się w garść i schował broń. Należało brać przykład z Aga Dina, który nie tracił czasu na mazgajstwo i sentymenty, tylko natychmiast rozkazał swoim zabezpieczyć teren. Młodsi Esmatullahowie z bronią gotową do strzału zajęli już stanowiska wzdłuż drogi, podczas gdy szef klanu stał i patrzył wyczekująco na Sergiusza.

Jak na ostatniego amatora.

Natychmiast zacznij myśleć, durny polski sukinsynu! – skarcił się oficer, po czym klęknął przy umierającym. Kurier musiał mieć cyjankową plombę w zębie. To przecież standardowe wyposażenie na wypadek pojmania. Sergiusz nie brał wcześniej trucizny pod uwagę, bo miał świadomość, że Anglicy też to wiedzą, więc na pewno kazali znienacka dać w łeb, a przed przesłuchaniem użyć obcęgów…

Otworzył usta Rumiancewa. Skrzepy krwi i strzępy odgryzionego języka bardzo utrudniały oględziny, ale w końcu udało się stwierdzić, że wyrwano mu pięć zębów – wszystkie koronki. Skoro kurier stracił ząb z trucizną, tym bardziej musiał stracić listy! To wystarczy, bo była tam wzmianka o Szach Fuladi.... Zatem podstawowa część planu dezinformacji przeciwnika jednak się powiodła! Na starszego lejtnanta spłynęła wielka fala ulgi.

– Trzeba by opatrzyć... – powiedział Jewgienij.

Wobec rozmiaru obrażeń kuriera pomysł był absurdalny, ale Sergiusz skinął głową. Weteran miał jednak na myśli procedurę symboliczną. Z pomocą Swietłany zaczął obmywać potworne rany Rumiancewa wodą. Potem mieli go tylko zawinąć w koc i czekać, aż odda ducha...

– Tam! Tam! Tam! – zaczął nagle wykrzykiwać Ged, pokazując ręką.

Daleko, około sześciuset metrów stąd, na szczycie skalnej iglicy jakiś człowiek, zwrócony ku nim twarzą, wymachiwał dwiema czerwonymi flagami. Spojrzenie przez lornetkę pozwoliło stwierdzić, że nie są to flagi ani szmaty, tylko dwa płaty ludzkiej skóry.

Żaden z Esmatullahów nie strzelił. To była granica zasięgu ich karabinów, więc tylko zmarnowaliby naboje, ale długolufy mosin doniesie...

Sergiusz z zaciśniętymi zębami wydobył z juków snajperkę. Do tej pory nie skalibrował celownika. Należało więc zrobić to teraz... Kilkadziesiąt metrów przed iglicą z oprawcą Rumiancewa na czubku leżał obły kamień, mniej więcej metrowej średnicy. Kiedy ramiona czarnego krzyżyka zbiegły się pośrodku tego kamienia, pierwsza kula wbiła kurz dwa metry na lewo od niego.

Tamten na szczycie iglicy na widok tak haniebnego pudła zaczął skakać i tańczyć. Esmatullahowie milczeli nieporuszeni. Połowa z nich patrzyła w przeciwnym kierunku i na boki.

Sergiusz przestawił pokrętła. Druga kula uderzyła w ziemię pół metra przed kamieniem. Sergiusz podregulował.

Człowiek na iglicy odwrócił się, wypiął, podwinął chałat i zamaszyście zakręcił biodrami...

– *Kuni kuszod* – ocenił spokojnie Aga Din i przeszedł na rosyjski.

– Dupodajec szerokodupy. Na pewno pochodzi z Kandaharu...

Trzecia kula trafiła w kamień, ale nie centralnie. Śruba mikrometryczna... ćwierć obrotu...

Bandyta znów zaczął tańczyć i machać zdartą skórą. Wycinał przy tym tak wysokie hołubce, że tylko patrzeć, aż spadnie i sam się zabije.

Czwarta kula uderzyła w kamień zadowalająco blisko punktu skrzyżowania czarnych nitek.

Piąta posadziła bandytę na czubku iglicy. Dostał w brzuch, zgiął się i po prostu siadł. Zapewne miał jakiś głęboki problem filozoficzny do przemyślenia.

Sergiusz opuścił broń, otworzył zamek i zaczął ładować do mosina kolejne pięć naboi.

Poniżej szczytu iglicy wykwitły dwa obłoczki dymu. Odpowiedziano ogniem... Teraz co młodsi Esmatullahowie zaczęli chichotać. Wystrzelone kule przepadły gdzieś po drodze. Nikt nie spostrzegł gdzie.

Starszy lejtnant złożył się ponownie. Drugi bandyta wyglądał zza głazu, usiłując dojrzeć, w co trafił. Dostał w nasadę szyi i przepadł. Trzeci stał bokiem po drugiej stronie iglicy i ładował fuzję, ubijając stemplem ładunek w lufie. Kula z mosina weszła mu pod prawą pachę. Sekundę później w polu widzenia zostały tylko jego łapcie na wierzgających konwulsyjnie stopach.

– Nieźle, jak na... kupca – skomentował Aga Din. Miał własną lornetkę.

Innych bandytów nigdzie nie wypatrzyli. Chwilę potem szef klanu posłał do iglicy sześciu swoich. Dwóch przodem, czterech za nimi, dla osłony. Patrząc, jak biegną zakosami, nigdy dłużej niż dziesięć kroków w linii prostej, jak ubezpieczają się nawzajem, Sergiusz stwierdził, że dawno nie widział tak dobrze wyszkolonego, zgranego i sprawnie dowodzonego pododdziału. Ci Anglicy musieli tu naprawdę mieć się z pyszna...

Wszyscy trzej postrzeleni przez Sergiusza jeszcze dychali, więc jak szariat każe, obcięto mordercom głowy i przyniesiono je, żeby było co rzucić na grób ofiary. Ten drugi zwyczaj wydawał się jakby bardziej swojski... Nie zapomniano też o skórze Rumiancewa. Oba płaty niezwłocznie obmyto i przyłożono na swoje miejsca. Listów Sergiusza bandyci przy sobie nie mieli, a więc musieli być jeszcze inni, którzy je zabrali. Zwiadowcy przynieśli też rzeczy osobiste zabitych, na podstawie których można było wywnioskować, kim byli. Uwagę wszystkich przykuła prostokątna, masywna, złota plakietka z reliefem przedstawiającym siedzącego na tronie brodatego mężczyznę z piorunem w ręku. Wszelkie wątpliwości rozwiewał koślawy napis greckimi literami: „DZEUS".

Zakani orzekł, że nie jest to wyrób antyczny, lecz zdecydowanie nowożytny, może nawet współczesny. Grecki bóg nie miał na sobie chlamidy ani wawrzynowego wieńca, lecz szatę i chustę muzułmańskiego pątnika. Ponadto w lewym ręku trzymał coś, co wyglądało jak królewskie jabłko bez krzyża lub elektryczna żarówka. Po bliższych oględzinach można było dostrzec, że w środku wyraźnie zaznaczono trzy druty...

Esmatullahowie nie byli zdziwieni, przekazywali sobie plakietkę z rąk do rąk i mruczeli przekleństwa.

– Poganie Macedończyka! – oznajmił na koniec Aga Din i demonstracyjnie napluł na złotą płytkę, po czym pieczołowicie schował ją do kieszeni.

– Potomkowie żołnierzy Aleksandra Macedońskiego wciąż żyją w tych górach i wyznają starą grecką religię? – upewnił się Pers.

Aga Din ponuro skinął głową.

– Nie są ludem żadnej świętej księgi, wzgardzili nauką wszystkich proroków, więc już samo to, że żyją, jest obrazą Boga – powiedział. – Żelazny Emir wypowiedział im *dżihad* i wygubił niemal wszystkich żyjących w Afganistanie. Część uciekła pod władzę Anglików, inni, aby przetrwać, udają wiernych albo kryją się w jaskiniach wysoko w górach, gdzie parzą się z własnymi matkami, siostrami i kozami. Podobno kozy chędożą tak chętnie, że można spotkać wśród nich chodzące na dwóch nogach kozły o ludzkich twarzach, grające na piszczałkach *soma*. Dawniej płodzili potomstwo także z końmi. Mój pradziad opowiadał, że jeden z tych pogan zgwałcił kiedyś klacz szwagra jego kuzyna i urodziło się źrebię z ludzką głową i rękami. Ich kobiety przebierają się za krowy i uwodzą byki na pastwiskach... Sam Allah nie wie, co oni jeszcze robią, bo z odrazy odwraca wzrok, ale nigdy dotąd nie ośmielili się grasować na głównych drogach Afganistanu!

Sergiusz, przysłuchując się tej rozmowie, doszedł do wniosku, że kult Zeusa w wieku elektryczności ma wszelkie podstawy ku temu, by przeżyć swój renesans. Taka „maszyna radiowa" z powodzeniem mogłaby być ich ołtarzem albo świątynią... To zaś z kolei oznaczało, że zamiast umiarkowanie niesportowej rozgrywki z milordami Edwarda VII, z Bożej łaski króla Wielkiej Brytanii, obrońcy wiary i cesarza Indii, wpakowali się tutaj w nader oryginalną świętą wojnę. Aga Din mylił się nie tylko w tym, że zbyt dosłownie brał greckie mity. Wyznawcy starożytnej helleńskiej religii właśnie stali się Ludem Księgi. Był nią podręcznik elektrotechniki... Ewangelia być może młoda, ale metody postępowania z heretykami uświęcone tysiącletnią tradycją. Teraz nie ulegało wątpliwości, że nad Rumiancewem znęcano się z pobudek religijnych, a także aby ich zastraszyć.

Jewgienij zaczął głośno odmawiać *Ojcze nasz*.

Kurier Andriej Nikiforowicz Rumiancew podążył ze swoją ostatnią misją.

Na prośbę Zakaniego grób wyłożono od środka płytami łupka. Jewgienij myślał, że to po to, by zmarły leżał z większym honorem, jak w murowanych katakumbach, więc chętnie przystał na ten pomysł. Sergiusz wiedział już, że naprawdę chodzi o to, aby gnijący trup nie kaził ziemi, która była doskonałym dziełem Ormuzda, ale zmilczał i pomagał dobierać kamienie. Głowy zabójców umieszczono w nogach zmarłego, po czym przykryto wszystko kolejnymi płytami i usypano mogiłę. Prawosławny krzyż ułożono na wierzchu z mniejszych kamyków. Każdy z obecnych zmówił pacierz po swojemu i ruszono w drogę.

Tego wieczoru Esmatullahowie modlili się na dwie zmiany, po połowie. Druga część klanu dawała wtedy pilne baczenie na obóz i okolicę. Przed nocą Sergiusz z ciężkim sercem wydobył ostatniego wolnego mosina i podał go Maliniakowi. Szeregowiec ten jeden raz zachował się na poziomie i podziękował za broń milczącym skinieniem głowy.

Ged patrzył akurat na starszego lejtnanta, ale tym razem nie napraszał się o rewolwer. Odwrócił głowę i zaczął dokładać drew do ogniska. Już pogodził się z odmową, nie stroił fochów i dobrze wykonywał swoje obowiązki. Zrozumiał, że jeszcze nie zasłużył na prawo noszenia broni. Wobec tego bardzo się zdziwił, kiedy Sergiusz znacząco postukał go w ramię kolbą nagana.

Któryś z Esmatullahów zagwizdał radośnie na palcach, inni zaczęli bić brawo. Chłopiec dostał broń, a więc stał się mężczyzną! Aga Din podszedł i pierwszy uścisnał młodego wojownika. Potem zrobiła to reszta rodzinnej firmy oraz wszyscy poganiacze. Gratulacjom nie było końca.

Natomiast Zakani grzecznie, acz stanowczo odmówił przyjęcia oferowanego mu mauzera.

– Moją jedyną bronią jest mądrość – powiedział.

Sergiusz patrzył mu w oczy i czuł się, jakby dostał młotem po głowie. Pers nie mógł już jaśniej dać do zrozumienia, że coś go łączy z napastnikami... Skoro nie miał powodu się ich obawiać, to znaczy, że dobrze znał ich, a oni jego. Religia nie łączyła go z nimi na pewno, zatem co? Aż się prosiło, żeby posadzić go teraz w ognisku i wypytać jak Rumiancewa...! Starszy lejtnant powściągnął emocje. Zakani nie był głupi, więc na pewno nie wygadał się przypadkiem. Niniejszym więc proponował mediację...

Sergiusz nie odpowiedział. Bez słowa odwrócił się i poszedł schować mauzera z powrotem do sakwy.

Tymczasem Esmatullahowie szykowali uroczyste przyjęcie na cześć Geda. Właściwie była to zwykła kolacja, ale teraz każdą czynność celebrowano tak, jakby dokonywało się jej raz do roku.

Ta podniosła oprawa skutecznie przyćmiła fakt, że barana, zgodnie z przyjętym systemem zaprowiantowania karawany, i tak miano dziś zabić, a jedyną procedurą odbiegającą od codziennej rutyny było upieczenie na blasze świeżych placków *nan* zamiast wydania sucharów.

Na drugim, znacznie większym ognisku stanął potężny szybkowar o objętości trzydziestu litrów. Był odlany z brązu i tak stary, że mógł zainspirować samego Herona do budowy pierwszej maszyny parowej. Ewentualnie pierwotnie służył za moździerz, potem dorobiono pokrywkę. Do środka włożono pocięte w kostkę baranie mięso, wkrojono cały kosz marchwi, cebuli, pomidorów, selerów, dolano wody, dodano soli i pieprzu, a na koniec hojnie przysypano wszystko cynamonem i kardamonem. Zamknięto pokrywę i pół godziny później *szurba* była gotowa.

Rzecz jasna zaproszono Sergiusza, a on Jewgienija oraz przez kurtuazję Zakaniego. Pers z równą kurtuazją wymówił się, stwierdzając, że nie jest wojownikiem. Wobec tego chciał się wprosić Maliniak. Zakani kolejny raz wykazał się kunsztem dyplomatycznym i zanim doszło do zgrzytu, zaprosił szeregowca do własnego ogniska na grzane wino i opowieść o kolejnych ciekawych chorobach. W efekcie Maliniak w najmniejszym stopniu nie szkodował sobie zabawy w niepijącym towarzystwie.

Na ziemi rozłożono trzy dywany, służące zwykle za podłogę namiotu, na środku postawiono wielką michę z *szurbą*, do której wrzucono kawałki porwanych *nan*, by nasiąkły zupą, zamieniając ją w gęstą papkę, którą można było jeść palcami prawej ręki, czyli po bożemu. Jedyne osobne nakrycie, w postaci talerza bez sztućców, miał przed sobą Ged. Chłopca posadzono na honorowym miejscu, wymoszczonym baranimi skórami i jedwabiem. Za pasem miał nagana i kindżał, który z kolei podarowali mu Esmatullahowie. Nóż był mało ozdobny, ale bardzo solidny i ostry. Trzeba było przyznać, że Ged nie puszył się jak dzieciak dopuszczony do zabawy dorosłych, ale starał się zachowywać, jak przystało na godnego towarzysza w męskim gronie. Chwila była tak uroczysta, że na posterunkach zostało tylko trzech Esmatullahów. Wszyscy biesiadnicy usiedli w kucki lub po turecku, zwartym kręgiem wokół misy z *szurbą*.

Mistrzem ceremonii był Aga Din. Na jego znak Ged pierwszy sięgnął po jedzenie i wziął sobie kawałek mięsa i placka. Następny był Sergiusz, Jewgienij, Aga Din, po czym zaczęli jeść wszyscy pozostali. Kiedy jednak ktoś dostrzegł w misie co bardziej apetyczny fragment baraniny czy jarzyny, natychmiast wyjmował go i kładł na talerzu Geda. Chłopak zjadał co drugi dar, a resztę ofiarowywał z ręki do ręki innemu współbiesiadnikowi, pilnując się, by przypadkiem nie oddać tego samego kęsa ofiarodawcy. Z każdym obecnym Ged zobowiązany był podzielić się jedzeniem co najmniej trzy razy, a z drugiej strony było nie do pomyślenia, aby na jego talerzu choćby na chwilę zrobiło się pusto. W tym systemie, dokarmiany od serca przez łącznie czternastu dorosłych mężczyzn, bo Esmatullahowie zmieniali się w trakcie posiłku, chłopak objadł się jak bąk. Przy herbacie zaczęły kleić mu się oczy i w trakcie słuchania kolejny raz opowieści Jewgienija o bitwie morskiej pod Synopą (powtórki dla drugiej zmiany straży), zasnął jak zabity na swoim baranim piernacie. Towarzysze natychmiast skończyli biesiadę, troskliwie okryli go kocami, po czym szybko i cicho rozbili nad nim namiot.

Paradoksy wiary

Rano Aga Din wziął Geda ze sobą i całą drogę do Dowshi spędzili na poważnej męskiej rozmowie. Kiedy przed wieczorem wjeżdżali do miasta, chłopak był zmieniony nie do poznania. Jedyną rzeczą, jaka została z jego dzieciństwa, było to, że miał jeszcze za mało lat, by móc się samemu ożenić. Stanowczo odmówił „cioteczce", kiedy ta następnego dnia jak zwykle chciała go uczesać. Zaskoczona Swietłana przez chwilę chciała mu dać w ucho, ale się pohamowała. Zamiast tego zaczęła go uczyć walki na noże. Że sama to umie, Esmatullahów zadziwiło umiarkowanie, wszak każda porządna kobieta powinna umieć bronić swej panieńskiej lub małżeńskiej cnoty, oczywiście dopiero w drugiej kolejności, gdyby ojca, męża lub braci obok nie stało, ale wiadomo, że różnie bywa, bo *szejtun* nigdy nie śpi, a Allah przezornym błogosławi.

À propos cnoty, to w Dowshi Maliniak utwierdził swą sławę *szahida*. Znów dostał kopa w męską słabiznę. Tym razem od dziewczyny, która w tłumie na targu pogubiła się z resztą rodziny, więc stanęła sobie z boku, w luźniejszym miejscu, wypatrując swoich. Maliniak uznał, że skoro stoi sama w odludnym zakątku bazaru, to na pewno szuka okazji, więc niezwłocznie podniósł jej burkę i skradł całusa...

Wrzask był taki, że cały bazar ucichł na chwilę. Nawet osły i wielbłądy zapomniały jęzorów w pyskach. Kiedy dziewczynie zabrakło tchu, niewiele myśląc podwinęła suknię i na chwilę pokazała nóżkę, bardzo zgrabną zdaniem Zakaniego, „jakby ją sam Ormuzd z bursztynowego alabastru wytoczył"... Ta ekstatyczna kontemplacja dziewiczych wdzięków skończyła się tym, że Pers sam musiał zmykać przed rozsierdzonymi braćmi panny. Maliniakowi zaś poprawiono jeszcze nahajkami. Prawdziwy cud boski, że nie stracił karabinu na poczet rekompensaty strat moralnych. Łaskę tę zawdzięczał swej niedoszłej bogdance, która akurat w chwili, gdy ktoś powinien wpaść na ten pomysł, skończyła ponownie nabierać tchu i wydała z siebie taki dźwięk, jakby mordowano ją od środka. Przerażona rodzina natychmiast zbiegła się do niej, by zapytać o zdrowie, tudzież dzielić słuszny wybuch histerii. W tym czasie Maliniak kaczym krokiem zdołał oddalić się w zaułek, gdzie w odnaleźli go czujni Esmatullahowie. Przekonał ich, że przypadkiem w tłumie popchnięto go na dziewczynę, stąd całe nieporozumienie. Strażnicy wzięli jego karabin i wyprowadzili z bazaru przebranego za kobietę, w kupionej naprędce burce. Termin „kupionej naprędce" znaczył, że wymiana grzecznościowych *ta'arofów* z właścicielem straganu, dyskusja o pogodzie, koniunkturze w handlu, jakości materiału, ustalanie ceny i końcowe życzenia głębokiego zadowolenia dla przyszłej czcigodnej użytkowniczki zajęły łącznie tylko trochę ponad dwa kwadranse. W tym czasie Maliniak udawał worek soczewicy, a na drugim końcu bazaru dziewczyna darła się z niegasnącym zapałem, powodując gigantyczne zbiegowisko. Wszak wszyscy w całym Afganistanie musieli koniecznie się dowiedzieć, jak bardzo jest oburzona ohydnym zamachem na jej cześć. Gdyby spazmy trwały krócej niż pół godziny, jej niewinność stanęłaby pod znakiem zapytania.

Sergiusz, kiedy się o tej przygodzie dowiedział, spytał Maliniaka, czy nie lepiej dać sobie obciąć męskość od razu, zamiast pozwolić, by rozgniatano ją na raty...? Skoro zaś winowajca już był w burce, do czasu opuszczenia Dowshi kazał mu udawać żonę jednego z poganiaczy. Esmatullahowie znów mieli duży ubaw, dociekając, jak będzie wyglądała noc poślubna... Z pewnością jednak, gdyby Zakani nie okazał dyskrecji w sprawie prawdziwych intencji Maliniaka i nie potwierdził milcząco jego wersji wydarzeń, ich *szahid* położyłby się dziś spać z nożem między żebrami i usługa ta zostałaby doliczona do rachunku zgodnie z warunkami umowy z Aga Dinem, który słowem honoru zobowiązał się „odesłać na sąd Allaha każdego, kto stanie na drodze tej karawany".

Uporawszy się z durnym rodakiem, starszy lejtnant skupił się teraz na znacznie poważniejszej sprawie. Ludzie, którzy napadli Rumiancewa, wiedzieli, że oni wiedzą, co było w listach, które niósł kurier. Normalna w takim przypadku powinna być zmiana opisanej trasy. Tymczasem Sergiusz chciał wrogów utwierdzić w przekonaniu, że nadal zmierzają w kierunku Szah Fuladi. Może z głupoty, może z innych względów, ale wciąż ich cel nie uległ zmianie. Najlepszym sposobem potwierdzenia, że listy mówiły prawdę, było faktycznie wyjść z Dowshi zapowiedzianą drogą i podążyć nią kawałek. To wymagało odpowiedzi na dwa pytania: jak długi ma być ten kawałek i jak najszybciej wrócić na główny szlak do Kabulu?

Aga Din postawiony przed tym dylematem podczas ostatniej herbaty tego dnia, nie wydziwiał i nie dopytywał się o szczegóły, których nie powinien znać. Stwierdził tylko, że „da się zrobić", gdyż zna mało używany przełaj łączący rozwidlające się drogi, znajdujący się jakieś siedem, osiem godzin marszu powyżej Dowshi. Powinni tylko wyruszyć wcześniej niż zwykle, bo dzięki temu wieczorem na głównej drodze do Kabulu spotkają znacznie większą od siebie karawanę, do której bezpiecznie będzie się przyłączyć. Sergiusz zgłosił wątpliwość, czy wrogowie nie przewidzą ich ruchu i nie przygotują na nich zasadzki na przejściu między głównymi szlakami, które przecież na pewno znali nie tylko Esmatullahowie.

Szef klanu odparł, że uważa ostrożność Sergiusza za zbyteczną, bo do ich obserwacji przeciwnicy powinni zostawić nie więcej niż trzech ludzi, których już wszak zabili. Jeśli przypadkiem był czwarty, zapewne ruszył powiadomić resztę o losie swych towarzyszy. To zaś, że machano do nich płatami skóry zdartymi z dzielnego posłańca, niech Allah okaże mu swą łaskę, chociaż był niewiernym, z pewnością miało na celu ich wystraszenie i skłonienie do przedłużenia popasu w bezpiecznym Dowshi. Widać bandyci mieli za mało sił, aby ich zaatakować, i musieli ściągnąć większe gdzieś z daleka. Kiedy więc herszt macedońskich pogan się dowie, że ten podstęp spełzł na niczym, i każe znów wytropić ich karawanę, oni już na pewno opuszczą Dowshi. Gdy wrogowie zaczną pytać o nich w tym mieście, każdy, kto coś wie, skieruje ich na Szah Fuladi, a oni tymczasem będą już pod przełęczą Salang. Zresztą nie ma obaw, tego czwartego bandyty nie było, kuzyni dobrze szukali śladów i nic nie znaleźli. Zatem jeśli Allah da, minie przynajmniej miesiąc, zanim tamci się zorientują, a oni spokojnie dojdą do Kabulu.

Narada taktyczna z Aga Dinem dla każdego zawodowego wojskowego byłaby prawdziwą przyjemnością. Nazajutrz wykonali zaplanowany manewr jak w zegarku i wieczorny biwak rozbili wspólnie z karawaną niejakiego Ali Khana, na oko zbója od Ali Baby, faktycznie handlarza kadzideł, czernideł i powideł, a przede wszystkim *mumijo* – słodkawego, cuchnącego naftą, podobnego do smoły paskudztwa, służącego tutaj za lek na wszystkie choroby. Cenny ów towar wymagał solidnej ochrony, więc Ali Khan zatrudniał trzydziestu strażników, z którymi Esmatullahowie dobrze się znali. Tym sposobem dalsza wyprawa znów stała się przyjemną i ciekawą wspinaczką „na Księżyc". Jedyny dysonans w następnych dniach wprowadzał Zakani, który uparcie wmuszał we wszystkich niemuzułmanów wino z dodatkiem *mumijo*. Sergiusz z ręką na sercu wolałby już olej rycynowy.

Esmatullahowie przestali teraz zachowywać się jak wojsko na pierwszej linii frontu. Skutkiem tego rozluźnienia dyscypliny do przełęczy Salang wyszły na jaw dwie rzeczy, których polsko-rosyjsko-perscy *horedżi* jeszcze o nich nie wiedzieli. Mianowicie, że potomkowie świętego *hadżi* Mazida są rodziną niebywale wykształconą, bo aż dwóch z nich umiało czytać i pisać w farsi (akurat nie Aga Din) oraz to, że wszyscy co do jednego są poetami...

Zdaniem Zakaniego prawdziwy talent miało dwóch, trzech było poprawnych bez polotu, a reszta nadrabiała szczerością zaangażowania (najbardziej Aga Din). Indywidualny rozkład utalentowania w familii Esmatullahów nie miał jednak żadnego znaczenia, wiersze tworzono bowiem grupowo. Panowie siadali sobie w wolnych chwilach w kółku po czterech, pięciu i komponowali metafory na zasadzie wiecowej rady, a czasem, kiedy się bardziej zapamiętali, wychodził im prawdziwy polski sejmik. Owoce pracy twórczej niekiedy notowali piśmienni krewni, ale przeważnie je zapamiętywano i trzymano wyłącznie w głowach. Głównym tematem były sceny polowań, militarne i moralne przewagi wielkich przodków oraz piękno kraju ojczystego, na przykład połaci ukwieconych wiosną hal. Były też erotyki, koncentrujące się na dwóch konwencjonalnych motywach – chwili zdjęcia zasłony z twarzy świeżo poślubionej oblubienicy, a następnie opiewające piękno i dostojeństwo małżonki trzymającej w ramionach pierworodnego syna. Trochę to było w stylu kuchennych romansów, gdzie na końcu jednego rozdziału się pocałowali, a w następnym było już dziecko, ale znacznie bardziej serio i z artyzmem na miarę biblijnej *Pieśni nad Pieśniami*. Wszystkie te poematy nieustannie poprawiano i rozbudowywano, gdyż żaden z twórców nie wyobrażał sobie, aby poezja mogła mieć koniec.

– I cóż, panie Lawendowski, czyż nie mówiłem, że Afganistan to kraj honoru i poetów? – zagadnął Pers na koniec swojego sprawozdania.

– Uważa pan, panie Zakani, że to zasługa ich aryjskiej krwi?

– Zdrowego rozsądku, panie Lawendowski! – zawołał uczony.

– Zdrowego rozsądku! Te wasze nowomodne teorie rasowe nadają się na kit do uszczelniania okien na zimę, a głowy mogą tylko zamulać! Zechce pan łaskawie zwrócić uwagę, że mamy już lipiec. Esmatullahowie przeprowadzą jeszcze dwie, trzy karawany i pod koniec września będą musieli szybko wracać do swojej rodzinnej doliny, zanim drogi odetnie śnieg. Będą tam tkwić do marca, może nawet do kwietnia przyszłego roku. I co mają robić przez cały ten czas? Owszem, będą spełniać dzieło boże z żonami, ale na to jest noc, a co w dzień? Zasiądą więc przy herbacie i będą miesiącami wspominać przodków, liczyć koligacje oraz właśnie układać wiersze. Natchnienie samo spływa z tych szczytów! – Zakani szerokim gestem ogarnął krajobraz wokół nich. – Krew nie ma z tym nic wspólnego. W Afganistanie poetą staje się każdy, niezależnie od rasy i narodowości. Trzeba tylko na dłużej w tym kraju zamieszkać. Bez honoru zaś nie da się tutaj przeżyć.

Ta ostatnia uwaga zepsuła Sergiuszowi humor. Akurat świeżo doświadczył wielkości honoru Esmatullahów, próbując przedłużyć z nimi kontrakt. Na początek zaoferował im wszystkie trzy mauzery, a gdyby Aga Din się targował, dołożyłby jeszcze angielski sztucer, a nawet gotów był ryzykownie nadwyrężyć budżet wyprawy. Ci ludzie byli warci każdej ceny, ale Sergiusz był pewien, że nikt im nie da lepszej od niego. Na dodatek chodziło przecież o znienawidzonych Anglików...

I nic! Szef klanu z wielką uwagą obejrzał mauzera, rozłożył go na części i złożył z powrotem, stwierdził, że to jest bardzo piękna broń, po czym bez najmniejszego wahania odsunął pistolet od siebie. W Kabulu czekał już stały klient i przelicytowanie umówionego wcześniej kontraktu nie wchodziło w grę. Co do Anglików, to walka z nimi jest jak słodki ryżowy pilaw z mango i rodzynkami, lecz nie pora na deser, kiedy poważna robota czeka. Cały ród Esmatullahów *życzy seb Sergisz* wszystkiego najlepszego, będą się gorąco modlić za powodzenie jego wyprawy i *buru beheir*, szczęśliwiej drogi, nasz umiłowany *berodar*! Allah z tobą!

A mogło być gorzej... Zakani, nic o tym nie wiedząc, uratował Sergiusza przed popełnieniem moralnego samobójstwa w oczach Esmatullahów. Starszy lejtnant miał zamiar na pożegnanie jako premię podarować Aga Dinowi polską szablę, gdyż mierziło go to muzealne żelastwo, a podarek wydawał się godny takiego człowieka. Aż za bardzo godny... Aga Din, zobaczywszy napis na klindze, z pewnością chciałby wiedzieć, co on znaczy oraz kto i w jakiej sprawie wznosił tę broń. Wiedział już, że Sergiusz jest nie całkiem Rosjaninem, ale to go jeszcze nie dziwiło, w Afganistanie też mieszkało dużo różnych ludów. Dalej jednak, od słowa do słowa, nieuchronnie wyszłoby, że Sergiusz służy najeźdźcom, którzy podbili jego kraj, a na dodatek, że jego gałąź rodziny jest skłócona z tego powodu z resztą rodu. Uuuuu! Zgodnie z pasztunwali Henryk i Sergiusz Lawendowscy, ojciec i syn, byli *benanga*, ludźmi bez czci i honoru. Tak jak stracony kuzyn Geda. Dla Esmatullahów było oczywiste, że jeśli nie można żyć z honorem, to należy zginąć. Tylko że ich w tych górach znacznie trudniej było zabić niż równie honorowych Polaków na mazowieckiej czy wielkopolskiej równinie... Cóż, ten argument może byłby jakąś okolicznością łagodzącą, gdyby o warunki terenowe faktycznie tutaj chodziło. Jednak opowiadanie Aga Dinowi o panslawizmie byłoby robieniem z siebie idioty do kwadratu. Na razie jeszcze Sergiusz nie był *benanga,* gdyż człowiek, który potrafi ukryć swą hańbę, nie traci honoru.

Lepiej było jednak szybko i radykalnie zmienić temat rozmowy, zanim mądry Pers zacznie się czegoś domyślać.

– Panie Zakani, a gdyby sam Aryman we własnej osobie przybył do Afganistanu i poprosił o gościnę, udzielono by mu jej?

– Oczywiście. Z całym szacunkiem i ze wszystkimi należnymi przywilejami.

– Jednak ze złym duchem nie wolno utrzymywać żadnych stosunków... – zagadnął podchwytliwie Sergiusz.

– To, niestety, jest paradoks wynikający z niedoskonałości pierwotnej wiary Ariów – zmartwił się Zakani. – Nie znając boskich objawień Zaratustry, naiwnie przyjęliby czyste zło pod swój dach, a wtedy nieuchronnie spadłoby na nich przekleństwo, w wyniku którego wszystkie ich cnoty przewrotnie obróciłyby się przeciwko nim. Wdzięcznością diabła jest perfidia.

– Co wtedy?

– Jedynym ich ratunkiem będzie zwrócenie się do Pana Mądrości Ormuzda, który swoim słowem modlitwy z powrotem strąci Arymana w otchłań, skąd wyszedł.

– Ale oni wyznają Allaha.

– Dlatego poważnie obawiam się, panie Lawendowski, że tak jak diabeł w Polsce nosi się po niemiecku, tak Aryman do Afganistanu przybędzie w postaci Araba.

– Widzę, że w kwestii islamu jest pan nieprzejednany, panie Zakani.

– Cóż dobrego może być w religii barbarzyńców, którzy jak przerażeni niewolnicy padają na twarz przed swoim panem? Przed Stwórcą należy stać z godnością, gdyż poniżając się, sugerujemy, że Jego Dzieło jest liche.

– A ludzie, panie Zakani? Czcigodny Dżagdalaka i Esmatullahowie?

– Dobrym ludziom zła religia szkodzi mało. Byliby jednak lepsi, gdyby powrócili do wiary przodków i znów rozpalili święty ogień. Mam nadzieję, że kiedyś przejrzą na oczy i powrócą. Oby stało się to, zanim islam sprowadzi ich na dno nędzy i rozpaczy.

– A czemu by nie mieli przyjąć wtedy chrześcijaństwa? Wszak sam pan przyznał, że udoskonaliło ono religię Ariów bardziej niż zoroastryzm.

– Chętnie przyjmiemy z nauki Chrystusa to, co mądre i dobre, i dołączymy do naszych świętych Gath. Może nawet jakieś ustępy z Koranu, z części poprzedzających ucieczkę Mahometa przed męczeństwem. Będzie to postępowanie godne wyznawców Pana Mądrości. Jednak zoroastryzm jest pierwszą religią objawioną i wszystkie trzy późniejsze wiary potomków Abrahama winne mu są szacunek oraz uznanie przywilejów starszeństwa.

– Jednak filozofia, panie Zakani, od czasów Zaratustry znacznie się rozwinęła...

– Co pan ma na myśli, panie Lawendowski?

– Ormuzd i Aryman to dwa zupełnie niezależne byty duchowe.

130

– Oczywiście. Wszak dobry i znający przyszłość Bóg nie mógł stworzyć diabła ku utrapieniu swoich stworzeń. Ormuzd stwarza wyłącznie rzeczy doskonałe. To Aryman dodaje dym do ognia, do żelaza rdzę, a do życia starość i śmierć. Bóg na pewno nie stworzyłby niedoskonałego anioła, który by się zbuntował. Zatem to na pewno sam Aryman wmieszał się podstępnie, kiedy anioł Gabriel dyktował Koran...

– Zostawmy już islam, panie Zakani, i skupmy się teraz na krytyce objawienia Zaratustry.

– Taka krytyka jest niemożliwa.

– Muzułmanie powiedzą to samo o objawieniu Mahometa. Zatem w meczu zoroastryzm–islam mamy wynik 1:1.

Pers zmilczał werdykt z godnością.

– Przepraszam, panie Zakani – zmitygował się Sergiusz. – Chciałbym jednak wiedzieć, co odpowie pan na to, że skoro Ormuz i Aryman są przeciwstawni jak elektryczny plus z minusem...

– Pan Mądrości jest potężniejszy! – odparł urażony Pers.

– ...to może jest ktoś, kto stworzył ich obu – Sergiusz dokończył myśl, nie dając się zbić z tropu. – Tak jak jest ogólna zasada elektryczności, która rządzi powstawaniem ładunków dodatnich i ujemnych, tak może jest wspólny stwórca Ormuzda i Arymana.

– I taki ambiwalentny stwórca, tworzący według własnego kaprysu raz dobro, raz zło, miałby być owym najwyższym, doskonałym Bogiem? – zapytał z przekąsem Zakani. – Dobro nie rodzi zła. Koniec, kropka, jak to mówią Polacy.

– A jednak dwa przeciwstawne byty aż proszą o jedną wspólną regułę, z której mogłyby wynikać – naciskał Sergiusz.

– Wie pan co, panie Lawendowski, skoro nijak nie mogę wytłumaczyć panu tego tak, jak prorok Zaratustra kazał, to odpowiem panu krótko i po chrześcijańsku.

– Słucham, panie Zakani.

– Oto jest wielka tajemnica wiary!

– Doprawdy? Czy ta odpowiedź przypadkiem nie jest ekumenicznym wykrętem...?

– A pan naprawdę chciałby ludzkim rozumem przeniknąć wszystkie boskie sprawy? Gdyby się to kiedyś udało, znaczyłoby, że Boga nie ma!

Drugim tematem tabu w ich dyskusjach był Fryderyk Nietzsche. Zakani na dźwięk tego nazwiska od razu tracił zimną krew i wpadał w furię jak wtedy, gdy okpił go Maliniak. Po wygłoszeniu litanii epitetów we wszystkich znanych mu językach, gdzie słowa „skurwysyn" i „bluźnierca" były jednymi z łagodniejszych określeń, Pers stawał na stanowisku, że świeży grób niemieckiego filozofa koniecznie należy otworzyć, a trupa przebić osikowym kołkiem. Oczywiście z powodu *Tako rzecze Zaratustra*, którego to dzieła Zakani nie nazywał inaczej jak „bluźnierczą księgą, podyktowaną przez samego Arymana", zapewniając, że niechybnie wyda ono liczne, zatrute owoce.

Przełęcz Salang przywitała ich śnieżną zadymką.

Na chłód byli dobrze przygotowani, ale Swietłana znów spanikowała, gdyż ucierpiała jej ludowa wiara w przyrodzony ład pór roku. Szli przecież latem i nagle weszli w zimę... A jesień gdzie?! Wyglądało na to, że Swieta puściła mimo uszu, co Sergiusz mówił w Astrachaniu o pogodzie w wysokich górach. Teraz wytłumaczenie miała własne: skoro zaszli tak daleko w ten pogański kraj, czy inny Księżyc, to mogli też dojść do carstwa Królowej Śniegu, tego z bajki Andersena. I *wot*, doszli! Przecież w baśniach jest ziarno prawdy! No przecież jej sercem i duszą umiłowany, urzędowy mąż tak właśnie mówił... No i masz babo zaspę! Za chwilę wpadnie tu Królowa Śniegu ze swoimi trollami, zaprószy oczy lodem, zamrozi serca i uprowadzi w niewolę. Bronić się trzeba! Ale jak, skoro popa z nimi nie ma ani świętego obrazu dla odegnania złego! Trzeba więc wracać po popa i ikony, ojczulek generał zrozumie...

Sergiusz odmówił. Jego strzyga zamiast go rozszarpać, znów przebeczała całą noc, że na zatracenie ciała i duszy ją prowadzą, a rano naciągnęła pled na głowę i oznajmiła, że nie wstanie, nie idzie, zostaje. Tu mnie ubijcie!

Starszy lejtnant postanowił, że pozwoli jej trochę ochłonąć, a potem przyśle Jewgienija, który na pewno znajdzie jakąś mądrą ludową radę. Aby zyskać na czasie i wytłumaczyć opóźnienie obu karawan, powiedział, że małżonka źle spała, a teraz odsypia, on zaś nie ma sumienia jej budzić, żeby nie zasłabła w drodze. Wszyscy mężczyźni natychmiast zrozumieli, że kobieta cztery miesiące po ślubie może mieć dobry powód, by się wysypiać i dbać o zdrowie, więc mężowska troska Sergiusza została przyjęta z uznaniem. Zresztą, *adżale kore szejtun ast*, pośpiech to wymysł szatana! Afgańscy dżentelmeni pokiwali głowami i spokojnie usiedli do następnej herbaty.

Wyjątkiem był Ged. Chłopak zniecierpliwiony odwlekającym się wymarszem, rozumiejąc zaś tyle, że chodzi o jakieś babskie fumy, poczuł się mężczyzną do tego stopnia, że wziął sprawy w swoje ręce. Zakradł się do namiotu, zagadał Swietę, a kiedy ta wystawiła spod koca nos, przywalił „cioteczce" w czoło śnieżną pigułą…

Namiot wyskoczył z kołków i pokulał się po obozie tak chyżo, że ledwie można było za nim nadążyć. Spłoszyli juczne zwierzęta, przewrócili trzy następne namioty i Allahowi niech będą dzięki, że nie wpakowali się w którąś z ognisk. Kiedy wreszcie udało się wierzgający i skowyczący tłumok okiełznać, rozpakować oraz rozdzielić walczących, bynajmniej nie na żarty, Swietłana zdążyła wyrwać Gedowi garść włosów z czubka głowy, obdarzając go tonsurą łacińskiego mnicha, a ponadto naderwała mu oboje uszu, tak że przyrosły z powrotem, wyraźnie odstając. I niech się smark cieszy, fukała rozjuszona rosomaczyca, że nie zabiła! Chłopak, broniąc się, gryzł ją po rękach, z czego w jednym miejscu do krwi.

Być może Swieta nie chciała zabić, ale sprawa była gardłowa.

Nikt się nie śmiał, najwyżej Maliniak półgębkiem. Zakani zaciął wargi, a Esmatullahowie mieli nielichy kłopot z interpretacją pasztunwali. Naprawdę żarty na bok! Napaści na niewiastę w jej małżeńskim namiocie nie można było skwitować *parua nist*, „mniejsza o to" – ulubionym zwrotem poganiaczy osłów i wielbłądów, ani polskim: „dobra, dobra". Po takim skandalu, na oczach tylu obcych ludzi, musiał się odbyć prawdziwy sąd.

Ged nie powinien być dla Sergiusza i Swietłany obcy, bo obcego mężczyznę mąż za utoczenie krwi żonie musiałby zabić. Natychmiast i bez gadania. Wszyscy zaś uprzednio zgodnie i uroczyście uznali, że Ged już jest mężczyzną... Z kolei formalnie uznać Swietłanę za jego ciotkę lub matkę znacznie pogarszało sprawę. Taki wybryk mógł ujść tylko w stosunkach pomiędzy rodzeństwem. No ale jak Pasztun i *horedżi* mogą być rodzeństwem?! Allahowi dzięki, że *Orosi* była kobietą, zatem warunek, że żaden Pasztun nie może uznać żadnego cudzoziemca za równego sobie, został od biedy spełniony. Prastary, aryjsko-indoeuropejski sąd wiecowy, obradujący pod przewodnictwem najpoważniejszych przedstawicieli obu karawan, orzekł więc, a następnie zatwierdził przez aklamację, że Ged i Swietłana mają naciąć swoje prawe dłonie i zmieszać krew, po czym solennie się nawzajem przeprosić. Gedowi trzeba to było powtórzyć dwa razy, bo uszy tak mu spuchły, że ledwie słyszał.

Wyrok wykonano. Swietłana przestała być dla Geda „cioteczką", a stała się „ukochaną siostrą", a on jej „szanownym bratem". Po wszystkim Sergiusz naprawdę serdecznie uściskał swego obolałego szwagra, gdyż w całym zamieszaniu Swieta zupełnie zapomniała o Królowej Śniegu.

Kamienie boga Słońca

Dwa dni późnej wróciło lato i to od razu w postaci rozżarzonej patelni. Wskutek szoku termicznego powinni byli z miejsca dostać apopleksji, a co najmniej zapalenia płuc, lecz nie dostali, bo pili wino z *mumijo*, jak twierdził Zakani. Po pięciu dniach ujrzeli Kabul, położony w rozległej, malowniczej dolinie, przeciętej rzeką o tej samej nazwie.

Sergiusz na ten widok zaczął odczuwać umiarkowany przypływ szacunku do samego siebie. Coś mu się wreszcie jako dowódcy udało! Nie tylko wymknął się potężnym wrogom, ale jeszcze wyprowadził ich w pole, i to za cenę minimalnych, dobrze skalkulowanych strat własnych. Wyrzutów sumienia z powodu Rumiancewa starszy lejtnant nie odczuwał. Naprawdę nie było to takie trudne. Wystarczyło przyjąć żołnierski los i przyobiecać sobie, że kiedy jego z kolei poślą w drogę bez powrotu, pójdzie bez wahania. Bólu, którego doznał Rumiancew i tak w żaden sposób nie można było sobie wyobrazić. Zatem cieszyć się teraz było wolno i było z czego.

Prosto z gór pojechali na kabulski bazar Czar Czatta, co znaczy Cztery Arkady. Dwieście lat temu była to perła Orientu. Teraz, po akcji pacyfikacyjnej Anglików, którzy w 1842 roku zrównali bazar z ziemią, pełnię dawnej świetności odzyskał tylko pod jednym względem, ale za to z nawiązką. Był to odór kadzidła, moczu i korzennych przypraw, kisnących, fermentujących, smażonych i gotujących się w kontynentalnym upale. Bazary, które widzieli po drodze, też nie były bezwonne, ale wtedy było znacznie chłodniej, a same targowiska mniejsze i przewiewniejsze. Teraz uderzyło to w nich jak parowym młotem. Nawet Swietłana, przywykła od dziecka do wiejskiego gnoju i brudu, zesztywniała w siodle, stawiając oczy w słup. Jewgienij prosił Boga o szybką śmierć, Maliniak bluźnił i spluwał, Sergiuszowi łzawiły oczy, a Zakani miał na ten zapach tylko jedną radę: pokochać go! I żeby nie być gołosłownym, z lubością wciągał nosem powietrze, zapewniając, że nareszcie, po latach tułaczki, czuje się jak w domu. Esmatullahowie i reszta cieszyli się razem z nim.

Sercem Czar Czatta był ośmioboczny plac z fontanną w centrum. Od placu odchodziły cztery długie, zadaszone, lśniąco białe arkady, od których wzięła się nazwa bazaru, a pod którymi mieściły się sklepy oraz kantory wszelkich możliwych i niemożliwych pośredników handlowych. Żadne życzenie klienta nie było tu brane za żart. Dżin w butelce? Ależ proszę bardzo, *mister seb*! Butelka jak duża? Jak stary dżin? Specjalista od budowy pałaców czy od gnębienia wrogów? A może stereoskopowe dagerotypy z wyuzdanymi białymi sukami? Prosto z Paryża! Coś mocniejszego? Prorok nie dozwala, ale zawsze możemy się dogadać... Wystarczy swojska *obe kiszmiszi*, woda z rodzynek, czy ma być szkocka whisky rocznik 1775, której angielski gubernator nie miał głowy spakować przed wyjazdem... *Inszallah!* No pewnie, że jeszcze zostało, bo jak mówiłem, *mister seb*, Prorok wiernym nie dozwala... A tak w ogóle jak zdrowie? Jedliście już? Ależ dokąd idziecie?! Wstąpcie na herbatę! Zobaczcie moje towary! *Adżale kore szejtun ast!* Wszędzie kłębiły się dzikie tłumy. Karawany takie jak Ali Khana przybywały tutaj co kilka godzin.

Kuroczkina znaleźli bez błądzenia, wszyscy kupcy go tutaj znali. Okazało się, że generał Brusiłow miał nieścisłe informacje co do jego wieku. Iwan Iwanowicz Kuroczkin liczył sobie niespełna czterdzieści lat, a nosił się zgodnie z wyobrażeniami tubylców o poważnych Rosjanach, którzy przybywali tu ongiś, by pokłonić się ich szachowi, czyli po bojarsku (jeden Bóg raczy wiedzieć, jak wytrzymywał w sobolowej szubie zapiętej pod szyję), jego broda mogłaby wpędzić w kompleksy nie tylko patriarchów Moskwy i Konstantynopola, ale i samego Assurbanipala, Pana Świata, króla Asyrii. W bezpośrednim obejściu zaś był niebywale przyjacielski. I nie dał się zaskoczyć. Nie takimi niespodziankami, Siergieju Henrykowiczu, zaskoczyć go próbowano. Czytając dostarczony przez starszego lejtnanta list uniósł tylko jedną brew. A potem szeroko otworzył ramiona i porwał Sergiusza w objęcia, grzmiąc tubalnie na cały Czar Czatta: „Sierioża, aleś wyrósł!". Okrzyk ten powtórzył we wszystkich językach używanych na kabulskim bazarze, a dużo ich było. Następnie wycałował czoło, policzki i dłonie Swietłany, po czym wciąż wykrzykując z niepohamowaną radością, jakie to niezmiernie wielkie szczęście go dzisiaj spotkało, zaczął zapraszać kontrahentów na uroczystą biesiadę w swoim domu, a wszystkim przechodniom wokoło kazał rozdawać *nokole*, czyli migdały w cukrze. A i owszem, cały Kabul koniecznie musiał wiedzieć, inaczej nie uchodziło!

Po powitaniu z Kuroczkinem przyszło się rozstać z Esmatullahami. Finansowo rozliczyli się na poprzednim biwaku, żeby dziś nie psuć sobie serdecznego pożegnania. Teraz został więc już tylko żal… Sergiusz wyściskał się z całą rodzinną firmą, zapewniając, że będzie mu ich brakowało. Nigdy w życiu nie był bardziej szczery. Im z kolei serca wprost pękały z żalu, że nie dane im było zmierzyć się ze sługusami Anglików, lecz cóż, taka wola Boża… Sergiusz podarował im mauzera i dwieście naboi. Wzruszony Aga Din zrewanżował się złotą plakietką, zdobytą pod Dowshi, uprzednio bardzo starannie wypolerowawszy ją o rękaw.

Gorzej wypadło pożegnanie strażników karawany z Gedem. Cały klan miał mu za złe niegodny mężczyzny postępek na przełęczy Salang i dano mu to odczuć. Zamiast serdeczności były przestrogi na przyszłość – równo dwanaście surowych pouczeń. Chłopcu zbierało się na płacz, ale wytrwał, pokornie dziękując Esmatullahom za naukę i każdego z nich tytułując *pedar dżon*, ojcze. Tym zachowaniem zasłużył wreszcie na błogosławieństwo Aga Dina.

Kiedy sentymentom stało się zadość, Kuroczkin zaprosił gości na herbatę. Na razie do swojego kantoru, bo w jego domu przy *Darwaza Lahori*, czyli Lahorskiej Bramie, najbardziej reprezentacyjnej ulicy Kabulu, służba właśnie stawała na głowie, żeby przygotować wszystko na przyjęcie nowożeńców, ale to miała być niespodzianka.

Wśród partnerów handlowych gospodarza przybyłych na poczęstunek był także ów Maulana Hafizullah, do którego również mieli się zwrócić o pomoc. Kuroczkin scharakteryzował go krótko: „zły człowiek, dobry wspólnik". Maulana był pół Pasztunem, pół Tadżykiem, co podobno rzucało się w oczy, ale nie Sergiuszowi. Dla niego partner Kuroczkina wyglądał jak większość tutejszych mężczyzn w średnim wieku – śniadych i żylastych, pomijając fakt, że nosił się jak perski książę w pstrokatym, jedwabnym turbanie wielkości przerośniętej dyni, kaftanie z czerwonego atłasu, obwieszony tuzinem złotych łańcuchów i z pierścieniem na każdym palcu. Przy nim rosyjski kupiec w swojej szubie wyglądał jak mnich we włosiennicy.

Spotkanie było czysto kurtuazyjne. Wymieniano uśmiechy, życzono młodemu małżeństwu wszelkiej pomyślności, a do tego dodano zwyczajowe pytania o zdrowie, jak przebiegła podróż i czyż Kabul nie zachwycił ich od pierwszego wejrzenia… Nie spieszono się nigdzie, więc Kuroczkin zdążył zaimprowizować rodzinną genealogię starszego lejtnanta, sięgającą czasów, kiedy to Fenicjanin Adom sprzedał Turkowi Abdulowi piramidę Cheopsa. No, to akurat przesada, ale Iwan Iwanowicz serio zaklinał się, że przodek Sergiusza dokonywał redystrybucji łupów pod Troją, podczas słynnego remanentu za Homera. Następnie ta rodzina dwa wieki temu spowinowaciła się z Kuroczkinami i teraz stali już za jeden ród. Goście najwyraźniej brali to za dobrą monetę albo dobrze udawali… Sergiusz przytakiwał ze skromnym uśmiechem i nie mogąc dojść, kto tu z kogo robi durnia, czuł się jak ostatni kretyn. Tym bardziej że do zabawy włączył się Zakani, który zaczął podsuwać gospodarzowi przykłady wielkich historycznych przedsięwzięć handlowych, od romansu króla Salomona z królową Saby, przez opłynięcie Afryki przez Portugalczyków, na wojnach opiumowych kończąc. Kuroczkin za każdym razem w zamyśleniu dotykał dłonią skroni, chwilę milczał, po czym wykrzykiwał, że ależ tak! No pewnie! Jak mógł zapomnieć! I niezwłocznie podawał imię handlowego antenata, jego małżonki i najstarszego syna, głęboko zaangażowanych w ów interes. Widać było, że Pers i Rosjanin odnaleźli się w korcu maku. Inna rzecz, że Kuroczkin potrafił równie głęboko zaprzyjaźnić się z każdym w ciągu godziny. Gdyby spotkał Marsjanina, potrzebowałby półtorej.

Genealogiczne bęcwalenie trwało do czasu, aż do kantoru zajrzał chłopiec kilka lat młodszy od Geda i znacząco skinął głową gospodarzowi. Wtedy Kuroczkin podniósł się z miejsca i zaczął zapraszać wszystkich w niskie progi swojego skromnego domostwa, gdzie czeka wieczerza tak prosta i niewyszukana, że absolutnie nie ośmieliłby się zaproponować jej drogim gościom, gdyby nie wiedział, jak są głodni po długiej podróży.

Jako się rzekło, punktem honoru Iwana Iwanowicza było nigdy w niczym nie dać się zaskoczyć. Jego dom był przygotowany na niezapowiedzianą wizytę szacha, a cóż dopiero Sergiusza i Swietłany. Jedyną trudność stanowiło zorganizowanie w ciągu dwóch godzin powitania nowożeńców w domu głowy rodu w tradycyjnym rosyjskim stylu. Diabli wiedzą, może Kuroczkin podpisał cyrograf, ale tubylcza kapela za pomocą miejscowego instrumentarium wygrywała czastuszki jak się patrzy, wódka była zimna, bochen chleba prosto z pieca, jedlina nad bramą świeża, a sól słona…

Ślub był lipny, jednak wesele prawdziwe. Zachwycona Swietłana trzasnęła kieliszkiem o bruk podwórka i puściła się w tan. Nie tylko odżyła w swojskim klimacie, ba, wręcz rozkwitła! Tańcząc improwizowaną *kamarinskuju*, tak się rozochociła, że mimochodem zaczęła dołączać do ruskich ludowych hołubców elementy brazylijskiej capoeiry. Kiedy wskoczyła obiema nogami na ścianę i odbiwszy się od niej, furkocząc podwiniętą przez pęd powietrza suknią, halką i falbankami majtek, wywinęła podwójne salto ze śrubą, kupiec Kuroczkin podrapał się w głowę i stwierdził, że widać zbyt długo nie był w ojczyźnie, skoro już zapomniał, jak to się szczery, prawosławny naród bawi... Jednak coś go zaskoczyło.

Muzułmańscy goście chyba nic nie widzieli, bo na popis tancerki patrzyli takim wzrokiem, jaki miała Swieta, gdy strzelała z nagana.

Gospodarz był kawalerem i nie było w domu żadnej jego krewnej ani innej Rosjanki, która mogłaby pełnić obowiązki gospodyni, jednak dobrze poradzono sobie bez niej. Niezawodny Zakani szybko wywiedział się, że Kuroczkin ma na mieście hazarską utrzymankę, a z nią jakieś dzieci, ale ta osoba nigdy nie przekroczyła progu oficjalnej rezydencji kupca. Nie przypadkiem jednak większość domowej służby stanowili Hazarowie. Rosyjskich domowników było jeszcze dwóch – siedemnastoletni Wołodia, poważny młodzieniec pilnie zgłębiający arkana kupieckiego fachu (Kuroczkin prosił, żeby go w te militarne nie wtajemniczać), oraz Spirydon Feliksowicz Krascew, dostojny starzec pełniący obowiązki majordomusa. Ten ostatni, podobnie jak Jewgienij, był zasłużonym weteranem, ale księgowości. Największą bitwę swojego życia stoczył w pierwszej połowie listopada 1890 roku, w szczytowym momencie argentyńskiego kryzysu banku Baringsów, przez który omal nie zbankrutował sam Bank Anglii. Zawirowanie na światowych rynkach finansowych było tak potężne, że do Kabulu przywiało złote marki niemieckie, Krascew wciąż nosił na pamiątkę jedną z tych monet. Afganistan bynajmniej nie okazał się wtedy krajem leżącym na uboczu, właściciele wszystkich tutejszych *hauola*, czyli kantorów wymiany pieniędzy, oraz bankierzy *sarofi* uwijali się jak w ukropie. Wiadomości przekazywano za pośrednictwem sygnałów świetlnych, konnych kurierów pędzących w mongolskim stylu, a także odłożono na bok fakt, że w Koranie nie ma ani pół słówka o elektrycznym telegrafie. W krytycznym tygodniu Spirydon Feliksowicz trwał na księgowym posterunku dniem i nocą, przerachowując gigantyczne sumy, kierując je w poprzek kontynentów i oceanów, tak sumiennie i dokładnie, że kiedy pół roku później wszystkie przekazy realnie doszły, partnerzy się rozliczyli oraz zamknięto ostatni bilans, okazało się, że nie przepadła ani jedna kopiejka. Kuroczkin, opowiadając o tym, afgańskim obyczajem z nabożeństwem ucałował rękę starca. Kiedy z kolei Sergiusz przedstawił Jewgienija, obaj weterani, ilekroć się potem spotkali, z całą powagą stawali przed sobą na baczność i oddawali sobie wojskowe oraz cywilne honory, odpowiednio salut i ukłon.

Na poważniejsze rozmowy nie było teraz czasu ani miejsca. Na dłuższe też nie. Jak wesele, to wesele! Przed kolacją gospodarz uroczyście ofiarował Swietłanie kosztowny złoty czepiec, podobny do tego od Dżagdalaki, lecz zdobiony zielonymi szmaragdami. Następnie podano pieczeń z młodego wielbłąda, ale nie pozwolono, by „nowożeńcy" się przejedli, i gdy tylko zaspokoili głód, ze wszystkimi szykanami odprowadzono ich do sypialni na „noc poślubną".

Pokój przeznaczony dla Sergiusza i Swietłany tonął w bukietach róż i tulipanów, a na łóżku czekała na młodą panią idealnie dobrana cielista, koronkowa koszula nocna, prosto z paryskiego domu mody, tak fikuśna, że po jej założeniu Swieta stwierdziła, że czuje się w niej bardziej naga niż całkiem goło, po czym zaczęła się droczyć, że się wstydzi.

Patrząc na nią, łatwo było zgadnąć, że ta dziewczyna nigdy w życiu nie była bardziej szczęśliwa. I cóż począć, narodzie prawosławny, toż wiadomo, że jak człowiek jest aż tak szczęśliwy, to musi z tego wyniknąć jakieś nieszczęście…

Jednak do rana jeszcze nie wynikło. Sergiusza obudził śpiew Swietłany, która czesała włosy, siedząc w peniuarze na parapecie okna wychodzącego na ogród. W pełnym słońcu, na tle jabłoni i drzew granatu, w otoczeniu czerwonych róż wyglądała zjawiskowo.

Wieczernij zwon, wieczernij zwon
Kak mnogo dum nawodit on
O junych dniach w kraju radnom...

Pytanie, czy jeszcze była strzygą? Czy wciąż umiała się w nią przemienić?

Roztrząsanie tego zagadnienia starszy lejtnant odłożył na później. Stwierdziwszy, że zdrowo zaspał, zaczął pospiesznie szykować się do zasadniczej rozmowy z Kuroczkinem. Ubrał się, cmoknął rozśpiewaną Swietę w policzek i zbiegł na dół.

Kupiec ze swej strony się nie spieszył ani nigdzie nie wybierał. W ogóle nie chciał gadać z Sergiuszem, lecz w pół słowa jednym stanowczym machnięciem nakazał oficerowi milczenie. Stał na ganku razem ze Spirydonem Feliksowiczem oraz Wołodią i wszyscy trzej wzruszeni do łez słuchali śpiewu Swietłany, jakby jakiego anioła, może troszkę zachrypniętego, ale to nic, to nic...

Gdie ja lubiła, gdie otczij dom
Tam słuszała zwon w pasliednij raz

I tyle było strzygi! W najlepszym razie została mu syrena...

Zrezygnowany Sergiusz ruszył do zabudowań gospodarczych. Posiadłość Kuroczkina była duża, z powodzeniem mieściła się tu europejska willa z ogrodem, oficyny mieszkalne dla pracowników, pobudowane już w zgodzie z lokalną architekturą, do tego karawanseraj z magazynami i stajnią, kilka niezbędnych warsztatów rzemieślniczych oraz cysterna z wodą, a wszystko razem, jak każda afgańska posesja, ogrodzone wysokim glinianym murem.

Starszy lejtnant odszukał stajnię, w której umieszczono jego zwierzęta wraz z bagażami. Łatwo było trafić, bo sumienny Jewgienij siedział na progu i czyścił karabiny. Teoretycznie dobytku miał pilnować Maliniak, ale ten, dorwawszy się wczoraj do prawdziwej czystej wódki, spił się w trupa i leżał teraz zarzygany dokładnie tam, gdzie było jego miejsce, czyli w zagrodzie dla osłów. Tej nocy z jego upojenia skorzystała leciwa hazarska ochmistrzyni, ale tego jeszcze żaden z nich nie wiedział.

Sergiusz wydobył z juków angielski sztucer, wypolerował jego skórzany futerał skrajem końskiej derki, ocenił efekt krytycznym wzrokiem i uznawszy, że nadaje się na prezent dla Kuroczkina, ruszył z powrotem do willi. Po drodze zauważył przechadzającego się po ogrodzie Zakaniego. Ten też był dziś w nastroju romantycznym – w skupieniu i z błogą miną wąchał róże na kolejnych krzakach. Jakim cudem Pers mógł używać nosa do tak subtelnych czynności, Sergiusz nie pojmował. Dla niego po wczorajszej inhalacji Orientem kwiaty miały wyłącznie kolor.

Kupiec do tej pory już zdążył wrócić z rosyjskiego nieba na afgańską ziemię i zaprosił oficera do swojego gabinetu. Pokoje do rozmów handlowych Kuroczkin miał dwa, jeden urządzony po europejsku, a ściślej mówiąc, z bizantyjsko-ruskim przepychem, drugi w stylu środkowoorientalnym – jedynymi meblami były dywany, wielkie poduszki oraz niski stoliczek. Ponieważ obaj nie mieli ochoty siedzieć na podłodze, więc rozgościli się w tym pierwszym.

– Nie trzeba, nie trzeba! – oznajmił gospodarz, gdy dowiedział się, po co Sergiusz przyniósł broń myśliwską. – Zatrzymajcie to dla Hafizullaha, dla niego taki podarek będzie akuratny. Wy odwdzięczać mi się nie musicie, ojczyzna już o wszystko zadbała… – puścił oko.

– To znaczy? – zapytał niepewnie starszy lejtnant.

– Ułatwienia… monopole… priorytety… Nie będę wam, Siergieju Henrykowiczu, drobiazgami głowy zawracał. Matuszka Rossija hojna. Wykosztowałem się mniej, niż wam się zdaje, a prawdę powiedziawszy, to wcale.

– Ale chociaż te szmaragdy zwrócimy po wszystkim.

– Za takie śpiewanie szmaragdów bym nie pożałował, zatrzymajcie je na podarek dla kogoś ważnego. U mnie one już i tak są wliczone w koszta waszego wyekwipowania. Jednakowoż szmaragdy z Pańdższiru pokazałem wam nie przypadkiem…

– Te szlachetne kamienie to wasz główny towar?

Wczoraj o interesach Kuroczkina rozmawiali pół żartem, pół serio. Kupiec pochwalił się, że sprzedał już jednego dżina w butelce, a jakże!, jakiemuś szurniętemu angielskiemu kolekcjonerowi. Na pewno żaden z niego lord, musiał być nuworyszem, skoro taki głupi. Cała sztuka to było znaleźć dla dżina wiarygodnie wyglądającą butelkę. Nie znaleźli, więc zrobili sami, lepszą niż w bajce, i postarzyli ją jak się patrzy. Na okoliczność odkorkowania do środka wlali mieszaninę gliceryny z saletrą, białym fosforem i salmiakiem, która sama zapalała się w kontakcie z powietrzem i dawała mnóstwo gryzącego, białego dymu. Po wyjęciu korka wszystko było, jak *gospodin* Aladyn przykazał, najpierw pojawiał się delikatny, mleczny opar, który szybko gęstniał i gwałtownie go przybywało, aż szyjka butelki zaczynała dymić lepiej niż komin lokomotywy, wreszcie wyskakiwał płomień i zaraz flaszka ziała ogniem jak smok. Jeśliby pękła – Hospody pomiłuj! – i jeśliby nawet durak-kolekcjoner domu sobie do fundamentów nie spalił, to i tak wrażenia musiał mieć niezapomniane... Na wypadek reklamacji, że dżin rozwiał się bezproduktywnie, nie zostawiając po sobie pałacu, instrukcja użycia stwierdzała jasno, że zaklęcie zmuszające go do posłuszeństwa należy wypowiedzieć poprawnie, nie przekręcając żadnego słowa, no a trudno o to, kiedy się pali i w oczy szczypie! Przezornie skomponowali taki persko-turecko-hinduski łamaniec językowy, że i poliglota by się zakrztusił. Reklamacji nie było.

To była psota z czasów durnej młodości. Generalnie kupiec handlował wszystkim, co można było sprzedać za cenę godziwie przewyższającą wysokie koszty lądowego transportu w karawanie wymagającej dobrej ochrony przed rabusiami. Najlepsze ze wszystkich towarów spełniających ten warunek były kamienie szlachetne, więc Kuroczkin w ostatnich latach skoncentrował się na nich.

– Szmaragdy były najważniejsze do tej pory, Siergieju Henrykowiczu – odpowiedział kupiec. – Ostatnio w moim asortymencie pojawiły się nowe klejnoty, a z nimi niespodziewany kłopot. Liczę, że ojczyzna pomoże... – wymownie spojrzał na Sergiusza.

– Jaki kłopot, Iwanie Iwanowiczu?

Kuroczkin otworzył szufladę biurka i wyjął z niej złotą plakietkę. Była taka sama jak ta spod Dowshi, tylko bardzo zniekształcona, ponieważ trafiła w nią kula z afgańskiej strzelby. Pocisk nie przeszedł na wylot, ale wytłoczył w płytce głęboką nieckę, niszcząc większą część wizerunku greckiego boga. Została tylko ręka z piorunem. Pomiędzy wprasowanymi w siebie ołowiem i złotem tkwiło kilka nitek z ubrania właściciela, jednak łaska Zeusa nie ocaliła jego życia na długo, gdyż sprawę dokończono szablą. Świadczyło o tym ukośne nacięcie na brzegu, przy którym zachowała się skrzepła krew.

– Może być, że nam ze sobą po drodze, Iwanie Iwanowiczu – powiedział starszy lejtnant i wyjął z kieszeni własną plakietkę.

Kupiec w zadumie pokiwał głową, po czym znów sięgnął do biurka i wydobył zawiniątko z czarnego aksamitu.

– Tylko rozwijajcie ostrożnie, żeby nie upuścić na podłogę! – przestrzegł, wręczając je oficerowi.

Na tle czarnej tkaniny jak garść małych słońc zalśniło pięć starannie oszlifowanych, przejrzystych kamieni barwy złota.

– Piękne… – Sergiusz przegarnął palcem klejnoty. – Co to jest?

– Żółte szmaragdy, nazywane heliodorami na cześć greckiego boga słońca Heliosa. Pięć miesięcy temu w naszej kopalni w Pańdższirze odkryto całą żyłę.

– Naszej, czyli czyjej?

– Mojej i Maulany Hafizullaha.

– Ktoś uznał, że święte kamienie wam się nie należą? – starszy lejtnant wskazał na zaklęśniętą plakietkę.

– Dobrze się domyślacie, Siergieju Henrykowiczu. A teraz domyślcie się jeszcze, jak duży jest ten mój kłopot, skoro karawany wiozące kamienie szlachetne mają najsilniejszą możliwą ochronę, a mimo to zostały napadnięte…

– Straciliście całą karawanę, Iwanie Iwanowiczu? – oficer uniósł brwi.

– Tego Bóg nie dał. Przepadły tylko cztery z trzydziestu osłów niosących surowe szmaragdy, jeszcze niewyłuskane z macierzystej skały. I akurat te cztery niosły heliodory. To była dobrze zaplanowana, wielka napaść.

O wartość heliodorów Sergiusz już pytać nie musiał. Właśnie przypomniał sobie, że jego cesarska wysokość Mikołaj II zamówił dla Imperatorowej na tegoroczną Wielkanoc kolejne jajo Fabergé zdobione właśnie tymi kamieniami. Skoro chciał je mieć car Rosji, to już pragnęły ich wszystkie liczące się osobistości po obu stronach Atlantyku. Jedna żyła w Pańdźszirze nie mogła zaspokoić tych wszystkich zachcianek, ale przez to podnosiła ich cenę aż do zawrotu głowy.

– Prawdziwa bitwa… – mówił dalej kupiec. – Bili się o te kamienie przeszło dwie godziny. Do tutejszych rozbójników to zupełnie niepodobne. Oni wyskakują nagle z zasadzki, wyrywają, co się da, i uchodzą, zanim napadnięci ochłoną z zaskoczenia. Odparci raz, zwykle już nie wracają, a tamci atakowali znów i znów, aż dopięli swego. Wielu ich padło, ale ginęli jak *szahidzi* na świętej wojnie.

– Święta wojna, powiadacie…? – zadumał się Sergiusz. – Z wyznawcami starej greckiej religii?

– Ano tak – potwierdził Kuroczkin. – Bardzo się ostatnio rozbestwili. Wcześniej ledwie co było o nich słychać. Ot, tyle że gdzieś tam są. Ciekawostka taka, bo pewnie wiecie, że Aleksander Macedoński jako pierwszy i jedyny obcy władca cały Afganistan zawojował i z tutejszą księżniczką wziął ślub. Po jego śmierci w północnych prowincjach kraju jeszcze sto lat z okładem trwało greckie królestwo Baktrii, aż je dzicy Kuszyci podbili.

Sergiusz skinął głową.

– Potomkowie Greków i Macedończyków uszli w góry i tam sobie żyli. Czcili swoich dawnych bogów, nawet gdy już nastał islam. Za tę wierność starej pogańskiej wierze miano ich tu za gorszych od Hazarów, których się najmuje do czyszczenia rynsztoków i innych najpodlejszych robót.

– Ale nie u was w domu – zauważył starszy lejtnant.

– Tak się złożyło… – odparł wymijająco kupiec. – Poganie Macedończyka, bo tak ich tu czasem nazywają, jak przystało na mało znaczący ludek na wymarciu, zajmowali się drobnym złodziejstwem i rozbojem. Czasem komuś parę owiec ukradli, czasem kozę albo konia. Złota mieli mało – Kuroczkin popatrzył krytycznie na obie plakietki. – Znaczy się, ktoś musiał im ostatnio dużo go dać… I jeszcze pod protekcję wielką wziąć, skoro aż takiej śmiałości nabrali.

– Protekcja jest samego angielskiego króla – Sergiusz postanowił zagrać w otwarte karty.

– Tak mówicie? – kupiec przygładził swą rozłożystą brodę.

– Najpierw wy mi powiedzcie, czego się po ojczyźnie spodziewacie?

– Chcemy odzyskać, co swoje – rzekł Kuroczkin bez ogródek.

– Spodziewam się, że dacie nam broń i swoich ludzi, a i sami też pójdziecie, dobry oficer się przyda. Z mojej strony to tylko pokorna prośba lojalnego carskiego poddanego, ale Maulana Hafizullah taki postawił warunek swojej pomocy.

– Afganistan to duży kraj. Wiecie chociaż, gdzie wiatru szukać?

– Wiemy. Na ubraniach rozbójników, którzy padli w walce ze strażą karawany, dwóch naszych ludzi rozpoznało hafty i zapinki osobliwej roboty. Przed laty zdarzyło im się je widzieć w jednej z wiosek w okolicy, gdzie doszło do napadu. Mieszkańcy tego sioła udawali dobrych muzułmanów, a okazało się, że nimi nie byli… Jednak od razu nie można się było z nimi rozprawić, po naszej stronie za dużo było rannych, ale teraz sposobimy się, żeby ukarać złodziei i odebrać nasze heliodory.

– Skoro wiecie kto i macie dowody, czemu nie zwrócicie się do urzędowych władz? – spytał Sergiusz. – W Kabulu macie je przecież pod bokiem.

– Za dużo *salam* – odparł kupiec.

– Czego?

– Podarunków. Dla wszystkich emirów i urzędników, którzy mają władzę decydować w tym dziele. Tutaj, Siergieju Henrykowiczu, czynownicy pazerniejsi niż w Matuszcze Rossiji, bo rodziny u nich liczniejsze, więcej rąk i gęb zaspokoić im trzeba. Nabraliby tyle, ile to wszystko warte, a całkiem możliwe, że jeszcze i od tamtych wzięliby okup za ostrzeżenie i zmiłowanie. Jakby się na domiar złego szach o tych heliodorach dowiedział, zaraz połowa kamieni dla niego, wszak to jego dziedziczna ziemia, a my z torbami byśmy poszli. Ciszej jedziesz, dalej zajedziesz... To przysłowie w obu krajach mądre.

– A jeśli oni inaczej się dowiedzą, że wyprawę szykujecie?

– Czegoż by się mieli dowiedzieć, Siergieju Henrykowiczu? Napad na naszą karawanę był? Był! To my teraz więcej ludzi zatrudniamy, żeby następny transport chronić. Ot, i wszystko. Nasz koszt, nasza sprawa. A że przypadkiem wioskę bandytów naszliśmy, znaczy Allah był łaskaw. Tak to się tutaj załatwia.

– Wobec tego mam tylko jedno pytanie, kto będzie dowodził?

– Maulana. Ja w Kabulu muszę interesów pilnować, zresztą ja nie wojenny człowiek, a on za młodu z Anglikami wojował i z karawanami chodził.

– Ja, cesarski oficer, mam wykonywać rozkazy jakiegoś Maulany Hafizullaha?!

– Inaczej nie uchodzi, Siergieju Henrykowiczu. Jego interes, jego kraj...

– Wykluczone!

– No to mamy kłopot... – zafrasował się kupiec. – A mówiliście, że nam razem po drodze.

– Chętnie jego rady w każdej sprawie posłucham – Sergiusz złagodził ton. – Bez niego o niczym nie postanowię, sam żadnego rozkazu nie wydam, ale mowy nie ma, żeby on dla mnie był jak jakiś generał. Musimy obaj dowodzić na równi!

– Wiecie już chyba, Siergieju Henrykowiczu, co w Afganistanie o równości z cudzoziemcami myślą?

– Wiem, ale też i to, że wy, Iwanie Iwanowiczu, nie gapa i potraficie porozumienia negocjować. Zatem takie właśnie porozumienie dla mnie z tym Hafizullahem dogadajcie.

– Cóż, boję się, że w takim razie ten sztucerek może nie wystarczyć...

– Dołożę dwa nagany. Może być?

– Pożyjemy, zobaczymy...

– Dla was, jak się postaracie, będą dwa mauzery, bo i waszego domu przydałoby się teraz lepiej strzec.

– Przed angielskim królem? – spytał domyślnie Kuroczkin.

– Nie zawadzi.

– Z Maulaną pogadam, ale za nic nie ręczę. A skoro domu mam strzec, to chyba pora, żebyście, Siergieju Henrykowiczu, powiedzieli mi, z czym przyjechaliście...

– To długa opowieść.

– Wybaczcie! – gospodarz poderwał się zza biurka. – Zaraz każę wódeczkę i zakąskę podać! *Minutoczku!*

Hazarska służba uwinęła się faktycznie w minutę. Gospodarz nalał wódki i – jak się należy – wypili najpierw zdrowie cara-batiuszki oraz cesarskiej rodziny. Przekąsili suszonymi śliwkami nadziewanymi płatkami kandyzowanego imbiru, nader oryginalnymi w smaku, po czym starszy lejtnant zaczął opowiadać, co go do Afganistanu sprowadziło, dodając przy okazji co nieco o przebiegu podróży.

– I straszne, i śmieszne – podsumował Iwan Iwanowicz, kiedy oficer doszedł do spotkania z Zakanim i wyjawił powody, dla których musiał na Persie polegać. – Ale to chyba wiecie, że w Teheranie nie ma żadnego uniwersytetu, a?

– Tak podejrzewałem... – mruknął Sergiusz. – Na pewno nie ma?

– Jak mi kredyt u Hafizullaha miły! – zapewnił uroczyście Kuroczkin. – Dobrze wam radzę, lepiej tego perskiego ptaka stale mieć na oku!

– Stary Jewgienij już ma na niego baczenie – odparł starszy lejtnant.

– To się wam chwali – gospodarz nalał następną kolejkę.

Popijali z umiarem, ale przed obiadem, nim Sergiusz skończył swoją opowieść, wypili trzy czwarte litra na dwóch. Wzrok Kuroczkina nie zmętniał ani trochę, przeciwnie, z każdym kieliszkiem zdawał się nabierać bystrości. Ponieważ kupiec był człowiekiem wykształconym i oczytanym, a też nieźle obeznanym z naukowymi odkryciami ostatnich lat, bo nie szczędząc kosztów, sprowadzał sobie ojczystą literaturę i gazety, starszy lejtnant nie pominął szczegółów radiotechnicznych.

Kuroczkin słuchał uważnie, od czasu do czasu wtrącając przytomne pytania świadczące, że nie tylko dobrze rozumie, co się do niego mówi, ale że ma też w tej mierze znacznie więcej wyobraźni od swojego gościa.

– Zatem powiadacie – odezwał się w pewnej chwili – że jeśli taki amplifikator elektryczności wynajdą, to telegraf bez drutu może okazać się lepszy od tego z drutem?

– Nawet i telefon bez drutu da się zrobić – odparł Sergiusz. – I ten amplifikator najpewniej już gdzieś tu jest…

– Ech, gdybyśmy w 1890 roku mieli takie cudeńka do przekazywania wiadomości! – westchnął kupiec. – Toż wtedy byśmy zrobili z Afganistanu drugą Szwajcarię, tyle że większą i wyższą… Ale mówcie dalej!

Starszy lejtnant mówił i mówił. Zachęcony niekłamanym zainteresowaniem odważył się nawet wspomnieć o swojej hipotezie „udziwnionej żarówki", która mogłaby służyć za ów amplifikator, po czym zwrócił uwagę gospodarza na przedmiot w lewym ręku Zeusa wyobrażonego na złotej plakietce.

– Wielkie wam dzięki! – zawołał Kuroczkin, gdy oficer skończył. – Bardzoście mi w głowie rozjaśnili! Naprawdę wiele rzeczy teraz zrozumiałem!

– Jakich rzeczy?

– Choćby te karawany, które z Indii do Kabulu przyszły, ale na tutejszym bazarze się nie zatrzymały i towarów swoich nie pokazały. Nienormalne to postępowanie. W zeszłym roku było ich pięć, w tym jedna. Takie rzeczy się wie. Podobno żelazo wiozły albo chińską porcelanę, różnie mówią. Dwie z nich gdzieś w samym mieście bez śladu się rozpłynęły, reszta wyszła z Kabulu na północny zachód.

– Na Szach Fuladi?! – Sergiusz poderwał głowę.

– Może być, że tam. Poza kabulską doliną to ja już tak wiele bystrych hazarskich oczu na zawołanie nie mam…

Starszy lejtnant hojnie nalał sobie wódki. Poczuł się, jakby właśnie sam cesarz Napoleon poklepał po plecach mówiąc: „Może i ten oficer jest głupi, ale szczęście ma, a to najważniejsze!". Strzelał trochę na oślep, ale trafił z tą cholerną górą po prostu w dziesiątkę! Teraz na pewno zebrały się tam wszystkie siły jego wrogów, tam na niego czekali, co znaczyło też, że czekając na wyprawę starszego lejtnanta pod Szach Fuladi, sami nieprędko wybiorą się do Kabulu.

– Na zdrowie! – przepił do niego Kuroczkin. – Zgaduję, że to dla was dobra wiadomość?

– Jak najbardziej, Iwanie Iwanowiczu! A co jeszcze dziwnego tutaj zauważyliście?

– Plotki też zaczęły krążyć, że Anglików pokochać trzeba. Znaczy, nie tak wprost, kawa na ławę, ale zaczęto gadać, że angielskie leki na różne choroby dobre. Wcześniej nikomu w głowie nie postało, by się jakimiś paskudztwami od najeźdźców leczyć. Allah daje i odbiera ludziom zdrowie, według swojej woli. Dlatego w ciężkiej chorobie trzeba szukać bożego męża, który zmiłowanie boskie wymodli albo chorobę weźmie na siebie, ponoć bywają tacy święci. Na lżejsze przypadłości mają tu stare, wypróbowane domowe sposoby. Trochę podobne do chińskich, bo u kitajców cała sztuka medyczna polega na przywracaniu równowagi pomiędzy żywiołem męskim a żeńskim, a tutaj między zimnem a gorącem.

Aż nagle, Siergieju Henrykowiczu, przez ostatnie pół roku cztery zamówienia miałem, żeby sprowadzić do Kabulu europejskie leki! Wcześniej niebywała rzecz! I sam szach zachwala. Podobno duchy przodków jemu radzą, żeby się tego i owego od Anglików uczyć, bo dobre. Już mówi się, że niedługo w Kabulu akademia wojskowa będzie, a może nawet i uniwersytet. No, a potem jeszcze samych Anglików przyjdzie tu zaprosić... Wot, jaka chytrość! Dzięki wam, Siergieju Henrykowiczu, ja teraz już wiem, skąd te duchy przodków się wzięły! I te opowieści o księgach Koranu, co gadają same, dobrze tu pasują...

– Widzieliście taką księgę? – zapytał szybko Sergiusz.

– Nie. I do tej pory nawet nie pomyślałem, by poszukać, a okazuje się, że warto... – Kupiec wziął plakietkę starszego lejtnanta i zapatrzył się w złoty relief. – Afgańczycy w duchy wierzą chętnie... – powiedział zadumany. – Boją się tych duchów bardzo, ale też są gotowi słuchać tego, co one im mówią. W żadne fale radiowe nie uwierzą, bo tych fal nikt nigdy nie widział. No, a od duchów zawsze ktoś doświadczony się znajdzie... Jakby tak nagle zaczął gadać jaki posąg albo jeszcze lepiej księga Koranu, żadną miarą nie wytłumaczysz im, że to jakaś radiotechnika czy inny amplifikator. Nie ma dla nich takich słów, no a jak słowa na to nie ma, tego i umysłem nijak nie ogarniesz...

– Wiem coś o tym – odparł Sergiusz, wspomniawszy wybryki Swietłany postawionej wobec fenomenów gór Hindukuszu.

– Jeżeli martwa rzecz nagle gadać zacznie – kontynuował swój wywód Kuroczkin – musi to być duch albo anioł, trzeciego wyjścia nie ma. A gdyby się okazało, że ów anioł od samego Allaha... Hospody pomiłuj! Ten kraj stanie na głowie! Namnoży się zaraz proroków, którzy ludzi w tę lub wew tę będą przekabacać, wojen domowych wyniknie z tego bezlik, a każda święta!

– Anglikom w to graj – stwierdził Sergiusz. – Będą wreszcie mogli dzielić i rządzić, tak jak lubią. Dwa razy przez góry nie dali rady, to teraz drogą przez radiowy eter próbują...

– A ja za angielską konkurencję z całego serca dziękuję, nie skorzystam! – kupiec zamaszyście rozlał resztę wódki do kieliszków i obok nich. – Mają cały świat i nie muszą jeszcze tu, na moje podwórko włazić! Wasze zdrowie, Siergieju Henrykowiczu, że mnie w samą porę przestrzegliście!

Stuknęli się i wypili.

– Jeszcze jedno… – Kuroczkin odetchnął i przekąsił dla odmiany kozim serem grubo posypanym pieprzem. – *Gospodin* Popow prosił was o ten amplifikator, żebyście mu go przywieźli, tak?

– Tak, prosił – Sergiusz także zakąsił.

– A ile wam za niego dawał?

– Tylko prosił w imię postępu nauki i techniki.

– No to nie trudno będzie go przelicytować – skwitował kupiec. – Dogadamy się, Siergieju Henrykowiczu, dogadamy… Teraz z całego serca zapraszam was na obiad!

Po obiedzie Swietłana, nie czekając na wieczór, z błyszczącymi oczami zaciągnęła starszego lejtnanta do sypialni. Tyle ognia i oddania nie było w tej dziewczynie jeszcze nigdy. Ich piąty miodowy miesiąc zapowiadał się lepiej od poprzednich…

Wielkie lanie

Można by pomyśleć, że Sergiusz i Swietłana przyjechali do Kabulu na wakacje.

Mieli owszem stwarzać takie wrażenie, ale i sami coraz częściej przyłapywali się na tak beztroskich myślach. Czasu zaś mieli wiele, gdyż zgodnie z zasadą *adżale kore szejtun ast* Kuroczkin nie spieszył się z negocjacjami z Hafizullahem w sprawie wspólnego dowodzenia planowaną wyprawą. Kupiec ostrożnie dawkował afgańskiemu wspólnikowi informacje i prezenty, pomijając tłumaczenia, co to radio, żeby nie wyjść na oszusta. Maulana nie kwapił się z jasną odpowiedzią, a starszy lejtnant nie nalegał na przyspieszenie rozmów. Wprawdzie rozum mówił, że traci czas, ale serce zupełnie nie miało poczucia, by cokolwiek tracił.

Zapach Kabulu zgodnie z zaleceniem Zakaniego pokochali po tygodniu. Za dnia, oprowadzani przez Persa i w towarzystwie zafascynowanego stolicą Geda, zwiedzali kabulskie zabytki – meczety, parki oraz mauzolea władców. Jedli kupione na ulicach gorące placki *buloni* z twarogiem i szczypiorem, szaszłyki z baranich jąder, jabłka, melony oraz *kale pocze*, czyli zupę z cielęcych giczy i baranich łbów. W ogrodach szacha Babura, pod dwustuletnimi platanami, jak przystało na parę zakochanych, Sergiusz i Swieta uroczyście spożyli suszony owoc lotosu *sandżeb*.

Czy to już była prawdziwa miłość...? Kiedy się zaczęła...? Ile potrwa...? To były pytania tak wielkie i przejmujące, że strach było szukać na nie odpowiedzi. Dlatego nie szukali. W zamian codziennie na wieczór kupowali sobie dojrzałe „piersi hurys", czyli owoce mango, ze wszystkich afgańskich fruktów najsoczystsze w znaczeniu dosłownym i erotycznym, po czym w łóżku wyciskali na siebie nawzajem ich sok, a następnie powoli, dokładnie, aż do upojenia spijali go ze swoich ciał... Rano ich prześcieradło było sztywne jak blacha, a hazarska ochmistrzyni, zmieniając im pościel, zapewniała, że nigdy w życiu nie widziała większej miłości...

Sama leciwa jejmość też nie próżnowała. Jak dopadła pijanego Maliniaka pierwszej nocy u Kuroczkina, tak nie chciała go uwolnić, przymuszając wręcz do cielesnego niewolnictwa pod rygorem, że wszystkim rozpowie. Na razie o romansie wiedzieli tylko cudzoziemcy, ale udawali, że nie wiedzą, Iwan Iwanowicz traktował szeregowca jak zepsute powietrze, którego ani myślał pokochać, lecz gdyby rzecz szerzej się rozeszła, nikt by już nie stroił sobie żartów ze szlachetnego tytułu *szahid*. W grę wchodził co najwyżej *mordeszuj* – obmywacz trupów. Strata na honorze byłaby to niepowetowana, nawet dla osobnika bez honoru. Maliniak klął z cicha, że wolałby już osiołka, jak radził uczony Pers, ale o osiołku mógł sobie obecnie tylko pomarzyć. Żeby było bardziej przewrotnie, akurat teraz we własnym mniemaniu Maliniak poczuł się męczennikiem w prawidłowym znaczeniu słowa *szahid*, powtarzając w kółko, że „jebanie to święta wojna", a on cóż, właśnie popadł w jasyr... Jeden Zakani jeszcze z nim gadał i potrafił nawet okazać zrozumienie, ale doprawdy nie wiadomo, ile było w tym badawczej pasji entomologa zafascynowanego meandrami żywota żuka gnojarka.

Sergiusz był ponad owo plugastwo, jeszcze wyżej niż Kuroczkin. Patrzył w oczy Swiety i widział Boga. Wiedział, że nie jest godny, że za tę zuchwałość zbuntowanego anioła niechybnie strącą go w otchłań, ale tym bardziej robił wszystko, aby nie stracić ani jednej chwili. Każdym nerwem czuł, że żyje, a zarazem wciąż pamiętał o Patrycji... Te dwie kobiety jakoś zupełnie w jego umyśle się nie wykluczały... Już się nad tym zastanawiał, próbując jakoś uładzić swoje uczucia, i wychodziło mu, że jego związek ze Swietłaną jest do głębi ludzki, nie tylko za sprawą szalonej namiętności, ale aż do tych głębi, w których człowieczeństwo objawiało swą boską iskrę... Natomiast więź z Patrycją była po prostu święta... Co stanowiło istotę prawdziwej miłości? No, to już było zupełnie ponad prosty żołnierski rozum starszego lejtnanta!

Lepiej zajmować się tym, co bliskie i znane, a więc smakiem soku mango przemieszanego z gorącym potem Swietłany, a więc żołnierskim rzemiosłem...

Kuroczkin przypomniał mu o tym drugim w samą porę, zanim starszy lejtnant przekwalifikował się w Kabulu na poetę, co z pewnością nie zdziwiłoby Zakaniego. Po dziesięciu dniach wspólnego popijania herbaty i pojadania *nokoli* kupiec zakończył rozmowy z Hafizullahem konkretnym ustaleniem, ale było ono nieszczególnie po myśli Rosjanina i Polaka.

– Mówiłem wam, Siergieju Henrykowiczu, że to zły człowiek – stwierdził zafrasowany gospodarz. – On lubi nie tylko zarobić, ale też poigrać sobie z bliźnimi. Swoją korzyść wziąć to jemu mało, on jeszcze do szczęścia potrzebuje, żeby ten drugi człek stracił.... Ze mną to co innego, ale...

– Mówcie wreszcie do rzeczy, Iwanie Iwanowiczu! – ponaglił go Sergiusz.

– Ano więc tak, Siergieju Henrykowiczu, macie taki wybór, jak wam się jego kierownictwo nie podoba, to możecie na tę wyprawę po heliodory nie jechać. Dacie mu tylko swoich ludzi i dokupicie więcej broni. Ze składu Maulany, między nami mówiąc...

– Wykluczone! – uciął starszy lejtnant. – Muszę tam być, bo ta sprawa ściśle wiąże się z moją misją.

– On też to wie, dlatego zaproponował warunek drugi, gorszy.

– Słucham.

– Jeśli chcecie, by was miał za równego sobie, to pokażcie mu, że jesteście tego godni. Macie się wykazać jako *czapandoz*.

– Kto?!

– Jeździec biorący udział w grze *buzkaszi*, „przeciąganiu kozy". Wiecie, co to za gra?

– Wiem – Sergiusz zmarszczył brwi. – Ale tu chyba nie chodzi o żadną grę…?

– A i owszem – skinął głową Kuroczkin. – Macie się honorowo zabić, mówiąc krótko. Gdyby Maulana był Japończykiem, to by wam kazał popełnić harakiri, żebyście dowiedli, że jesteście mu równi… Mówiłem, że to zły człowiek. Afgańczycy w honorze i w podstępie ponoć nie mają sobie równych, a u Maulany akurat tego drugiego więcej…

– On liczy na to, że w tej grze nie wezmę udziału, tak? A skoro nie w grze, to w wyprawie też nie, chyba że jako podwładny, na dodatek za cenę utraty twarzy. Zatem mam nie jechać i zapłacić Maulanie Hafizullahowi okup za zachowanie honoru.

– Przykro mi, Siergieju Henrykowiczu, ale tak to właśnie wyszło. Kropka w kropkę.

– Ale jak nie pojadę, to wyjdzie, że młody mężulek żoninej spódnicy się czepia, i tak czy tak wyjdę na ostatnią łajzę! Jegomość Maulana Hafizullah będzie miał i moje pieniądze w garści, i moją twarz pod butem!

– Wybaczcie – stropił się Kuroczkin. – Za późno się spostrzegłem, ku czemu sprawy idą. Myślałem, że skoroście mu w niczym nie zawinili, to nie będzie takich sztuczek próbował, ale widać samo to, że posłuchu odmówiliście, tak mu dojadło. Pozwólcie jeszcze mi z nim pomówić, jakoś wyperswadować…

– Wezmę udział w tej grze! – oświadczył Sergiusz.

– Hospody pomiłuj! – przerażony kupiec wyraźnie nie wiedział, czy ma się przeżegnać, czy łapać za głowę. – Nie wiecie, co mówicie!

– Jestem oficerem kawalerii.

– Ależ, Siergieju Henrykowiczu, toż *czapandozi* od maleńkości do tych zawodów się wprawiają! – Kiedy się tylko na boisku pokażecie, pożrą was tam razem z koniem i kopytami jego!

– Wystąpię. Przekażcie to Hafizullahowi.

Kupiec rozstrzygnął swój gestykulacyjny dylemat i nabożnie się przeżegnał.

– Wasza wola, Siergieju Henrykowiczu. Dobry był z was człowiek. No, może tylko nie ze wszystkim umny... – Kuroczkin uczcił pamięć Sergiusza chwilą ciszy, po czym niespodziewanie zmienił ton i nastrój, dostrzegając jaśniejszą stronę całej sytuacji. – Ależ to będzie wydarzenie! – zawołał, zacierając ręce. – Kto wie, może nawet sam szach przyjdzie popatrzeć?! Trzeba przygotować wielkie przyjęcie dla najważniejszych przyjaciół!

– Konia lepiej dla mnie załatwcie. Wiem, że musi być specjalnie wytresowany.

– Wypożyczę – uściślił kupiec i niezwłocznie pobiegł z nowiną.

Wieść, że europejski jeździec weźmie udział w *buzkaszi*, rozeszła się tak prędko, że godzinę później pod domem rosyjskiego kupca zaczęli się zbierać dyskutujący gapie. Znacznie wcześniej, bo już po kwadransie, Sergiusz miał na głowie Zakaniego. Ten jak na prawowiernego zaratustranina przystało, był przeciwny samobójstwu. Jednak jeśli już koniecznie trzeba, to w taki sposób, żeby nie zapaskudzić ziemi, ognia i wody, najlepiej wieszając się za żebra na haku, bo ze zwykłej pętli wisielcy w końcu spadali, i poczekać, aż ptaszęta kości do czysta obiorą... Stratowanie przez konie zdecydowanie nie było sposobem, który pierwsza religia objawiona mogła zaakceptować.

– Panie Lawendowski – Pers mówił po polsku głośno i powoli, żeby starszy lejtnant dobrze zrozumiał. – Jesteśmy w środkowej Azji. Tu nie Europa. Tutaj ludzie nie dają się zabić z powodu nadmiernego przerostu honoru i ambicji. Nie ma wstydu w ucieczce przed silniejszym przeciwnikiem. Po co zaraz robić Termopile?! Kiedy sytuacja nas przerasta, wycofanie się, jak to określają wojskowi, na z góry upatrzone pozycje, nie stanowi dyshonoru, a przeciwnie – świadczy o rozwadze, przebiegłości, a nawet mądrości.

– Dokąd mam się wycofać? – warknął rozeźlony Sergiusz. – Do Petersburga?!

– Jeśli pan pozwoli, pomówię z Hafizullahem...

– Nie pozwolę. Stanę do zawodów! – Oficer ugryzł się w język, żeby dodatkowo nie wygarnąć Zakaniemu, co myśli o jednoosobowych uniwersytetach. Miał na to naprawdę dużą ochotę, ale ta sprawa powinna zaczekać na stosowniejszą porę. Głównie dlatego, że po jej poruszeniu pewne rzeczy staną się nieodwracalne i nie było pewności, czy teraz udałoby się zapanować nad dalszym biegiem wydarzeń. Atmosfera niedomówień była na razie dużo lepsza.

– Jak pan sobie życzy, panie Lawendowski – ustąpił Zakani.

– Proszę tylko pamiętać, że nastawianie połamanego kręgosłupa nie leży w zakresie wiedzy medycznej, którą mam. Owszem, dla pana chętnie przestudiuję stosowne traktaty, ale to z kolei oznacza, że będzie pan moim pierwszym pacjentem... Szczerze doradzam więc wycofać się tuż przed zawodami pod jakimkolwiek pretekstem. Zapewniam, że nikt pana za to nie wyśmieje i to będzie, jak sądzę, najlepsze rozwiązanie. Desperaci nie budzą tu uznania, tylko litość.

– Dziękuję, panie Zakani, rozważę to. – Najrozsądniej było zakończyć dyskusję właśnie w ten sposób, gdyż gwarantowało to, że aż do rozpoczęcia zawodów Pers nie będzie mu wiercić dziury w brzuchu. Trochę tej afgańskiej chytrości jednak udało się wykazać...

Pewność siebie Sergiusza wynikała z dwóch powodów. Wstępny był taki, że w petersburskiej szkole oficerów kawalerii uczono komend do kierowania zwierzętami wierzchowymi w najważniejszych językach Azji. Gdyby zaszła taka potrzeba, kadeci ojczulka Brusiłowa mogliby szarżować na syjamskich słoniach, może niezbyt finezyjnie, ale do przodu! Powód kardynalny zaś polegał na tym, że Sergiusz w *buzkaszi* już grał. Oczywiście, że w Petersburgu! Na podmiejskim poligonie, a jakże! Mieli tam nawet dwa specjalnie szkolone konie oraz instruktora Mongoła. Przez to starszy lejtnant do tej pory był przekonany, że jest to gra wyłącznie mongolska.

Teraz jednak należało uwzględnić minusy, zaczynając od tego, że kadet Lawendowski nie był w *buzkaszi* polskim orłem. Częściej spadał z konia, niż zdobywał punkty, a całe jego doświadczenie to były raptem dwa tygodnie zajęć fakultatywnych. Na dodatek oni nie używali oryginalnej „piłki", czyli pozbawionego głowy truchła kozy lub cielaka, ale jak na cywilizowanych ludzi przystało, gumowego bukłaka z wodą i wygodnymi uchwytami do podnoszenia go z ziemi. Łapało się niekomfortowo, jak za rączkę od walizki, ale i tak szarpnięcie tego ustrojstwa z konia w biegu wymagało pokonania tak potężnej siły bezwładności, że wszyscy z początku wylatywali z siodeł na zbity łeb. Zwierzęcej nogi w takiej chwili nie było szans utrzymać w dłoni. Nie bez lat treningu polegającego na kruszeniu orzechów w palcach...

Tymczasem na treningi zostały ledwie trzy dni, gdyż Maulana Hafizullah nagle zaczął nalegać na szybki wymarsz. Podobno doszły go wieści, że ktoś dyskretnie szuka szlifierza do bardzo nietypowych, złotych szmaragdów... Kuroczkin nie potwierdzał i nie zaprzeczał, tylko robił zbolałą minę. Na dobrą sprawę nie było wiadomo, po czyjej tak naprawdę Rosjanin jest stronie i komu pomaga bardziej. Sergiusz znów nie wiedział, kto tu kogo robi w konia.

Sam koń natomiast wydawał się w porządku. Kary ośmiolatek rasy katagan, z bujną, nigdy nieprzycinaną grzywą i takimż ogonem, nauczony całkowicie ignorować razy nahajek, a reagujący tylko na komendy ustne wydawane w dari. Już po dwóch godzinach zaakceptował akcent Sergiusza. Bystry zwierzak. Miał na imię Torszi, co znaczy „marynata". Zdaje się, że konia o takim imieniu wybrano specjalnie po to, aby dać Sergiuszowi do zrozumienia, co czeka go na zawodach. Generalnie wszyscy zainteresowani z góry ogromnie cieszyli się na myśl, jak będzie wyglądał cudzoziemski „biały tyłek" po zamarynowaniu...

Najemnicy wynajęci do karnej ekspedycji nawet o to wprost zapytali, przyjaźnie poklepując przy tym starszego lejtnanta po plecach. Część z nich gromadziła się właśnie w karawanseraju przy domu Kuroczkina, część obozowała pod Kabulem, jeszcze inni mieli dołączyć w drodze. W sumie kupcy wynajęli stu pięćdziesięciu ludzi, na razie podzielonych na mniejsze grupy, by nie zwracać uwagi liczbą zbyt wielką nawet jak na wzmocniony konwój. Towarzystwo owo było na pierwszy rzut oka takie, jak to sobie starszy lejtnant wyobrażał przed poznaniem klanu Esmatullahów, ale znacznie weselsze, zarówno od białych Pasztunów, jak i od najśmielszych przypuszczeń starszego lejtnanta. Nikt z nich nie nosił jawnego błogosławieństwa Allaha, więc zachowywali się dużo swobodniej od Esmatullahów, a dokładniej mówiąc, jak pół setki sztubaków ze szkoły powszechnej, w której cholera wzięła nagle wszystkich belfrów i szczęśliwa młódź na dodatek przypaliła sobie haszyszu... Owszem, Esmatullahowie w żadnym razie ponurakami nie byli, ale ich poczucie humoru było znacznie bardziej wyrafinowane, można by rzec, tfu! tfu! – angielskie.

Ci tutaj, jak wynikało z tłumaczeń Zakaniego, prowadzili niemal wyłącznie pieprzne i słone męskie rozmowy o uprawianiu miłości z wielbłądami, kucami, osłami, końmi, martwymi kozami do *buzkaszi* i praktycznie całym domowym inwentarzem. Towarzyską furorę robił pewien Hafiz (jeden z kilkunastu Hafizów w tym gronie), potrafiący nader efektownie wygdakać *orgasmus* u kury. Najnamiętniej jednak wojownicy owi rozprawiali o obcowaniu cielesnym z innymi mężczyznami, utrzymując przy tym, że w Kandaharze to normalne i dopytując się nawzajem, jak im było lub będzie w roli partnera biernego podczas wizyty w tym mieście. O uprawianiu miłości z kobietami mówiono znacznie mniej, żeby przypadkiem nie urazić niczyjej żony lub matki. W kwestii erotyki „po bożemu" najchętniej w kółko opowiadali sobie, wciąż bawiący ich tak samo, dowcip o skrajnie wycieńczonym mężu zbyt namiętnych żon, też Hafizie, który przymuszany przez ślubne megiery do spełniania obowiązków małżeńskich ponad męskie siły wrzeszczał w końcu z rozpaczą: „Czyż nie ma w tym domu innego Hafiza?!" Okrzyk ów był powszechną w Afganistanie formułą, wyrażającą chęć wymigania się od wszelkiej roboty. Zdecydowaną granicą żartów była sugestia parzenia się z psem, to mogli robić tylko ci, do których właśnie się wybierano. Ponadto nieustannie płatano sobie figle polegające na wkładaniu ręki śpiącego do miski z ciepłą wodą, skutkiem czego ów

161

uwalniał niezwłocznie zawartość pęcherza, z upodobaniem wlewano sobie gumę arabską w kieszenie chałatów i turbany, a bywały nawet małe gwoździki w dywanikach modlitewnych... Doświadczeni tym ostatnim psikusem wcale się nie obrażali, traktując to jako próbę wiary i męskości. Bo cóż tam fakir jakiś wobec wiernego!

Na obóz wojskowy nie wyglądało toto nawet z perspektywy Księżyca. Jednak Kuroczkin zapewniał, że byli to ci sami ludzie, którzy z poświęceniem obronili większą część napadniętej karawany ze szmaragdami, a ponadto krewni rannych i zabitych w tej bitwie, którzy przybyli pomścić swoich. Jak przyjdzie co do czego, na pewno przestaną stroić sobie żarty i nie będą gorsi od Esmatullahów, których kupiec znał ze słyszenia. Niestety, na zatrudnienie tego klanu nadal nie było szans. Podobno wędrowali teraz gdzieś po Beludżystanie.

Najemnicy Kuroczkina i Hafizullaha byli nawet lepiej uzbrojeni od dawnych strażników wyprawy starszego lejtnanta. Generalnie mieli wszystko, z czego strzelano w tym kraju od czasu wynalezienia prochu, poczynając od dwóch ciężkich, lontowych rusznic, właściwie małych armatek, za pomocą specjalnych siodeł przystosowanych do prowadzenia ognia z grzbietu wielbłąda. Co więcej, Sergiusz pierwszy raz w życiu mógł obejrzeć z bliska angielskie kapiszonowe muszkiety, do których naboje, opakowane w papier impregnowany łojem wieprzowo-wołowym, nieczystym po równo dla hindusów i muzułmanów, spowodowały wybuch powstania sipajów. Obaj aktualni właściciele zapewniali, że używają wosku ziemnego. Były też ulubione przez Esmatullahów jednostrzałowe odtylcówki systemu Martin-Henry. Jednak ponad połowa najemników miała wyrabiane na miejscu podróbki repetowanych, ośmiostrzałowych karabinów Lee-Metforda, których zamki, odtworzone z precyzją możliwą do osiągnięcia w lokalnych manufakturach, klekotały jak zęby alkoholika w delirium, ale w zamian zupełnie nie bały się wszechobecnego afgańskiego pyłu.

Do udziału w ekspedycji karnej ze strony starszego lejtnanta pierwszy na ochotnika zgłosił się Antonii Maliniak, z powodów wiadomych. Zakani i chciał, i musiał iść jako tłumacz, ponieważ bez niego Sergiusz był w stanie dogadać się w dari tylko z własnym koniem. Uczony nadal konsekwentnie odmawiał noszenia broni. Skoro zaś szedł Pers, to i Jewgienij, który poważnie traktował swoje zobowiązania, mimo że starszy lejtnant delikatnie sugerował, że nie oczekuje od sędziwego starca udziału w niewątpliwie bardzo forsownej wyprawie.

Swietłana chciała jechać, ale sama zrozumiała, że dla kobiety miejsca nie ma. Wystarczyło, że raz, szukając Sergiusza, zaszła do wesołego karawanseraju. Atmosfera zwarzyła się momentalnie. Najemnicy zareagowali kropka w kropkę jak angielscy dżentelmeni w ekskluzywnym męskim klubie, do którego weszła niespodziewanie naga kobieta. Wszyscy natychmiast zamilkli i odwrócili wzrok. Siła niewypowiedzianej sugestii była tak wielka, że Swieta poczuła się jak goła i czym prędzej stamtąd uciekła. Odtąd w razie potrzeby przysyłała Geda.

Stanęło na tym, że na czas nieobecności Sergiusza w Kabulu Swietłana zamieszka w domu Maulany Hafizullaha. Przede wszystkim ze względów moralnych i prestiżowych, gdyż samotna kobieta nie powinna spać tam, gdzie mieszkają sami mężczyźni, a przeprowadzka do kwater hazarskich sprzątaczek nie uchodziła. Ponadto były dwa powody praktyczne. Najmłodsza żona Hafizullaha imieniem Szirin miała matkę Rosjankę i sama jeszcze mówiła po rosyjsku, więc mogła skuteczniej niż Ged uczyć Swietłanę mówić w dari. W niczym nie uchybiając przy tym dotychczasowej edukacji, chłopak i Swieta na bieżąco uczyli się bowiem wzajemnie swoich języków i osiągnęli postępy, których Sergiusz mógł pozazdrościć. Drugi powód praktyczny wiązał się z misją. Swietłana i Szirin miały chodzić na tradycyjne babskie plotki przy publicznej studni i nadstawiać uszu, czy któraś z niewiast nie wspomni czegoś o gadających księgach Koranu. Samej

Szirin robić tego nie wypadało, zwłaszcza że miała studnię w domu. Natomiast obie kobiety miały być pod opieką – jakżeby inaczej! – dzielnego brata Geda.

Z kolei odbiornik Popowa, po wnikliwym przestudiowaniu instrukcji obsługi, Kuroczkin postanowił zainstalować w swoim prywatnym pokoju. Nic mądrzejszego nie można było z tym ustrojstwem zrobić. Wlec je ze sobą do Pańdźsziru i uruchamiać przy ludziach, przed którymi nijak nie dałoby się ukryć rozwijania anteny, oznaczało natychmiastowe posądzenie o chorobę umysłową lub – co gorsza – o czary. Kupiec zobowiązał się spędzać na obserwacji iskrownika i ewentualnym nasłuchu każdą wolną chwilę.

Ale mniejsza o plany na przyszłość. Nadszedł dzień zawodów!

Jego wysokość Habibullah Chan nie wyraził chęci oglądania marynowania zuchwałego Europejczyka w kabulskim occie. Szach powiadomiony o spodziewanej atrakcji miał ponoć oświadczyć, że miejsce wariatów jest w domu dla obłąkanych i ewentualnie tam należy ich chłostać, aż odzyskają rozum, a nie na placu do *buzkaszi*. Oglądanie publicznej terapii go nie interesuje. By przypodobać się władcy, stanowcze *desinteressment* zgłosili natychmiast wszyscy emirowie i wezyrowie, skutkiem czego z oczekiwanej przez Kuroczkina pompy wyszły nici. Impreza miała mieć charakter nieoficjalny i kameralny, jeśli nie liczyć gawiedzi żądnej krwi „białego tyłka".

Osobliwym zbiegiem okoliczności głównym sponsorem oraz honorowym przewodniczącym zawodów okazał się Maulana Hafizullah. Miał być na boisku trzecią osobą po Allahu, a drugą po głównym sędzi.

Sergiusz, idąc za radą Kuroczkina, założył kalesony i najgrubsze, pikowane wełną, zimowe spodnie. Do tego długie do kolan, nieforemne buty wyglądające jak skórzane skarpety, gruby, szarobury *czapan*, czyli chałat, w teorii chroniący od ciosów nahajek oraz specjalnie pleciony turban. Z początku nawet mu się to podobało, wyglądał bowiem teraz jak jeden z Esmatullahów, ale przeszło mu już po kwadransie, kiedy w lipcowym, kabulskim upale przepocił to wszystko do imentu. Po następnym kwadransie pot zaczął w błyskawicznym tempie kisnąć, bez wątpienia za sprawą przebogatej fauny i flory bakteryjnej zasiedlającej wewnętrzne zakamarki *czapana*. Tak zaczął się proces marynowania starszego lejtnanta Lawendowskiego...

Postawiony przed papuzio jaskrawym Maulaną, ubranym w szkarłatny turban i purpurowy kaftan, Sergiusz musiał wyglądać i wonieć tak, że afgański kupiec, choć wyglądał jak turecki kat, postanowił okazać mu łaskę, oświadczając, że podzieli się władzą dowódcy wyprawy, jeżeli „siostrzeniec jego najdroższego przyjaciela" zdoła tylko jeden raz wrzucić cielęcy zezwłok do wyznaczonego na boisku kręgu. Byłaby to jednocześnie dobra wiadomość i zła (że cielak, a nie znacznie lżejsza koza), gdyby nie fakt, że natychmiast objawy udaru słonecznego wykazał Iwan Iwanowicz, zakładając się, że Sergiusz wrzuci dwa razy! „Nie uchodzi, Siergieju Henrykowiczu, nie okazać wiary w krewnego", tłumaczył się potem ruski skurczybyk. A zatem na początek były dwie złe wiadomości, i to najwyraźniej odmiennej płci, bo przejawiające dużą chęć rozmnażania... Na wpół ugotowanemu w *czapanie* Sergiuszowi pozostał już tylko czarny humor.

Wszystkich zawodników było piętnastu. Zapowiadał się więc naprawdę duży tłok i rejwach nad cielęcą trumną... Jedynym jaśniejszym akcentem była dziś Swietłana, kiedy wystrojona w szmaragdy od Kuroczkina zajęła miejsce na trybunie honorowej.

Czapandozi stanęli szeregiem przed dostojnym sędzią zawodów, noszącym dumnie na śliwkowym chałacie kilka pokrytych patyną medali oraz gwiaździsty order otrzymany z rąk samego szacha. Sędzia główny w towarzystwie dwóch sędziów pomocniczych najpierw uważnie zlustrował jeźdźców, po czym z powagą zapytał, czy nikt nie ma ze sobą żadnej broni, zwłaszcza noża, a następnie przypomniał podstawowe reguły gry, których nieprzestrzeganie spowoduje usunięcie z boiska. Bodaj każdą z tych zasad wymyślono specjalnie po to, by zrobić na złość Sergiuszowi Lawendowskiemu! Ważącego dobre trzydzieści kilo świętej pamięci cielaka nie wolno było w żadnym wypadku przekładać przez kulbakę, przywiązywać do siodła ani wplątywać jego nogi w strzemię, na co starszy lejtnant w skrytości ducha liczył. Dopuszczalne było jedynie przyciśnięcie go kolanem lub udem do końskiego boku.

Po udzieleniu pouczenia wszyscy zwrócili się w stronę Mekki i sędzia główny w imieniu swoim i zawodników wyrecytował fragment Koranu. Tym razem starszy lejtnant nie zapomniał się przeżegnać.

Żeby przypadkiem o nim samym nie zapomniano, dopilnował *dżorczi*, czyli herold, który wjechał na plac, kiedy skończono modły. Osobnik ten w słomianym kapeluszu ozdobionym wielkim pękiem kolorowych kogucich piór, niczym konny klaun, zaczął krążyć między jeźdźcami, przedstawiając „najszlachetniejszej publiczności" ich imiona, pochodzenie, patrona, dotychczasowe sukcesy oraz najciekawsze wypadki, którym ulegli podczas gry, choćby: „nikt dotąd z takim rozmachem jak niezapomniany Nozuk Ali nie zdemolował pełnych trybun w Heracie, wjeżdżając w nie cwałem w przedostatnim roku panowania czcigodnego ojca naszego szacha!". Ma się rozumieć, najwięcej swej *vis comica* poświęcił Sergiuszowi, między innymi inicjując publiczną zbiórkę pieniędzy na wdowę po nim, która – jak widać – jest tak biedna, że nie stać jej nawet na porządną burkę... Szybko wrzucono do jego kapelusza ze dwie garście miedziaków, które chwilę później demonstracyjnie usypał przed siedzącą w złocie i klejnotach Swietłaną. Zniosła to z godnością królowej. Prawem błazna *dżorczi* mógł sobie pozwolić na wszystko. Na ile faktycznie sobie pozwolił, tego starszy lejtnant już się nie dowiedział, bo Zakani przestał tłumaczyć i pożegnał się, oschle życząc mu szczęścia. W każdym razie publika jeszcze długo ryczała ze śmiechu. Sergiusz z tego wszystkiego wyłowił tylko słowa „biały tyłek" i „marynata".

Wreszcie – o nie!, to nie był ponury żart! – zaczęto rozgrzewkę… Sergiusz uznał, że nadeszła najwyższa pora przestać się mazgaić i myśleć o tym, jak bardzo chciałby być gdzieś indziej. Był tu, gdzie chciał być! Pochylił się, wymówił w ucho Torszi pierwszą komendę i ruszyli w szybki objazd boiska.

Należało zapomnieć o upale, upokorzeniu, niedostatkach treningu, a wczuć się w rytm biegu konia i skupić na posiadanych atutach. Te zaś były takie, że Sergiusz naprawdę dobrze jeździł konno, i to w wielu stylach, podczas gdy tubylcy znali tylko swoją tradycję. Tym można ich było zaskoczyć. Ponadto pozwolono mu wziąć dwie nahajki, z tego jedna miała tak obciążoną końcówkę, że ciasno owijała się wokół uderzonego nią przedmiotu i przez sekundę, dwie mogła działać jak lasso. To dawało nadzieję przezwyciężenia pierwszej, najgroźniejszej inercji podrywanego z ziemi zezwłoku.

Kiedy starszy lejtnant wciąż zwierał swoje duchowe szeregi, rozległ się gwizdek rozpoczynający grę i *czapandozi* ruszyli. Sergiusz zareagował za późno i nie zdołał się wcisnąć do czołówki zawodników pędzących do „piłki". Za to bardzo szybko, właściwie natychmiast, przekonał się, że gracze potrafiący z pędzącego konia podnieść z ziemi i utrzymać w jednym ręku ciężkie zwierzę, mają tyle „pary w garści", że od ich ciosu nahajką jego *czapan* chroni niewiele lepiej niż jedwabna chusteczka do nosa…

Torszi reagował bezbłędnie, chwilami wykazywał nawet własną inicjatywę, przepychając się z innymi końmi, ale i on, i jego pan zamiast punktu dostali tylko solidne baty. Do martwego cielaka, zanim pochwycił go i wrzucił do koła pierwszy zawodnik, nie zdołali się zbliżyć na mniej niż trzy metry. Tyle dobrego, że otrzymane lanie sprawiło, że Sergiusz przestał czuć cokolwiek poza wolą walki.

W drugiej rundzie nie dał się już wymanewrować ani zepchnąć z obranego kursu. Dopadł cielaka tylko z dwoma innymi jeźdźcami, którzy jednocześnie wpadli na ten sam pomysł, jak pozbyć się zagranicznego konkurenta, i z okrzykiem *ahłola!* postawili wierzchowce dęba, godząc przednimi kopytami w głowę starszego lejtnanta.

Sergiusz zanurkował pod koński brzuch niczym północnoame-
rykański Indianin i przejechał przez tę osobliwą, żywą bramę, jednocześnie biorąc niski zamach nahajką. Trafił w sterczącą najwyżej nogę z uciętą racicą i martwy cielak wyjechał za nim spod
spiętrzonych gwałtownie zwierząt i ludzi.

Teraz należało szybko chwycić nogę w dłoń, zanim sędziowie
uznają, że sztuczka z niby-lassem przekroczyła granice regulaminu. Torszi zwinnie wykonał żądany zwrot i… Udało się! Natychmiast pognali w kierunku wyznaczonego kręgu.

To była niewątpliwie dobra wiadomość. Zła była taka, że starszy
lejtnant z piekielnie ciężkim truchłem w ręku nie był w stanie
wrócić do normalnej pozycji w siodle. Jechał więc częściowo wlo-
kąc cielaka po ziemi, z tyłkiem wypiętym do góry, a za nim tuzin
czapandozów rozwścieczonych tym, że jakiś przybłęda zrobił z nich
durni na ich własnym boisku… Ogarnął ich *szołk*, czyli szał, nie-
pohamowana zawziętość.

Sędziowie nie zareagowali na naruszenie regulaminu. Widać
podzielali słuszny gniew graczy.

Wzburzeni współzawodnicy jakimś cudem nie ucięli Sergiuszowi lewej nogi nahajkami, ale lewy półdupek odpadł mu na pewno… Wyraźnie to czuł. Wiedział też, że to jest jego jedyna szansa,
bo drugi raz na jego indiańską sztuczkę doświadczeni zawodnicy
buzkaszi na pewno nie dadzą się nabrać.

Powinni byli jeszcze spróbować zajechać mu drogę, ale zbyt sku-
pili się na praniu *safidkuna*. Sergiusz wytrzymał i zdobył punkt!
Większym problemem było ponowne usadowienie się w siodle. Ciało poniżej pleców wręcz krzyczało, by dalej jeździć na stojąco…

Ale przecież nie musiał już grać! Dopiął swego, a Kuroczkin
sam był sobie winny. Sergiusz spokojnie podjechał pod trybunę
honorową, żeby spojrzeć w oczy Hafizullaha. Ten był tak wściekły,
że w swoim czerwonym turbanie wyglądał teraz jak przegrzany
szybkowar. Gdy starszy lejtnant się zbliżył, Maulana poderwał się
na równe nogi i wykrzyczał do niego oraz Kuroczkina, że chce za-

kładu o drugi punkt i potraja swoją stawkę, ale dla nich to będzie gra o wszystko albo nic! Rosyjski kupiec za plecami afgańskiego wspólnika złożył ręce i najwyraźniej modlił się do oficera o zmiłowanie nad jego gotówką.

To musiał być szok po chłoście... Sergiusz dopiero po chwili zdał sobie sprawę, że kiwnął twierdząco głową. Klamka zapadła! Maulana Hafizullah uśmiechnął się demonicznie i zajął z powrotem swoje miejsce. Zakani, jak wypadało mędrcowi w okolicznościach zbyt głęboko obrażających rozum, miał twarz z kamienia.

Cóż było robić, starszy lejtnant zawrócił na boisko. *Czapandozi* już się z nim nie patyczkowali. W trzeciej rundzie Sergiusza zwalono na ziemię razem z koniem. Torszi podniósł się pierwszy i jak przystało na dobrze wyszkolonego wierzchowca do *buzkaszi*, stanął okrakiem nad swoim gramolącym się na czworakach jeźdźcem, chroniąc go od większego poturbowania. Sędzia przerwał grę, upewnił się, czy biały zawodnik chce do niej wrócić, i odgwizdał ciąg dalszy.

Czwartą i piątą rundę Sergiusza przetrwał jak w malignie. Czuł tylko ból. Kiedy doszło do wypadku i z boiska zniesiono jakiegoś nieszczęśnika, starszy lejtnant był szczerze zdumiony, że to nie on... Natomiast cielaka nawet nie dotknął i nie zanosiło się, by kiedykolwiek więcej miał to zrobić. *Czapandozi* już go nie lekceważyli i bezceremonialnie wykorzystując przewagę doświadczenia, udaremniali w zarodku każdą sztuczkę cudzoziemca. W szóstej rundzie definitywnie stracili cierpliwość do namolnego przybłędy. Nagle kłębiąca się wokół Sergiusza gromada zgęstniała, tworząc sztuczny tłok. Błysnął krzywy, ostry jak brzytwa kindżał i lejce zostały oficerowi w rękach...

Grę oczywiście przerwano, ale sprawca upuścił nóż, zanim starszy lejtnant, wypatrujący cielaka w kurzu pod kopytami, zdołał unieść i odwrócić głowę, by spostrzec, kto to był. Sędziowie też nie zauważyli lub wiedzę tę zachowali dla siebie... Na nieme pytanie sędziego pomocniczego, czy chce się wycofać z powodu uszkodzenia uprzęży starszy lejtnant pokręcił przecząco głową. Wciąż jeszcze mógł się trzymać grzywy.

W siódmej rundzie stał się cud. Sergiusz dostał nahajką po oczach, ale bicz trafił dokładnie w obie kości policzkowe i w nasadę nosa, słowem, w najsolidniejszą część twarzy! Milimetry wyżej, a pękłyby gałki oczne lub łuki brwiowe, ciut niżej, a zostałby bez nosa lub górnej wargi. Taki cios po prostu musiał skończyć się okaleczeniem eliminującym z dalszej gry. A jednak, choć zapuchnięty jak nieboskie stworzenie, starszy lejtnant wciąż widział i mógł grać. Dlatego to był cud!

Tym razem regulamin *buzkaszi* złamano zbyt drastycznie, aby sędziowie mogli dalej przymykać oczy. Winowajcę zdyskwalifikowano i usunięto z boiska. Co więcej, publiczność pożegnała go wzgardliwym zawodzeniem, a na widok Sergiusza powracającego do gry odezwały się pierwsze okrzyki uznania. Także *dżorczi* zmienił ton i już nie wyśmiewał się z *torszi safidkun,* „marynowanego białego tyłka"...

Od tej pory *czapandozi* woleli nie ryzykować utraty honoru, więc grali czysto. Przynajmniej wobec Sergiusza, bo w ósmej rundzie zabrano na noszach kolejnego pechowca. Przeciwników zostało jedenastu, czyli teoretycznie szanse starszego lejtnanta wzrosły, ale dużo większe znaczenie okazały się mieć upał, ból i zmęczenie. Także Torszi nie śmigał już jak na początku.

Należało pogodzić się z klęską. Sergiusz nie liczył się już w tej rozgrywce. W dziewiątej i dziesiątej rundzie coraz szybciej i skuteczniej wypychano go z centrum wydarzeń. W jedenastej w ogóle się do niego nie dostał. Właściwa walka rozgrywała się teraz pomiędzy dwoma *czapandozami*, którzy zdobyli po trzy punkty, a reszta zawodników pomagała jednemu lub drugiemu. Praktycznie zapomniano o niedouczonym Europejczyku, który bezradnie krążył na obrzeżach końsko-ludzkiego wiru.

Dlaczego stanął do dwunastej rundy, starszy lejtnant nie wiedział. Wszystko przemawiało za wycofaniem się. Nawet walka o sam honor nie miała już sensu, bowiem łatwo mogła przerodzić się w ośmieszenie podczas kolejnej nieporadnej próby dostania się do cielaka.

Jednak spiął konia i ruszył znowu. Z dziecinną łatwością odcięto mu drogę i znów wypchnięto na bok. Braku lejców mimo najszczerszych chęci w żaden sposób nie dało się zignorować.

Prowadzący czterema punktami *czapandoz* z triumfalnym okrzykiem, zamaszyście poderwał z ziemi cielęce truchło kolejny raz. Jego konkurent w tym momencie energicznie naparł na niego koniem, wytrącając go z równowagi. By się ratować przed upadkiem, zawodnik puścił cielaka i pospiesznie złapał za łęk siodła. „Piłka" poleciała bezwładnie, prosto na Sergiusza, który akurat był w tym miejscu i przemieszczał się w tym samym kierunku co truchło. Nie było więc problemu z pokonaniem bezwładności wielkiej bryły brudnego mięsa. Wystarczyło złapać za nogę, po czym jechać do kręgu, który był tuż. Starszy lejtnant dojechał, rzucił w sam środek i dopiero teraz zdał sobie sprawę, że stał się kolejny cud. Taki swojski, dwóch się biło, a on skorzystał…

Zupełnie nie wiedział, co go podkusiło, ale w następnej chwili podjechał do plebejskich trybun i ile tchu w płucach wrzasnął: *Allah akbar!*

Tłum eksplodował entuzjazmem. Wiedziano, że grał tylko o dwa punkty, *dżorczi* już to wcześniej rozgłosił, więc zwycięstwo cudzoziemca było dla wszystkich oczywiste. Teraz dziesiątki ust szczerze krzyczały: *safid czapandoz!*, biały zawodnik! To było jak druga promocja oficerska. Sergiuszowi zrobiło się tak błogo…

Starszy lejtnant ruszył do trybuny honorowej, zastanawiając się leniwie i coraz leniwiej, czy zemdleje teraz, czy zdąży jeszcze o własnych siłach zsiąść z konia?

Swietłana, Kuroczkin i Jewgienij stali i bili brawo, że mało im ręce nie odpadły. Maliniak też. Zakani nie klaskał, patrzył jak na Marsjanina. Maulana Hafizullah siedział nieporuszony niczym głaz.

Najbardziej elegancko w tej sytuacji zachował się *dżorczi,* który wyprzedził oficera i zgarnął z powrotem leżące przed Swietą drobne na burkę, oznajmiając, że rozda je na jałmużnę, po czym demonstracyjnie przeprosił Rosjankę, kłaniając się jej nisko z ręką na sercu. Swietłana przyjęła przeprosiny monarszym skinieniem głowy, a Sergiusz ze swej strony doszedł do wniosku, że zacznie umierać dopiero za pięć minut, bo zbyt ciekawe rzeczy się tutaj działy...

Przede wszystkim *dżorczi* znalazł sobie nową ofiarę. Był nim nie któ inny, tylko Maulana Hafizullah. Herold nagle przypomniał sobie oraz pozostałym, że zawodnik wykluczony z gry za niesportowe zachowanie należał do drużyny afgańskiego kupca. I czyż tak znakomitych kindżałów nie można przypadkiem kupić w jego sklepie?

To wprawdzie Sergiusz wyglądał, jakby zgubił twarz, ale wszystko wskazywało, że naprawdę straci ją Maulana. Publicznie i oficjalnie... Porównanie do przegrzanego szybkowaru w żadnym wypadku nie oddawało obecnego stanu oblicza kupca. Piec hutniczy też nie. Takiego urządzenia jeszcze z całą pewnością nie wynaleziono. Honorowy przewodniczący zawodów wyglądał, jakby zaraz uszami miały wylecieć mu dwa wściekłe dżiny, zdolne obrócić w perzynę cały Kabul.

Wydawało się, że stolica Afganstanu przepadła, ale o dziwo, Maulana Hafizullah jakimś cudem się opanował i zdołał odwrócić sytuację na swoją korzyść. Wstał, po czym dumnie ogłosił, że dotrzyma nie tylko warunków zakładu, ale dodatkowo ofiarowuje białemu *czapandozowi* konia, którego ów używał w zawodach.

Torszi był Sergiusza! Rasowy, specjalnie hodowany i szkolony przez lata rumak do *buzkaszi*... Wobec takiego *salam* nie można było zrobić nic innego, tylko wysławiać pod niebiosa godną szacha hojność ofiarodawcy i *dżorczi* tym właśnie się teraz zajął.

Bynajmniej nie oznaczało to, że Maulana nagle przestał być świnią. Kiedy opuszczali stadion, afgański kupiec oznajmił, że wymarsz ekspedycji karnej nastąpi jutro o świcie. Protesty Kuroczkina i Zakaniego zignorował, po czym pożegnał się zimno, stwierdzając, że musi iść do domu, aby przygotować się do długiej wyprawy.

Sergiusz miał do wyboru: albo wziąć w niej udział w charakterze żywego trupa, od którego już teraz niewiele się różnił, a strach myśleć, jak będzie wyglądał i czuł się rano... Albo zadbać o swoje zdrowie, którego Maulana Hafizullah życzył mu z całego serca i gorąco modlił się w tej intencji do Allaha. Nawet przegrawszy i uznawszy publicznie swoją przegraną, chytry afgański kupiec tak naprawdę przegrywać ani przez chwilę nie zamierzał...

Zdesperowany starszy lejtnant uznał, że nie po to wziął baty co najmniej dwa razy takie, jakie należały się Maliniakowi, żeby teraz zostać li tylko z pręgami. Z furią zażądał od Kuroczkina lodu i masła do smarowania siniaków, a od Zakaniego wykazania się wiedzą medyczną, cudotwórstwem, aryjską magią... Cokolwiek wielmożny pan Pers umie i na pewno nie będzie to dla niego zbyt trudne, skoro nie musi się już uczyć sztuki nastawiania kręgosłupa!

Mówiąca księga

Farhad Darius Kacper Zakani okazał się naprawdę mądrym człowiekiem. Akurat nie z tego powodu, że spokojnie zniósł wybuch obolałego Sergiusza, choć pół-Tadżyk zawinił, a Persa za to obsobaczono. Przede wszystkim dlatego, że zdołał powstrzymać się od mądrzenia.

A naprawdę łatwo o to było, zwłaszcza kiedy z pomocą Swietłany rozebrał starszego lejtnanta w ich sypialni, odsłaniając w całej okazałości wszystkie rezultaty walecznej rozgrywki. Słowa „a nie mówiłem!" same cisnęły się na usta. Nie żałował ich sobie Kuroczkin, który osobiście dostarczał potrzebne medykamenty. Ponadto kupiec w gronie samych swoich głośno wyrzekał na szacha, który stracił znakomite widowisko, a poczciwemu Iwanowi Iwanowiczowi uniemożliwił zawarcie korzystnych znajomości. Z taką marną zdolnością przewidywania jego wysokość Habibullah Chan na pewno kiedyś źle skończy! A tak poza tym, to przecież on z drogim Sergiuszem Henrykowiczem świetny interes zrobili na tym upartym Hafizullahu! Koniecznie warto by tak częściej…

Z własnej inicjatywy kupiec przyniósł wódkę, ale Zakani nie pozwolił się Sergiuszowi napić, stwierdzając, że może on mieć z gorąca początki udaru słonecznego i alkohol by mu poważnie zaszkodził. Oznaczało to też, że nic nie stępi bólu. Opium Kuroczkin na składzie oczywiście miał, ale po narkotyku starszy lejtnant nie zdołałby rano wyjechać. Tyle dobrego, że chociaż większość pręg była do krwi, skóra nigdzie nie została przecięta, nawet na nosie, więc nie trzeba było nic szyć. Otarcia zdezynfekowano letnią esencją herbacianą, od jodyny Sergiusz skonałby z bólu. Zwykłe siniaki na-

174

smarowano mu masłem, po czym przyłożono lód, ale też nie w takiej ilości, jakby wypadało, bo starszy lejtnant dla odmiany zamarzłby na śmierć.

Na osobisty komentarz Zakani zdobył się dopiero na odchodne.

– Na Ormuzda, panie Lawendowski! Prawie mnie pan dziś przekonał, że nie ma boga nad Allaha, a Mahomet jest jego prorokiem!

Kiedy zostali sami, Swietlana od razu się rozebrała i położyła obok Sergiusza. Delikatnie masowała ślady razów, pieściła go i całowała, tak długo i cierpliwie, że w końcu to ze sobą zrobili. Bardzo ostrożnie wprawdzie, jak para jeży, a w szczytowym momencie, gdy napięło się obite ciało, więcej było bólu niż rozkoszy, ale przynajmniej dzięki temu starszy lejtnant zapadł w płytki, męczący półsen z myślą, że będzie żył...

Przebudzenie z miłosnej narkozy było pierwszym koszmarem. Ubieranie do drogi drugim, ale oba były niczym wobec trzeciego – konieczności ponownego usadowienia się w siodle. Mimo że przewidujący Kuroczkin kazał grubo wymościć je najdelikatniejszym karakułowym wojłokiem.

Nikt się z tego nie śmiał. Przeciwnie, wszyscy najemnicy okazywali zrozumienie i uznanie, a nawet sami proponowali, co tylko mieli najmiększego. Torszi na pierwszy widok swojego pana trochę się boczył, przestał dopiero, gdy usłyszał jego głos. Wskoczyć na koński grzbiet Sergiusz o własnych siłach nie był w stanie. Musiano mu zaimprowizować schody z kilku drewnianych skrzynek.

Przez pierwszą minutę w siodle starszy lejtnant najwyższym wysiłkiem woli powstrzymywał się, by nie wyć z bólu, ale wytrzymał. Potem ogarnęło go niezachwiane przekonanie, że pisane mu jest wkrótce umrzeć na gangrenę dupy. Kiedy jednak zjawił się Maulana, oficer patrzył na niego znad zapuchniętych sino dolnych powiek już tylko z zimną nienawiścią.

Hafizullah przywitał się, jak gdyby nigdy nic. Tym razem ubrał się bez perskiego przepychu, w zlewającą się z otoczeniem ciemną zieleń i brąz. Wyglądał prawie jak wszyscy, tylko jego ubranie było czyste, nowe i z tkanin znacznie lepszej jakości. Kupcowi towarzyszyła nowa znacząca osobistość – mułła Nurullah, trzydziestoletni fanatyk, który od pierwszej chwili patrzył na Sergiusza i jego towarzystwo z nieukrywaną niechęcią. Oficjalnie duchowny jechał z nimi w charakterze sędziego, żeby pojmanych złodziei można było na miejscu ukarać jak należy. Faktycznie mułła był trzecim dowódcą wyprawy, czyli jak łatwo zgadnąć on i Hafizullah w razie potrzeby mieli większość dwóch trzecich głosów...

Na razie starszy lejtnant nie miał siły się tym martwić. Otwarto bramę, Kuroczkin zawołał głośno: *Buru beheir!*, szczęśliwej drogi! Spirydon Feliksowicz dyskretnie odjeżdżających przeżegnał, a Swietłana machała z okna.

I ruszyli.

Planowali wrócić za niecałe dwa tygodnie. Droga do wioski bandytów miała im zająć cztery dni marszu na północny wschód, cały czas pod górę, na północne obrzeża doliny Pańdższiru, położone jakieś dwa kilometry powyżej Kabulu. Tam, *inszallah*, uporają się ze zbójami w jeden dzień i odbiją heliodory. Następnie mieli jeszcze przejąć nowy transport szmaragdów, czekający już na nich w kopalni odległej o dwa dni marszu od siedziby bandytów, a potem szybko z górki, z powrotem do stolicy.

W porównaniu z trasą z Petersburga był to wręcz spacerek. Niestety, w obecnym stanie zdrowia Sergiusz nie mógł cieszyć się krajoznawczą wycieczką ani podziwiać niewątpliwego piękna krajobrazu, szczególnie gór przepasanych czerwonymi, żółtymi, brązowymi oraz zielonymi wstęgami żył rud metali, mieniącymi się w słońcu wszystkimi możliwymi odcieniami. Kiedy znikł chłód poranka i nastał upał, z każdą upływającą godziną starszy lejtnant racił siły.

Wytrzymał jako tako do południowego postoju, kiedy to Nurullah i Maulana uchwalili, że ich oddział nie zatrzyma się dziś na noc, żeby szybciej dotrzeć do celu. Całodobowy marsz był dla

Sergiusza niewykonalny i obaj o tym doskonale wiedzieli. Chcieli, by starszy lejtnant padł z wyczerpania i zmuszony był zostać ze swoimi w jakiejś wiosce po drodze. Cóż, wola Allaha! Rzecz jasna, swoją broń powinni wtedy przekazać tym, którym będzie bardziej potrzebna...

Obaj intryganci bardzo się jednak przeliczyli, nie biorąc pod uwagę szacunku, jakim najemnicy zaczęli darzyć Sergiusza. Tytuł białego *czapandoza*, którym spontanicznie obdarzono go na boisku, był naprawdę wielkim zaszczytem, a największe uznanie dla sportowej walki oficera okazywali ci, co znali ją tylko z opowieści obowiązkowo ubarwianych za każdym powtórzeniem. Słowem, wybuchł prawie bunt, bo „ich" *czapandoz* musi wypocząć, a marsz w nocy będzie dobry dopiero, gdy zbliżą się do siedziby zbójców. Niespodzianie okazało się, że Sergiusz ma ponad sto najtroskliwszych brodatych nianiek. Wobec tak stanowczej postawy swej wiernej „owczarni" mułła Nurullah postanowił nie ryzykować gwoździków w dywaniku modlitewnym ani czegoś dużo bardziej przykrego i rakiem wycofał się z tego pomysłu. Przypomniał sobie, że w Koranie jest dużo o miłosierdziu.

Na razie jednak perspektywa spokojnej nocy była bardzo odległa w czasie i przestrzeni. Przed zachodem słońce mogło wykończyć starszego lejtnanta równie skutecznie jak mułła i kupiec razem wzięci. Wobec tego najemnicy czym prędzej zmajstrowali baldachim, który na czterech kijach nieśli nad Sergiuszem, traktując to z całą powagą, niemalże jak zaszczyt i zmieniając się regularnie. Sarkastycznych pomysłów na skomentowanie tej sytuacji przychodziło do głowy starszego lejtnanta bez liku. Na przykład, że wygląda jak pobity ksiądz w Boże Ciało... albo święta ofiara losu... albo diabelska oblubienica...

Samopoczucie Sergiusza po ośmiu godzinach jazdy dobrze oddawał projekt wymyślony przez Francuzów po wielkim laniu w wojnie 1870 roku, aczkolwiek dotąd niezrealizowany, gdyż pomysłodawcy postanowili zaczekać, aż będą mogli wziąć niezidentyfikowane ciało z pola wielkiej zwycięskiej bitwy, a tych ostatnio los słodkiej Francji skąpił. Sergiusz mianowicie czuł się jak Grób Nieznanego Żołnierza, a uściślając, jak ruchomy Kurhan Nieznanego Kawalerzysty. Porównanie było o tyle trafne, że z całą pewnością spełniał najważniejsze z wymagań francuskiego projektu, czyli nikt by go teraz nie rozpoznał, nawet rodzona matka.

Maulana Hafizullah, by przypodobać się swoim najemnikom, zarządził biwak zaledwie po dwunastu godzinach od wyjazdu z Kabulu. Głupia sprawa, ale Sergiusz już go nie nienawidził. Był wdzięczny, a nawet skłonny całować drania po rękach... Kiedy tylko Jewgienij i Maliniak przygotowali mu posłanie, padł na nie brzuchem jak żaba i natychmiast zasnął tak mocno, że zaniepokojony Zakani co godzinę sprawdzał, czy oficer jeszcze żyje.

Następnego ranka Sergiusz wstał tylko trochę mniej opuchnięty i obolały, ale już znacznie silniejszy. Nie osłabł też w ciągu dnia i na postojach był w stanie pomagać w pracach obozowych. Wieczorem w oczach Hafizullaha dostrzegł pierwszy błysk niechętnego uznania.

Trzeciego dnia ujrzeli rozciągającą się pod nimi zieloną dolinę Pańdższiru. Zaiste, zasługiwała ona na tytuł Dwakroć Szmaragdowej! Teraz Sergiusz był w stanie cieszyć się jej widokiem, choć na pewno bez wzajemności... W tej chwili tylko on przejawiał jeszcze jakiś wisielczy humor. Dawna rozbrykana banda sztubaków niepostrzeżenie zmieniła się w wojsko. Nikt już się nie wygłupiał, rozkazów nie komentowano, rozmowy ograniczały się do minimum. W oczach jeźdźców coraz wyraźniej widoczna była zaciętość. Czuło się, że idą załatwić sprawę i że ktoś tego nie przeżyje.

Czwartego dnia wyprawy starszy lejtnant całkowicie odzyskał siły, chociaż nadal wyglądał tak, że w mijanych wioskach dzieci na jego widok uciekały z krzykiem. Pora, aby wyzdrowieć, była najwyższa, bo właśnie teraz Maulana zarządził najpierw zwiększenie tempa, by nie wyprzedziła ich wiadomość, że nadchodzą, a wieczorem całonocny marsz i teraz wszyscy zgadzali się, że tak trzeba. Mieli zamiar o zmroku zejść z ogólnie uczęszczanego szlaku i pod osłoną ciemności szybko zbliżyć się do celu. Wioska bandytów leżała w niewielkiej dolinie położonej wysoko i na uboczu, ale znających te okolice przewodników było wśród nich tylu, ilu trzeba. Kiedy się przejaśni, powinni już być na miejscu, o pierwszym brzasku otoczyć złodziejskie gniazdo i wraz ze wschodem słońca, uprzednio odmówiwszy modlitwę, przystąpić do wymierzania sprawiedliwości.

Ten plan został wykonany do modłów włącznie, przynajmniej w przypadku najpobożniejszych najemników. Kłopoty zaczęły się wkrótce potem.

Miejsce, w którym leżała wieś bandytów, było trochę za małe jak na górską dolinę, kwalifikowało się ono raczej na wielką półkę skalną, głęboką na trzysta metrów i szeroką na dwieście, położoną sto metrów poniżej lokalnej grani, ale na pewno sporo powyżej trzech kilometrów nad poziomem morza.

Przylegające ciasno do siebie, pudełkowato-obłe budynki z szarobiałej gliny od razu kojarzyły się z gniazdem os lub szerszeni, uczepionym niedosiężnej, skalistej turni. Był to jednak mylny osąd, gdyż miejsce to samo w sobie nie stanowiło punktu obronnego. Można było tu dojść trzema, czterema drogami, zarówno z dołu, jak i z góry. Widać było, że nie zawsze żyli tutaj źli ludzie, a pierwotni mieszkańcy bardziej od niedostępności cenili sobie wygodne drogi do przepędzania stad owiec.

Teraz jednak czasy uczciwości najwyraźniej przeminęły. Całą wioskę otaczał trzymetrowy mur z kawałków łupka spojonych gliną. Na zewnątrz muru miejsca było bardzo niewiele, już o kilkanaście, gdzieniegdzie trzydzieści kroków dalej wyrastały skaliste stoki doliny, porośnięte trawą i kosodrzewiną. Ulica w wiosce była jedna, biegła dokładnie przez środek do stojącego w głębi dolinki niewielkiego meczetu, a raczej budynku udającego muzułmańską świątynię. Wątpliwości budziło już samo jego usytuowanie – powinien stać po przeciwnej stronie wioski, blisko krańca doliny otwierającej się na południowy zachód, tak żeby wierni mieli doskonały widok na Mekkę. Kto wie, może nawet dałoby się stąd dojrzeć święte miasto przez astronomiczny teleskop...? Obok niby-meczetu biło źródło, starannie ocembrowane i otoczone kilkoma drzewami. Prosty muzułmanin uznałby, że urządzono je po to, by móc obmyć się przed modlitwą. Europejczyk z klasycznym wykształceniem od razu widział antyczny grecki gaj, niewątpliwie poświęcony Zeusowi...

Tam gdzie powinien stać meczet, czyli przy bramie wioski w szerszym końcu doliny, zamiast świątyni wznosiła się całkiem solidna fortalicja z pięciometrowym murem i przysadzistą wieżą, a raczej basztą, wysoką na blisko osiem metrów. W górnej części muru i baszty znajdowały się liczne otwory strzelnicze. Do fortu przylegała główna brama wioski, obecnie zamknięta i zastawiona dodatkowo dwoma wozami wyładowanymi drewnem. Nigdzie nie było widać żywej duszy, a doprawdy trudno uwierzyć, aby wszyscy tu spali snem sprawiedliwego.

Najemnicy Maulany podchodzili w trzech grupach – od głównej drogi, przez wschodnią krawędź doliny, to jest na prawo od punktu obserwacyjnego Sergiusza, oraz od północnej grani, czyli od końca osady przy świętym gaju i źródle. Wieś była zatem otaczana tylko z trzech stron, ale czas i warunki terenowe nie pozwalały na więcej. W tej kwestii Sergiusz nie miał Hafizullahowi nic do zarzucenia.

Znacznie gorsza była reakcja kupca na fakt, że zostali wykryci... Mułła Nurullah koniecznie chciał dociec, czy zbójcy wiedzieli o nich wcześniej, czy bandyckie straże wypatrzyły przemykające między skałami sylwetki ich ludzi. Tylko jakie to miało znaczenie, gdy mieszkańcy wsi już zaczęli strzelać? Na razie była to niegroźna, luźna palba, której cały sens militarny sprowadzał się do komunikatu: „Widzimy was!"

Sergiusz zignorował marudzenie duchownego i zaczął tłumaczyć Maulanie, że skoro z zaskoczenia nici, to nie muszą się już spieszyć ani maskować. Mogą w zamian szczelniej otoczyć całą wioskę, a następnie spokojnie przygotować się do ataku. Przydałyby się im zwłaszcza improwizowane drabiny, bo przewodnicy ani słowem nie wspomnieli o murze. O forcie strzegącym bramy zresztą też jakoś zapomnieli...

Kupiec może i w młodości walczył z Anglikami, ale z całą pewnością nigdy wtedy nie dowodził, później zaś co najwyżej batalionem księgowych, a to nie to samo. Hafizullah uznał, że ma tak wielką przewagę liczebną, że żadne cudzoziemskie fanaberie nie są mu do niczego potrzebne. Po zapewnieniu mułły, że Allah jest *akbar* i na pewno z nimi, wydał rozkaz frontalnego ataku ze wszystkich stron. Sergiusz zgodnie ze swoimi przewidywaniami został przegłosowany.

Całe szczęście, że najemnicy nie byli tak głupi jak dwie trzecie ich dowództwa i nie wyskoczyli zza skał prosto pod lufy obrońców, tylko na własną rękę zaczęli przygotowanie ogniowe, stopniowo w jego trakcie zmieniając stanowiska i skokami zbliżając się do zabudowań.

Krótko mówiąc, wybuchła dzika, bezładna strzelanina.

Jewgienij i Maliniak przyłączyli się do niej chętnie, lecz niewiele to pomogło. Pół godziny później stało się dla starszego lejtnanta jasne, że nic z tego pukania nie będzie. Nie udało się zaryglować ogniem karabinowym otworów strzelniczych w domach, forcie i jego baszcie. Było ich zbyt wiele, a obrońcy za często zmieniali pozycje. Atakujący nie mieli aż tylu możliwości wyboru stanowisk i to oni pierwsi zaczęli padać od kul. Jedyny pożytek z tego hałaśliwego palenia prochu sprowadzał się do tego, że Sergiusz zdołał oszacować siłę ognia bandytów na jakieś siedemdziesiąt, osiemdziesiąt luf. To praktycznie przesądzało o losach tak zorganizowanego ataku, ale wszak Maulana tu dowodził...

Ostatnią nadzieją na uciszenie obrony i zrobienie w murze wyłomów umożliwiających wdarcie się do osady była ich „wielbłądzia artyleria", jednak obaj egzotyczni bombardierzy dużo bardziej dbali o to, aby ich baktrianom nie stała się krzywda, niźli o celność ostrzału. Przemykali wysoko pomiędzy skałami, a gdy znaleźli kawałek w miarę równego terenu, odpalali swoje ciężkie rusznice i uciekali najszybciej, jak się dało. Najefektowniejsze w tym wszystkim były piruety, które kręciły masywne, dwugarbne wielbłądy pod wpływem siły odrzutu. Przednie nogi rozstawiały szeroko, robiąc dwa kroki w bok, a tylnymi w tym czasie szybko drobiły w przysiadzie, tak że w sumie wychodził im fragment spirali. Manewr ten był naprawdę dobrze przemyślany, a wykonujące go zwierzęta świetnie potrafiły zachowywać równowagę i była to doprawdy uczta dla oczu każdego miłośnika baletu. Cóż z tego, skoro całością bitwy dowodził osioł!

Natomiast skuteczność wielbłądzich armat, mimo całej groteskowości tej formacji zbrojnej, była wcale, wcale... Co prawda pociski rzadko osiągały cele o jakimkolwiek znaczeniu dla losów tej bitwy, ale jednak Sergiusz przekonał się, że kamienna kula wielkości pięści w konfrontacji z murem z suszonej na słońcu cegły wcale nie jest tak anachroniczna, jak mogłoby się wydawać. Od jednego z trafionych przypadkiem domów odleciał cały narożnik. Oby tak dalej! I oby częściej niż raz na trzy kwadranse...

Po godzinie strzelaniny atakujący zaczęli powoli dochodzić do wniosku, że trzeba kończyć, by oszczędzić amunicji, bo wstydu już się nie da. Także do Hafizullaha zaczęło docierać, że zrobił z siebie durnia. Zakani znów miał wzrok nieprzenikniony, co znaczyło, że uważa wszystkich wokół za idiotów. Z całą pewnością zasługiwał na ten osąd mułła Nurullah, który akurat zaczął bełkotać coś o *szahidach* i świętej wojnie. Jewgienij, jak przystało na weterana wojny krymskiej oraz doświadczonego matrosa floty czarnomorskiej, machnął w końcu ręką na takie marynarskie wojowanie w wysokich górach i wrócił z pierwszej linii, by zrobić wreszcie coś sensownego, czyli herbatę. Maliniak zaś bawił się znakomicie.

Niebawem Sergiusz, obserwując pole bitwy przez lornetkę i jednocześnie popijając z kubka gorący słodki napar, spokojnie czekał, aż Allah raczy spuścić tu rozsądek.

Zamiast tego, w dole, pod wschodnim murem wioski, jednemu z oblegających definitywnie puściły nerwy. Nagle rzucił karabin, z dzikim okrzykiem wypadł ze swej kryjówki i chwyciwszy szablę w zęby, zaczął się wspinać na mur. Występów w nierównej murarce było tyle, że się nie obsunął. I szkoda, bo gdy dotarł na szczyt, nim przelazł na drugą stronę, po prostu rozstrzelano go z czterech czy pięciu luf.

Przykład walecznego desperata nie poszedł jednak na marne. Teraz na mur rzucili się wszyscy świadkowie tego zdarzenia, którym honor był miły. Spontaniczność ataku wykluczała jednak jego koordynację. Obrońcy najpierw zareagowali morderczą salwą ze wszystkiego, co mieli, po czym Sergiusz zobaczył ludzi przebiegających przez drogę w środku wsi, by wzmocnić zagrożony odcinek. Było jasne, że ci nieliczni najemnicy, którzy zdołają przeskoczyć mur, szybko zginą w nierównej walce i nie było sposobu, aby ich wesprzeć.

Starszy lejtnant rzucił o ziemię kubkiem z herbatą.

– Natychmiast rozkaż im się wycofać! – wrzasnął do Hafizullaha.

Zakani przetłumaczył z całkowitą obojętnością.

Kupiec tym razem nie śmiał się opierać, niezwłocznie pobiegł w dół stoku, wzywając, kogo się dało, do opamiętania i odwrotu.

Oczywiście minął kwadrans z okładem, nim ten rozkaz dotarł do wszystkich i zanim go wykonano. Do tej pory stracili łącznie sześciu zabitych. Dwudziestu najemników było rannych, z tego trzynastu definitywnie wyeliminowanych z dalszej walki. Najgroźniejszy okazał się ogień ze szczytu baszty, który dosięgał każdego zakątka doliny.

Maulana Hafizullah wrócił na miejsce dowodzenia zdyszany i przygnębiony. Nie wiadomo jednak, czy klęską, widokiem ofiar czy perspektywą wypłaty zwyczajowych odszkodowań ich rodzinom.

– Mam przejąć dowództwo? – zapytał Sergiusz w odpowiedzi na powłóczyste spojrzenie kupca.

Hafizullah skinął głową.

– Niech zostanie to wszystkim ogłoszone i potwierdzone przez mułłę – postawił warunek starszy lejtnant. – Zarządzam godzinę odpoczynku!

Pierwsze polecenie Sergiusza, choć nietrudne, stanęło od razu pod znakiem zapytania, ponieważ ich tylna straż dostrzegła zbliżającą się do wioski odsiecz. Oficer przebiegł na drugą stronę okalającej dolinę grani i w odległości niespełna kilometra ujrzał sąsiedzkie pospolite ruszenie, liczące około dwustu mężczyzn, starców i chłopców. Wszyscy byli w coś uzbrojeni. Może nie tak dobrze jak najemnicy Maulany, ale wystarczająco, aby wspólnie z oblęganymi przegnać ich stąd na cztery wiatry. I tak wypadało się cieszyć, że przybysze nie byli liczniejsi, bo z pewnością ich starania o odzyskanie złotych szmaragdów usłyszała już cała dolina Pańdższiru.

Nie było co filozofować, skoro odsiecz nadchodziła dołem, oni musieli zmykać górą! Klęska wyprawy była kompletna. Teraz należało zorganizować możliwie szybki i sprawny odwrót. Dokładając przy tym wszelkich starań, żeby mandżurskie *déjà vu* Sergiusza nie okazało się zbyt podobne do pierwowzoru. Mieli na to wszystko jakieś dziesięć minut.

Mimo krytycznej sytuacji uwagę starszego lejtnanta przykuło coś jeszcze. Dzień był bezchmurny, a z miejsca, w którym stał, po wyregulowaniu lornetki bez trudu dało się dojrzeć błyszczący w słońcu, wieczny śnieg na szczycie Szach Fuladi... Sergiusz wyobraził sobie, że anteny radiowe są jak latarnie morskie. Te postawione tam i tutaj z pewnością mogłyby wymieniać sygnały. Z tą myślą jeszcze raz spojrzał na dolinę, o którą walczyli. Miejsce było strategiczne, teraz to widział! Gdyby mieszkańców było stać na fortyfikacje godne prawdziwej twierdzy, to jest zbudowanie murów na grani okalającej wieś, donżonów strzegących bramy przegradzającej wejście do doliny oraz fortów ryglujących prowadzące tu drogi, a następnie uzbrojenie tego wszystkiego w nowoczesne działa i karabiny maszynowe, miejsce byłoby nie do zdobycia, antena radiowa całkowicie bezpieczna, a Anglicy mogliby w tutaj proklamować udzielne księstwo, stanowiące podporę ich władzy nad całą doliną Pańdźsziru.

Teraz przynajmniej było jasne, dlaczego miejscowi zabrali się za rabowanie karawan przewożących kamienie szlachetne. Planowali naprawdę wielkie inwestycje w swoją mocarstwową przyszłość…

Tylko co począć z tą wiedzą teraz? Właśnie nadbiegli pozostali i Sergiusz przekazał lornetkę muzułmańskiemu duchownemu. Jakoś nie chciał być tym, który wyda rozkaz odwrotu.

Tymczasem mułła Nurullah nareszcie się do czegoś przydał.

– Niemożliwe, aby w tej okolicy mieszkali sami rozbójnicy! – wykrzyknął. – To muszą być dobrzy ludzie, strzegący prawa Allaha, a ktoś ich oszukał. Pomówię z nimi! – Oddał lornetkę oficerowi i bez wahania ruszył na spotkanie nadchodzących.

Sergiusz pod wpływem wypowiedzi mułły jeszcze raz uważnie przyjrzał się odsieczy. Rzeczywiście nie wyglądało to na zdecydowaną akcję bojową, raczej na zbrojną demonstrację solidarności z oblężonymi. Przynajmniej do czasu, aż ktoś zacznie do tych dobrych ludzi strzelać… Starszy lejtnant czym prędzej wydał rozkaz bezwzględnego wstrzymania ognia i czekał, patrząc, co wskóra wielebny Nurullah.

Mułła na początek, przecząc powadze swego urzędu, zjechał po piargu na tyłku. Na dole jednak szybko się pozbierał i zamaszyście gestykulując, zaczął dyskusję ze swoim lokalnym odpowiednikiem oraz członkami starszyzny, którzy szli na czele pochodu. Cały tłum natychmiast stanął.

– Zabiją go, nie zabiją, zabiją, nie zabiją… – Jewgienij wróżył sobie, licząc naboje w ładownicy.

Przywódcy odsieczy zaczęli traktować ich mułłę z szacunkiem. Obstąpili go, kiwali głowami, z niewątpliwą uwagą słuchając, co ma do powiedzenia. Kilka minut później trzech spośród nich, w tym miejscowy duchowny, razem z Nurullahem rozpoczęło wspinaczkę do zaimprowizowanego sztabu. Pozostali usiedli na drodze.

– Trzeba będzie zaparzyć więcej herbaty… – skwitował stary matros. – I koniecznie dać coś na przekąszenie!

Honory obozu czynił Maulana. Sergiusz na razie usunął się na bok. Przedstawicie starszyzny z godnością rozsiedli się na rozłożonym dla nich dywaniku i popijając herbatę oraz pogryzając plasterki wędzonego sera, wysłuchali opowieści kupca o napadzie na jego karawanę, a następnie w skupieniu obejrzeli przedstawione im dowody, owe fragmenty haftów i zapinki, świadczące o winie mieszkańców wioski w dolinie. Wątpliwości co do pochodzenia ozdób nie było. Na koniec bardzo zakłopotani goście zaczęli się tłumaczyć, że w żadnym wypadku nie są wspólnikami zbójców, że mieszkańcy tej wioski nie cieszą się dobrą opinią ani jako wierni, ani jako sąsiedzi. Wprawdzie – jak na rozumnych złodziei przystało – nie kradli na własnym podwórku i nie obrażali jawnie wiary Proroka, więc nikt z przybyłych osobiście nie miał im nic do zarzucenia, ale niejasne podejrzenia krążyły wokół mieszkańców tej doliny od dawna. Przede wszystkim z tego powodu, że niechętnie się koligacili z sąsiednimi rodzinami i w całej okolicy mieli bardzo mało krewnych. Na pewno więc mieszkający w pobliżu uczciwi wierni nie zareagowaliby tak stanowczo i licznie, gdyby nie pewien święty mąż, pustelnik, który wezwał ich do niezwłocznego przyjścia z pomocą oblężonym, oznajmiając im, że taka jest wola Allaha.

Największy problem szacownych gości polegał na tym, jak czcigodny, oświecony boży człowiek mógł się tak bardzo mylić? Owszem, miesiąc temu słyszeli o napadzie na karawanę idącą z kopalni szmaragdów, wiedzieli, że była wtedy wielka bitwa z bandytami. Z całego serca potępiali zabójców i złodziei, dowody do nich przemawiały, ale czyż mąż natchniony przez samego Allaha mógł ich oszukać?! Jakże mógł on się choćby tylko pomylić?! To się starcom i towarzyszącemu im duchownemu zupełnie nie mieściło w głowach.

Naradzali się długo, z wielkim zafrasowaniem roztrząsając kolejne za i przeciw. Sprawę rozstrzygnęło przytomne pytanie Nurullaha, jak długo ów pustelnik mieszka w tej okolicy. Okazało się, że niezbyt długo, pół roku, może trochę więcej. Przechodził przez te strony, wracając z pielgrzymki do Mekki, i we śnie miał objawienie, aby pozostać w tym błogosławionym miejscu i służyć żyjącym tu pobożnym ludziom, więc przyjęto go z otwartymi ramionami. Cóż, skoro święty mąż był nowy i nie znał zbyt dobrze wszystkich mieszkańców, to być może, że jakoś opatrznie zrozumiał nieomylną boską wolę…

I na tym stanęło. Miejscowy mułła razem z najstarszym mężczyzną wrócili do czekających na dole ziomków i chwilę później cały tłum zawrócił. Na grani zostało dwóch starców w charakterze świadków rozprawy.

Można było znów zająć się wojaczką! I to nareszcie taką z prawdziwego zdarzenia! Sergiusz poprosił Jewgienija na stronę, żeby się z nim naradzić. Stary matros poszedł chętnie, ale nie dał starszemu lejtnantowi dojść do słowa.

– A wy, *wasze wysokobłagorodie*, prosiliście mnie, żebym tego Persa miał na oku, pamiętacie?

– Jakżeby inaczej – odparł zdziwiony oficer.

– Tak i ja miałem teraz, *wasze błagorodie*…

– Co to znaczy, Jewgieniju?

– Że ja się przy nim nigdy nie zdradziłem, że dobrze rozumiem mowę tych dzikich Persów. No bo w drodze był czas, żeby się jej dobrze nasłuchać… Tak i kiedy on mnie słyszał, to ja tylko kilka pokaleczonych słów wypowiadałem, gdy koniecznie trzeba było.

– Jewgieniju, na miły Bóg, mówcie do rzeczy!

– Ależ ja bardzo do rzeczy mówię – obruszył się weteran.

Sergiusz całą siłą woli zmusił się do milczenia.

– Ten muślimski pop, co z tutejszymi ludźmi przyszedł, powiedział, że ichni pustelnik, co tak nam namieszał, ma księgę Koranu, która gada, że głos anioła albo nawet samego Boga z niej dochodzi. On, ten Pers, wam tego nie przełożył! Jakby nie usłyszał, a widać było po nim, że usłyszał…

Sergiusz stężał.

– Jesteście pewni, Jewgieniju Piotrowiczu? Nic nie pokręciliście?

– Słowo czarnomorskiego matrosa.

– Dziękuję, Jewgieniju, sprawiliście się... – oficer pokręcił głową. Ta wiadomość uderzyła go jak obuchem. To był pierwszy dowód, a co najmniej pierwsza poważna przesłanka zdrady Zakaniego. A tak chciało mu się ufać... Nawet mimo tego gadania o rzekomym uniwersytecie w Teheranie, którego niby był profesorem...

Dość! Teraz czekały pilniejsze sprawy!

– Nie zapomnę o tym – zapewnił starca. – A teraz wy mi, Jewgieniju, powiedzcie, czy potraficie jeszcze z armaty strzelać?

– Lepiej od tych dwóch gamoni na wielbłądach? – zapytał domyślnie stary artylerzysta, po czym demonstracyjnie wzruszył ramionami. – To i dziecko by poradziło, *wasze błagorodie*!

– W takim razie potrzebuję, żeby mi tej wieży za godzinę tu nie było!

Weteran spod Synopy rozpromienił się jak afgańskie słońce i strzelił obcasami, stając przed starszym lejtnantem na baczność.

– Wedle rozkazu, *wasze wysokobłagorodie*! – zasalutował z rozmachem.

W połowie stoku góry ograniczającej wylot doliny od wschodu znaleźli wygodną skalną półkę. Na początek na jej krawędzi ułożyli z kamieni przedpiersie, chroniące od kul obrońców wsi, której brama i baszta znajdowały się w linii prostej dokładnie sto czterdzieści dziewięć i sto pięćdziesiąt pięć metrów stąd, jak zmierzył Sergiusz za pomocą celownika swojej snajperki. Potem w tak przygotowanej działobitni stanęły zdjęte z wielbłądów ciężkie rusznice. Ponieważ nie było czasu przerabiać ich łóż ani zawieszenia, po prostu osiodłali dwa obłe kamienie wielkości garbów.

W czasie gdy budowano osłonę i ustawiano artylerię, starszy lejtnant uzbroił wszystkie granaty. Tak się dobrze składało, że po lekkim przygięciu łyżek do korpusu swobodnie mieściły się one

188

w lufach obu wielbłądzich armatek. Jewgienij bardzo się z tego ucieszył. Gorzej, że żaden z ludzi Hafizullaha nie zamierzał brać do ręki tych „piekielnych cudzoziemskich wynalazków". Po dłuższych namowach zgłosiło się trzech ochotników, którzy byli skłonni rzucać wiązki lasek dynamitu z zapalonymi lontami. Sergiusz przygotował po jednej takiej bombie dla każdego z nich. Dwa granaty, chcąc nie chcąc, dał Maliniakowi, ponieważ on prócz Jewgienija i oficera był tu jedynym człowiekiem, który chciał i umiał się nimi posługiwać.

Za osłoną wzgórza z artylerią stanęło pięćdziesięciu najlepiej uzbrojonych oraz najbardziej zawziętych najemników. Reszta podzielona na grupki po kilku strzelców miała krążyć luzem po stokach doliny wokół wsi, strzelać w okna domów i nękać obrońców, żeby uniemożliwić im skupienie wszystkich sił w miejscu zaplanowanego ataku.

Teraz przyszła pora na popis ogniomistrza Nikołajewa, któremu asystowali w charakterze ładowniczych obaj właściciele armatek. Początek nie był zachęcający. Z trzech pierwszych wystrzelonych kul tylko jedna powierzchownie drasnęła krępą wieżę fortu. Sergiusz jednak wiedział, że każdy artylerzysta musi się najpierw wstrzelać, więc pierwsze wielbłądy za płoty.

Czwarty pocisk wybił w baszcie dziurę wielkości arbuza!

Po stwierdzeniu tego faktu nastąpiła krótka, nieplanowana przerwa w przygotowaniu artyleryjskim, albowiem obaj pomocnicy Jewgienija, jak przystało na przedstawicieli ludku z natury wesołego, skłonnego do zabawy i tańcowania przy każdej okazji, niezwłocznie spletli swe lewe łokcie i głośno pohukując oraz wymachując prawymi rękami i nogami, uczcili trafienie kilkoma figurami tanecznymi, których bez wątpienia nauczyli się od swoich baktrianów.

Następne granitowe kule, w regularnych odstępach czasu, dzielonego na kolejne triumfalne pląsy i równie energiczne ładowanie, biły z druzgoczącą perfekcją. Od baszty wraz tumanem glinianego pyłu odleciał wielki kawał ściany, a zaraz potem połowa szczytu.

Kolejny pocisk odsłonił wewnętrzny pomost, z którego w popłochu uciekli przyczajeni strzelcy. A Jewgienij spokojnie podszedł do drugiej przygotowanej do strzału armatki, wymierzył ją, przymykając oko, pewnym ruchem lewej ręki przytknął lont do zapału i sekundę później z pomostu zostały drzazgi.

Na dachy domów zaczęli wychodzić uzbrojeni w karabiny ludzie z widocznym zamiarem ustrzelenia artylerzystów. Sergiusz uniósł swoją snajperkę i trzema kolejnymi kulami w środek czoła definitywnie wybił im to z głów.

Zgodnie z obietnicą Jewgienija przed upływem godziny od rozmowy ze starszym lejtnantem z baszty został tylko żałosny, wyszczerbiony kikut, niewiele wyższy do muru fortu, na który teraz przyszła kolej. Właściciele armatek uroczyście wręczyli staremu ogniomistrzowi kule żeliwne, trzymane na specjalne okazje. Były cięższe od kamiennych, więc leciały zupełnie inaczej, ale Jewgienij nie zmarnował żadnej, robiąc w górnej części muru szczerbę głęboką na półtora i szeroką na ponad dwa metry.

W tym momencie, jak było umówione, wysadzono w powietrze mur w pobliżu świętego gaju. Natychmiast z większości domów wypadli uzbrojeni mężczyźni i pobiegli na koniec wsi, by zabezpieczyć powstały wyłom. Spodziewany atak jednak nie nastąpił, za to obrońców, którzy wyszli z ukrycia, przygwoździł do ziemi gwałtowny ogień karabinowy ze wszystkich stoków doliny. Atakujący brali teraz srogi odwet za odparcie pierwszego szturmu.

Tymczasem Jewgienij za pośrednictwem Zakaniego zarządził zmniejszenie ładunków prochowych o dwie trzecie i trzykrotne pogrubienie przybitek, po czym wetknął w lufy armatek granaty ręczne z wyciągniętymi zawleczkami. Zanim znów wziął do ręki zapalony lont, z całą powagą zrobił nad obrońcami wioski znak krzyża.

Wystrzelony granat leciał znacznie wolniej od burzącej kuli. Sergiusz zobaczył wyraźnie odbłysk słońca na odpadającej łyżce, a następnie moment, jak granat przelatuje przez szczerbę w murze, odbija się od jego nieuszkodzonej części po przeciwnej stronie fortu i znika gdzieś w jego wnętrzu. Eksplozja musiała być krwawym szokiem dla załogi. Zaraz potem nieszczęśników doświadczył następny wybuch, a półtorej minuty później dwa kolejne. To już była masakra.

Starszy lejtnant dał znak przyczajonym w dole dynamitardom, którzy korzystając z zamieszania panującego w forcie, podbiegli i podłożyli ładunki pod jego mur oraz bramę. Odskoczyli natychmiast, a ledwie zdążyli się ukryć, posadami doliny wstrząsnęła potężna, podwójna detonacja.

Grad drobnych kamyków i grudek suchej gliny posypał się na stanowisko artylerii. Kiedy zaś opadł najgrubszy pył, Sergiusz Lawendowski przeżył chwilę największego osłupienia w swojej oficerskiej karierze, a chyba także i w życiu. Oto bowiem do dymiących ruin, jako pierwszy, z okrzykiem: „Hafizy, za mną!", rzucił się Antoni Maliniak we własnej osobie i bagnetem zatkniętym regulaminowo na lufę mosina. „Urrraa!", krzyczał też…

Jewgienij Piotrowicz, który wszak niejedno w życiu widział, demonstracyjnie przetarł oczy, brudząc sobie policzki prochową sadzą.

– Sukinsyn, ale zuch! – podsumował stary artylerzysta.

Zakani bez zwłoki wyciągnął kajet i zaczął w pośpiechu notować, zerkając co chwila na pole bitwy.

Gromada najemników, idąc za przewodem bohaterskiego potomka Ariów, błyskając szablami i wrzeszcząc *Allah akbar!*, wzięła z marszu zrujnowany fort. Wdarli się do środka przez wyłom w murze, a potem także przez bramę od ulicy, którą otwarto od wewnątrz. Nie była to jednak militarna formalność, gdyż resztki załogi stawiły zaciekły opór i musiano wybić ich do nogi, co mimo miażdżącej przewagi liczebnej zajęło atakującym pięć minut. Następnie zaczęto szturmować przylegające do warowni budynki mieszkalne. Prym nadal wiódł Maliniak, rzucając granaty w okna i wyważając kolbą drzwi. Pomógł mu Jewgienij, szybko i fachowo rozwalając dach nad kilkoma obrońcami, którzy próbowali zorganizować groźne gniazdo strzeleckie. Trzęsienie ziemi nie załatwiłoby sprawy lepiej. Po dwudziestu minutach, gdy atak wytracił impet, oprócz fortu najemnicy Hafizullaha zdążyli zająć trzy domy, z tego jeden po przeciwnej niż fort stronie ulicy. Uchwycili więc na terenie wioski całkiem solidny przyczółek.

A Sergiusz wciąż stał i nie wierzył własnym oczom. Musiał mieć bardzo głupią minę także kwadrans później, gdy Maliniak przyszedł poprosić o nowe granaty. Przy okazji pochwalił się zdobyciem własnej złotej płytki z Zeusem na tronie. Była ona znacznie większa oraz kunsztowniej zdobiona od tych, które mieli starszy lejtnant i kupiec. Maliniak znalazł ją na jakimś domowym ołtarzyku.

– Co was naszło, szeregowy – wykrztusił wreszcie oficer, nie poznając własnego głosu. – Że wy… tam, pierwsi…?

– A niby co, przodem miałem te szmaciane łby puścić?! – obruszył się zapytany. – Aż takie *baby* to oni nie są! No i w ogóle gdzie im tam do nas, Polaków!

Pers pisał z tak wielkim zapałem, że mało nie połamał swojego ołówka.

– Ale szefie, no co szef taki *sieriozny*? – Maliniak przyjrzał się badawczo zdębiałemu Sergiuszowi. – Przecież tutaj nie można wszystkiego brać tak na poważnie, bo by człowiek od tego całkiem zwariował… – Znacząco spojrzał za plecy starszego lejtnanta, gdzie ogniomistrz i obaj ładowniczy, trzymając się za ramiona jak bracia, wytupywali z łomotem i kurzem triumfalnego kazaczoka, zresztą mniejsza o nazwę tego tańca, ważna była ekspresja. – Radować się trzeba!

Sergiusz obejrzał się na swoich roztańczonych artylerzystów i wzorem Zakaniego poczynił ważkie spostrzeżenie naukowe do zapisania i zapamiętania: Afganistan był krajem, w którym człowiek bez poczucia humoru szybko zaczynał się śmiać śmiechem histerycznym.

Sam miał przekonać się o tym kolejny raz już wkrótce. Wioskę mieli teraz na widelcu, należało tylko dokończyć wojskową robotę. Podciągnąć artylerię, rozwalić ogniem na wprost skleconą naprędce drugą linię obrony, zrobić kolejny wyłom w okalającym murze i brać zbójeckie gniazdo szturmem, dom po domu, zanim nastanie południe i zrobi się tu naprawdę gorąco... Granatów i dynamitu mieli jeszcze dosyć.

Tymczasem, kiedy starszy lejtnant zaczął przegrupowanie do ostatecznego ataku, na środek ulicy wyszedł jakiś starzec z podniesionymi rękami, w prawej trzymał zieloną szmatę i machał nią energicznie. Okazało się, że starszyzna wioski chce negocjować warunki odstąpienia od oblężenia. Sergiusz był zdania, że nie ma o czym gadać, bo sami zaraz zgarną całą pulę w tej grze. Jednak Maulana Hafizullah był innego zdania. Nagle zaczął rwać szmaty z turbanu, jakież to wielkie straty w ludziach ponieśli, i teatralnie wyrzekać, ile to ten szalony *horedżi* go kosztuje!

W natarciu zorganizowanym przez starszego lejtnanta poległ tylko jeden najemnik, a czterech innych zostało poważnie rannych. W ataku było to tyle co nic, ale łącznie z pierwszą wpadką nie dało się ukryć, że ich oddział został zdziesiątkowany. Kupiec uparł się, że na dalsze straty oraz związane z nimi wypłaty odszkodowań absolutnie go nie stać! Prawdą było, że w Afganistanie ludzkie życie miało konkretną i wysoką cenę, zatem nie można było nim szastać jak w Rosji, natomiast dobijanie zdesperowanych obrońców wioski będzie wymagać poświęcenia jeszcze przynajmniej dziesięciu zabitych bądź rannych najemników, ale w zamian dostaną przecież wszystkie bandyckie łupy, a pewnie nie tylko ich heliodory miejscowi mieli na sumieniu. Zresztą po to tu przyszli i głupio było rzucać w połowie tak dobrze idącą robotę!

Gadanie o zbyt wielkich kosztach dalszej walki było zatem przesadą, ale przez Maulanę przemawiała mieszanina małej chciwości i chorobliwych ambicji. Chciał koniecznie dowieść, że ostatnie słowo należy do niego. W tej kwestii żadne koszty się nie liczyły. Mułła Nurullah oczywiście natychmiast go poparł. Także obaj tutejsi starcy-świadkowie uznali, że miłosierdzie wobec bądź co bądź sąsiadów jest wskazane. Sergiusz mógł sobie teraz iść na słoneczko opalać siniaki po *buzkaszi*...

Na odcinku ulicy, któremu aktualny układ sił dawał status ziemi niczyjej, rozłożono dywany oraz rozpostarto nad nimi baldachim. W jego cieniu zasiedli trzej przedstawiciele wioski, obaj świadkowie oraz Maulana z Nurullahem, którzy łaskawie zgodzili się na obecność Sergiusza i Zakaniego.

Najpierw w skupieniu napito się herbaty. Następnie pochwalono nawzajem okazaną w boju waleczność, no a potem starszego lejtnanta trafił jasny szlag i poszedł stamtąd, zanim kogoś niewybaczalnie obraził.

Sergiusz wrócił na stanowisko artylerii, które do tej pory zdążyli obleźć jak mrówki miejscowi smarkacze, w liczbie kilkunastu. Obowiązkowo oglądali oni bitwę ze szczytu grani, a teraz zeszli, by obejrzeć z bliska te groźne wspaniałości. Jewgienij i obaj właściciele ciężkiego sprzętu tolerowali żądną wiedzy młodzież z marsowymi minami. Pozwalali z nabożeństwem dotykać osmalonych, spiżowych luf oraz brać do rąk kamienne kule. Stary ogniomistrz przezornie usiadł na skrzynce z granatami.

Zastany widok starszego lejtnanta, o dziwo, nie zirytował jeszcze bardziej, ale nasunął mu pewien pomysł. Zapytał, kto z młokosów wie, gdzie mieszka ów „święty mąż", co ich tu przysłał. Wszyscy podnieśli ręce. Wobec tego który z nich go tam zaprowadzi?

Tu nastąpiła ogólna konsternacja. Zaproponowana wyprawa okazała się zbyt poważnym przedsięwzięciem. Zanim starszy lejtnant się zorientował, dwóch smyków już biegło do wioski zapytać swych dostojnych dziadków, czy im wolno. Szczęściem nie zdradzili zamiaru oficera przed hersztami rozbójników. Starszy chłopiec z szacunkiem przystanął kilka kroków od obradujących i czekał, aż któryś z obserwatorów rozmów go zauważy. Jeden ze świadków podniósł się po chwili, podszedł, wysłuchał młodzieńca na stronie, po czym wrócił pod baldachim i szepnął coś na ucho Nurullahowi. Mułła natychmiast wstał i wraz z chłopcem poszedł do Sergiusza.

Oficer spodziewał się awantury, ale duchowny już drugi raz dzisiaj pozytywnie go zaskoczył. Też chciał niezwłocznie pomówić z owym pustelnikiem i wyjaśnić sprawę błędnego objawienia. Starszy lejtnant zawołał Maliniaka i dwóch najemników, po czym wraz z mułłą, Zakanim oraz dwoma młodymi przewodnikami ruszyli do siedziby pustelnika.

Chłopcy co chwila zapewniali, że już niedaleko, ale przyszło im maszerować ponad dwie godziny szybkim tempem. Najpierw musieli zejść do większej doliny, nad którą znajdowała się wioska rozbójników, przebyć sporą połać lasu na jej dnie i minąć dwie kolejne wioski. Przy każdej musieli trzymać mocno swoich przewodników za kołnierze, smarkacze chcieli tam bowiem natychmiast biec i opowiadać wszystkim napotkanym, jaka fajna bitwa była i jak ważną misję sprawują teraz z ramienia starszyzny. Bez autorytetu mułły, który był wyjątkowo zainteresowany pośpiechem, mogliby utknąć na dobre jak nie w jednej, to w drugiej *czajchanie*. Jakimś cudem udało im się tylko zdawkowo odpowiedzieć na wielokrotne, serdeczne *Salam alajkum, czetur hasti?*, Witajcie, jak się macie?, Jak zdrówko? *Nan hurdi?*, Jedliście już…? Wreszcie wspięli się z powrotem do poziomu hal, albowiem „boży mąż" na swoją pustelniczą chatynkę zaadaptował jeden z pasterskich szałasów. Jak zauważył Sergiusz, wzniesiono go mniej więcej naprzeciwko miejsca, z którego przybyli, co z punktu widzenia fal radiowych mogło mieć istotne znaczenie.

Gospodarz najwyraźniej nadal organizował sąsiedzką krucjatę przeciwko nim, bo jeszcze nie wrócił do siebie. Chłopcy nie ośmielili się wejść do sanktuarium świętego, ale Sergiusz nie miał takich skrupułów, zwłaszcza kiedy zobaczył drut biegnący z dachu chaty do wierzchołka najbliższego drzewa.

Izba podzielona była na dwie części. Większa część stanowiła sypialnię, kuchnię oraz pokój przyjęć interesentów w jednym. Kąt przy południowej ścianie odgrodzony był szczelnie zasłoną i upozorowany na niebywale święte i straszne miejsce. Urządzono go z przesadą znacznie przekraczającą ideę osobnego miejsca modlitwy dla pobożnego muzułmanina. Wręcz niestosownie z punktu widzenia zasad islamu. Z sutej, aksamitnej kotary straszyły wizerunki tybetańskich lub hinduskich demonów, duchów i zjaw wyszywanych złotą i srebrną nicią, a ponadto błyszczącymi cekinami. W półmroku poprzecinanym wąskimi smugami światła, wpadającego przez szczeliny poddasza, poruszane przez słaby przeciąg haftowane stwory robiły naprawdę duże wrażenie. Ręka mułły zawisła w powietrzu, zanim zdecydował się tego dotknąć, lecz starszy lejtnant bez wahania zerwał zasłonę.

Po drugiej stronie znajdowała się profesjonalna, aktorska garderoba z dużym lustrem do charakteryzacji, mnóstwem świec, pędzelków oraz słoików farb i pudru. Mułła mało się nie przewrócił z wrażenia, gdy Sergiusz bez słowa podał mu pomarszczoną, gutaperkową maskę z siwą brodą, wyglądającą jak skóra zdarta z twarzy starca. Były tu też dwa komplety rękawiczek postarzających dłonie.

Na stoliczku obok lustra leżała masywna księga Koranu...

Serce Sergiusza zabiło mocniej. Ruszył w jej stronę, ale nie zdążył dotknąć.

– Idzie! – doleciał z zewnątrz głos Maliniaka.

– Wejdź tu! – odkrzyknął mu oficer, zastanawiając się nerwowo, co teraz zrobi Zakani.

Pozostali przed szałasem dwaj najemnicy, chłopcy i Pers wyglądali na zwykłych interesantów. Gospodarz zignorował ich uniżone pozdrowienia i szybkim krokiem wszedł do środka. Zakani tym razem zachował się lojalnie, nie zrobił nic, aby ostrzec pustelnika.

Na znak Sergiusza przyczajony szeregowy Maliniak po staropolsku przechrzcił „świętego męża" kolbą mosina w łeb. Gdy oszust padł, ściągnęli mu maskujące rękawice i mocno związali ręce na plecach. Oficer sprawdził jego zęby i znalazł wśród nich ampułkę z cyjankiem. Rozkruszyła się podczas próby wydłubania nożem. Sergiusz nie stracił zimnej krwi, szybko usunął większość trucizny palcami i mokrą szmatą, po czym wsypał w usta jeńca garść popiołu z paleniska, zmuszając go do odruchowego, intensywnego plucia w momencie odzyskiwania przytomności. Kiedy fałszywy pustelnik zorientował się, co mu zrobiono, ucieczka w zaświaty była już niemożliwa. Potem wyprowadzili go na zewnątrz.

Chłopcy byli do głębi wstrząśnięci już samym potraktowaniem najczcigodniejszej osoby w całej gminie. Kiedy na dodatek starszy lejtnant oderwał pustelnikowi nobliwą twarz, narobili nieprzytomnego wrzasku i rzucili się do ucieczki. Zakani wykazał się jeszcze większą lojalnością, stanowczo przytrzymał ich obu, wytłumaczył, o co chodzi, dał im maskę jako dowód dla starszych wsi i dopiero pozwolił odejść. Obaj najemnicy jakoś wytrzymali, ale widać było po nich, że najchętniej by zwiali razem z młokosami.

Rozcharakteryzowany jeniec odmłodniał o przeszło trzydzieści lat. Wyglądał teraz na jakieś dwadzieścia pięć, jeśli pominąć włosy sztucznie posiwiane wodą utlenioną. Rasy tutejszej. Nie powiedział ani słowa, ale też nie miał kiedy, bo cały czas mówił rozgorączkowany mułła, roztaczając przed pojmanym kuglarzem szerokie i niezwykle bolesne pespektywy kar za świętokradztwo i bluźnierstwa.

Sergiusz wrócił do chaty po księgę Koranu. Była zdecydowanie zbyt ciężka jak na przedmiot składający się tylko z kartek papieru oraz nawet najsolidniejszych drewnianych okładek zdobionych tłoczoną blachą. Nie dawała się otworzyć. Po wyniesieniu jej na światło dzienne starszy lejtnant stwierdził, że okładki spięte są bardzo przemyślnie zamykanymi klamrami, a niektóre arabskie litery zdobiące front świętej księgi dają się obracać lub przekręcać skokami, czemu towarzyszyło ciche klikanie.

Wielebny Nurullah tak się zaperzył pod wpływem własnego kazania, że teraz na widok niewiernego bawiącego się Koranem dostał wprost białej gorączki. Doskoczył i wyrwał księgę z rąk Sergiusza. Oficer rozsądnie zrezygnował z konfrontacji, postanawiając poczekać, aż mułła się trochę uspokoi. Ten zaś w kaznodziejskim uniesieniu postanowił przeczytać świętokradcy fragment jednoznacznie mówiący o czekającym go marnym losie i zaczął szarpać się z klamrami, próbując otworzyć Koran.

Poraził go prąd. I to pod dość wysokim napięciem, sądząc po gwałtowności wstrząsu, który targnął ramionami Nurullaha. Księga wyleciała mu z rąk, a on stanął nad nią w kompletnym szoku, nijak nie pojmując, za co Allah tak pokarał swego wiernego sługę. Tłumaczyć nieszczęśnikowi teraz, co to jest elektryczność, zdecydowanie mijało się z celem. Wszyscy więc milczeli, a jeniec oczywiście bezczelnie się uśmiechał.

Wstrząśnięty mułła zaczął się głośno modlić, prosząc Boga, aby go nie odtrącał i pozwolił mu czytać świętą księgę Proroka. Nurullah wyglądał przy tym jak człowiek, któremu niebo runęło na głowę. Chyba nawet Zakani nie wiedział, jak wybrnąć z tej sytuacji.

Po kilkunastu minutach rozpaczliwych, przebłagalnych modłów duchowny postanowił sprawdzić, czy Allah go wysłuchał, i podjął kolejną próbę otwarcia księgi. Ostrożnie manipulując otworzył najpierw jedną klamrę, potem drugą. Nic się nie stało. Wobec tego, recytując z namaszczeniem muzułmańskie wyznanie wiary, otworzył to, co – jak sądził – było Koranem.

Otwarta księga błysnęła mu w oczy oślepiającym błyskiem fotograficznej magnezji, a sekundę później wybuchła jak wielki granat.

Sergiusz stał najbliżej i patrzył Nurullahowi przez ramię, lecz przy pierwszym oślepiającym błysku uchylił się odruchowo, tak że ciało pochylonego nad niby-księgą duchownego osłoniło go przed bezpośrednimi skutkami eksplozji. Tylko mocno zadzwoniło oficerowi w uszach i dłuższą chwilę ciemne plamy latały mu przed oczami. Uderzeni podmuchem Zakani i Maliniak wylądowali w trawie. Tego ostatniego jeniec dodatkowo uderzył głową w twarz i wyrwawszy się szeregowcowi, pobiegł w stronę lasu. Szczęściem obaj najemnicy z szacunkiem trzymali się z tyłu, więc nie zostali ogłuszeni i zareagowali dość szybko, by udaremnić ucieczkę.

Mułła Nurullah jeszcze żył, ale urwało mu obie dłonie, miał paskudnie poharataną twarz, gardło i jakieś odłamki wbite w klatkę piersiową, nie sposób było ustalić, jak głęboko. Zakani doraźnie zatamował krwotoki, ale bez natychmiastowej operacji w nowoczesnym szpitalu duchowny nie miał szans przeżyć dłużej niż trzy dni. Umarł jeszcze tej nocy, w najbliższej wiosce w dolinie, do której go zanieśli. Allah miał go naprawdę w swojej opiece, gdyż przed śmiercią Nurullah ani na chwilę nie odzyskał przytomności. O jeszcze większej łasce boskiej mógł mówić starszy lejtnant, którzy wszak też palił się, by zajrzeć do środka „gadającej księgi"...

Kiedy Pers kończył udzielanie pierwszej pomocy, Sergiusz podszedł do jeńca trzymanego przez najemników i bez słowa strzelił go w zęby. Raz, drugi, potem w splot słoneczny i znowu w szczękę.

– Mówi ci coś nazwisko Rumiancew? – wycedził z furią.

– *Macium, macium...* – szarlatan wreszcie się odezwał, ale i bez tłumacza oficer wiedział, że znaczy to: nic nie wiem, nikogo nie znam. Dlatego poprawił mu jeszcze mocniej i więcej.

– *Macium, macium* – jeniec wypluł ząb.

Twarda sztuka. Należało poszukać na niego sposobów lepszych od ręcznej zachęty do mówienia. Ale to nie teraz i nie przy Zakanim...

– Maliniak! Pilnujcie go! – rozkazał. – Głową odpowiadacie!

– Dobra, szefie, a mogę mu też z głowy przyłożyć?

– Ile chcecie, byle zaczął mówić.

Maliniak niezwłocznie z procentem oddał oszustowi cios „z dyni", a Sergiusz zaczął przeszukiwać miejsce wybuchu.

Jedyne, co zdołał stwierdzić, badając szczątki mówiącej księgi, to tyle, że była w niej jakaś żarówka. Znalazł ułamek bakelitowej oprawki z tkwiącymi w nim kawałkami drutu i szczyptę okruchów szkła. Najwięcej było wbitych w ziemię fragmentów dużej, suchej baterii, podobnej do tych używanych w wojskowych telefonach, ale złożonej ze znacznie większej liczby połączonych szeregowo ogniw. Do tego garść porwanych i poplątanych drutów, które kiedyś były cewkami, jakieś dziwne przekładańce z miki i płatków złota, przywodzące na myśl małą butelkę lejdejską, oporowe laseczki z grafitu oraz zupełnie niekojarzące się z niczym kawałki blachy. Oj, profesor Popow nie będzie z podarku zadowolony…

Atak asasynów

Do wioski rozbójników wrócili o piątej po południu.

Sergiusz był zmęczony, głodny i zły, a na dodatek na miejscu okazało się, że Maulana dał się bandyckiej starszyźnie podejść i przegadać! Prawda, że zostawili go samego wobec trzech, ale kto by pomyślał, że kabulski kupiec zapomni języka w gębie?! Widocznie dotąd Hafizullah częściej polegał na swoich podwładnych i wspólnikach, samemu tylko pieczętując końcowe ustalenia. Kiedy zaś przyszło mu od początku zrobić coś osobiście, drugi raz dzisiaj zrobił z siebie durnia! Najwyraźniej w jakiś sposób dał poznać swoim rozmówcom, że nie jest skłonny tracić w walce więcej ludzi i chytrzy zbóje natychmiast z tego skorzystali, wzmacniając swoją pozycję w targach o pokój.

Do powrotu starszego lejtnanta Maulana Hafizullah zaprzepaścił już sprawę odszkodowań dla rannych i główszczyzny dla rodzin zabitych w napaści na karawanę oraz w dzisiejszych walkach. Wszak bandyci ponieśli większe ofiary, więc byli kwita... Kupcowi przedstawiono znacznie dłuższą od jego własnej listę martwych dusz, każdą pozycję opatrując obszernym komentarzem na temat palących potrzeb licznych krewnych pozostających w nieutulonym żalu. Oprócz zaopatrzenia wdów i sierot po kamratach zbóje pilnie potrzebowali gotówki na, ni mniej ni więcej, tylko własną... resocjalizację! Szatan ich opętał, a Allah dzisiaj pokarał, teraz widzieli to jasno, a więc musieli pilnie udać się na długą i jakże kosztowną pielgrzymkę do Mekki, by zgładzić grzech. Nagle, uważasz narodzie prawosławny, okazało się, że w całej tej wiosce mieszkają jeden w drugiego sami świątobliwy eremici! Tylko każdemu nóżka trochę się omsknęła na złą drogę... Wszak zbłądzić ludzka rzecz. A obserwatorzy negocjacji oczywiście jak najbardziej byli za pobożną pielgrzymką. Pojęli już dobrze, kim są ich sąsiedzi, i to, że będą musieli z nimi żyć, kiedy odejdą stąd ludzie Hafizullaha.

Zatem nawiązki przepadły. Bezczelni zbóje dokonali jawnego rabunku nie dość, że w biały dzień, to jeszcze z nożem na własnym gardle! To było gorsze niż klęska w otwartym boju, ekspedycja karna po prostu się ośmieszyła i najdalej za miesiąc będzie o tym wiedział cały Afganistan. Łatwo było się domyślić, jakie kawały zaczną sobie wtedy opowiadać Kandaharczycy o mieszkańcach Kabulu... Wszyscy najemnicy, do których na bieżąco docierały informacje z dywanu obrad, byli wściekli i bliscy buntu, a powrót Sergiusza powitali z ulgą.

Starszy lejtnant zaś wrócił naprawdę w samą porę, bo na domiar złego zanosiło się, że przepadną jeszcze ich heliodory. Starszyzna wsi właśnie z głębokim żalem wyznała, że łup ukryto w jeszcze głębszej jaskini i wkrótce potem nastąpiło wielkie trzęsienie ziemi... *Inszallah!* Jaskinia się zapadła, odwalić wielkich skał nie sposób, ale jak czcigodny Maulana Hafizullah sobie życzy, to mogą na dowód pokazać gołoborze.

Kiedy Maulana na takie *dictum* intensywnie obmyślał sposób ratowania twarzy, Sergiusz poszedł do Jewgienija i kazał mu natychmiast zbombardować świątynię oraz święty gaj. Starszy lejtnant czuł, że ma wszystkich najemników za sobą, mułła Nurullah, nawiasem mówiąc bliski kuzyn kupca, nie mógł już głosować za krewniakiem, więc stanowcze polskie *liberum veto* i zerwanie obrad okazały się całkowicie wykonalne.

Ostrzał celów na przeciwległym krańcu doliny z armatek pamiętających czasy Wielkich Mogołów z militarnego punktu widzenia był mało skuteczny. Kamienne kule na tym dystansie miały zbyt małą energię, aby spowodować poważniejsze szkody, ale podziałały na wszystkich negocjatorów jak popukanie w czoło. Słowem, ich znaczenie polityczne było duże. Po drugiej salwie jeden z członków bandyckiej starszyzny nagle przypomniał sobie, że zaszło drobne nieporozumienie, albowiem w tamtej jaskini pogrzebane zostały całkiem inne kamienie szlachetne. Te sprzed miesiąca są bezpieczne tu we wsi i oni już, już zaraz je zwracają, skoro taka jest święta wola Allaha.

Złote szmaragdy były w świątyni. Mieszkańcy zbójeckiej osady niezwłocznie sami je stamtąd wynieśli, żeby „szanowni goście" nie musieli się fatygować… Sergiusz patrzył na budynek odległy o zaledwie parę minut nieśpiesznego spaceru i gryzł wargi. To, czego szukał, niemal na pewno tam było! Na wyciągnięcie ręki, lecz już nie do zdobycia. Najemnicy dostali najważniejszą rzecz, po którą tu przyszli, zatem mogli wracać bez ujmy na honorze i w sakiewce. Hafizullah i tak musiał im zapłacić za przelaną krew, a rentowność jego przedsięwzięć ich nie obchodziła. Nie widzieli już żadnego powodu, by dalej walczyć, więc zaczęli głośno sławić Allaha, strzelać na wiwat i wpadać sobie w objęcia. Oczywiście, większość z nich musiała serdecznie uściskać Sergiusza, wciąż odczuwającego ślady nahajek…

Heliodory nadal tkwiły we fragmentach swej macierzystej skały, gdyż miejscowi nie umieli ich z stamtąd wydobyć, nie ryzykując uszkodzenia klejnotów. Na ile Hafizullah mógł stwierdzić, zwrócono wszystkie kamienie. Ponieważ na dodatek powiedział to głośno, znikła ostatnia szansa przeszukania świątyni. W zamian kupiec wykazał się męską stanowczością i zażądał zwrócenia także osłów, które niosły ten ładunek. Otrzymał je i był z siebie bardzo dumny. Sergiusz najchętniej załadowałby wszystko na grzbiet Maulany Hafizullaha!

Na odchodne, przestrogę i pożegnanie wysadzili w powietrze resztę zrujnowanego fortu. Kiedy kurz całkiem opadł, byli już daleko od bandyckiej doliny.

Znowu czekał ich nocny marsz. Nie mogli wszakże zatrzymać się na nocleg w bezpośrednim sąsiedztwie upokorzonej zbójeckiej osady. Jakiś uparty, dobrze znający teren mściciel mógłby im wówczas sprawić duży kłopot. Zwłaszcza grupa mścicieli... Nie należało też zapominać, że złote kamienie boga Heliosa były święte dla zdziczałych potomków helleńskiej cywilizacji. Z pewnością niełatwo pogodzą się z ich utratą. Sergiusz zorganizował więc silną tylną straż i sam nalegał na możliwie szybkie tempo pochodu, by ewentualni ścigający nie zdołali ich wyprzedzić. Przez brak zdecydowania Hafizullaha zostawili za sobą tak wielu uzbrojonych wrogów, że zasadzka w dogodnym miejscu mogła jeszcze odwrócić losy tej małej prywatnej wojny.

Droga z górki niby była wygodna, ale cierpieli na tym ciężko ranni, z których dwóch umarło jeszcze tej samej nocy. Bez pomocy wojskowego chirurga, nowoczesnych leków i narzędzi z prawdziwego zdarzenia Zakani ze swoim *mumijo* i bandażem niewiele mógł zdziałać. Dobrze radzono sobie z szyciem ran ciętych, używając do tego włosów z końskich ogonów, i nawet się to potem nie paprało dzięki maściom sporządzonym według tajemnych domowych receptur. Potrafiono też wydłubać z ciała kulę lub dokonać amputacji, ale o opracowaniu chirurgicznym ran kłutych i kanałów postrzałowych nikt tutaj nie słyszał, więc ostatnie słowo należało do krwotoków wewnętrznych, przetok i zapalenia otrzewnej. Przed Kabulem pochowali jeszcze sześciu towarzyszy zmarłych z powodu ran. Te zgony przyjmowano jednak z fatalistycznym spokojem, nie winiąc za nie nikogo. Widać taka była wola Allaha.

Rankiem następnego dnia Sergiusza znowu zaczęły opuszczać siły. Nic dziwnego, skoro już dwie doby był na nogach. Inni jednak też mieli dosyć. Znaleźli sobie bezpieczne płaskowzgórze, na którym rozbili obóz. Po parogodzinnym odpoczynku i stwierdzeniu, że raczej nikt za nimi nie poszedł, Maulana wybrał trzydziestu ludzi, których posłał do kopalni po nowe szmaragdy. Dla całej reszty zaczął się wielki piknik!

Pierwszy wolny dzień starszy lejtnant bez skrupułów przeleżał martwym bykiem, leniwie popijając rozwodniony i osolony jogurt

duh, po którym na początku pobytu w Afganistanie zawsze duchem leciało się w krzaki, ale obecnie Sergiusz wręcz się w nim
rozsmakowywał. Wciąż traktowano go jak wodza i absolutnie nikt
nic od niego nie chciał, albowiem jako się rzekło, wielu było Hafizów w tym domu! Najemnicy poczytywali sobie wręcz za zaszczyt,
jeśli mogli wyświadczyć mu jakąś drobną przysługę. Znów wróciły
śmiech i małpie figle.

Z upodobaniem przedrzeźniano ich jeńca, który wciąż powtarzał swoje *macium, macium*. Nawet po kilku zabiegach intensywnego „odmaciejania" w wykonaniu Maliniaka, po których oszusta
trudno było odróżnić od starszego lejtnanta sprzed trzech dni.
Drań był naprawdę twardy i bezczelny, ale na ucieczkę szans nie
miał. Jewgienij specjalnie dla niego wymyślił system węzłów marynarskich, dzięki którym nie trzeba było go co rusz rozwiązywać na
czas jedzenia i załatwiania potrzeb, a potem znów wiązać na noc,
ryzykując, że za którymś razem coś się zrobi nie tak lub czegoś nie
zauważy, względnie Maliniak w roli strażnika zbytnio sobie pofol-
guje, co było więcej niż pewne. Jeniec związany systemem Jewgienija miał wolne pół lewej ręki, od łokcia przywiązanego do tułowia
oraz prawego nadgarstka naciągniętego do lewego ramienia za
plecami. Węzły nie były przesadnie mocne, żeby oszustowi na razie nic nie uschło, za to liczne. Na noc wolne przedramię weteran
sprytnie przywiązywał mu do szyi. W dzień delikwent mógł się
sam obsłużyć w niezbędnym stopniu i cały czas kicał ze związany-
mi nogami, budząc ogólny śmiech najemników z wyjątkiem tych
dwóch, którzy byli przy jego pojmaniu.

Dobrze im zapłacono za milczenie. Tyle że, jak mówi afgańskie
przysłowie: „pognaliby nawet wesz pieszo do samego Kabulu".
Człowiek winny profanacji Koranu i śmierci mułły, gdyby wieść się
rozniosła, żyłby bardzo krótko i boleśnie, a mówiąc ściślej, konał-
by długo. Hafizullah też mu to solennie obiecywał, ale dopiero po
przesłuchaniu. Ludziom ogłoszono, że mułła Nurullah zachorował nagle i został u dalekich krewnych. Natomiast spętany finezyj-

niej od baleronu „bandycki szpieg", co przekazano w formie tajemnicy poliszynela, był przeznaczony na *salam* dla pewnego ważnego emira, który miał sobie przypisać przed szachem zasługę rozgromienia bandy pańdźszirskich zbójników, rzecz jasna, w zamian za godziwe koncesje dla Maulany.

Jednak wszystkie ważne sprawy potem!

Teraz trzeba było nareszcie wypocząć! Już godzinę po rozbiciu namiotów obozowisko najemników zostało oblężone przez miejscową dzieciarnię oferującą za drobną opłatą *duh*, sery, owoce i warzywa. Następnego ranka pojawiło się kilku wyrostków z witkami łozy, na które nanizane były pęki świeżo złowionych pstrągów. Ten ostatni widok ożywił Jewgienija w równym stopniu co polecenie zburzenia zbójeckiej baszty. Stary matros natychmiast kupił dwa tuziny ryb, koszyk jarzyn i przypraw, po czym z całym marynarskim ceremoniałem, na wysokości ponad dwóch tysięcy metrów nad poziomem morza przystąpił do warzenia uchy.

Najpierw weteran oddzielił najdelikatniejsze fileciki od grzbietu i ogona każdej ryby, po czym doprawione dzikim czosnkiem i lekko popieprzone odstawił na trzy kwadranse. W tym czasie w szybkowarze, na dużym ogniu brutalnie rozgotował w osolonej wodzie łby, skóry, kręgosłupy i mlecz wraz z kawałami selerów, pietruszki, kopru, imbiru i marchwi. Odcedzonym wywarem tylko sparzył rybie mięso, a całość doprawił – z braku szafranu, którego miejscowi wieśniacy akurat nie mieli – grubą szczyptą pyłku kaczeńców.

Sergiusz odzyskał wigor po zaledwie trzech łyżkach tego specjału. Maulana Hafizullah, skosztowawszy Jewgienijowej zupy, nareszcie uśmiechnął się jak człowiek. Maliniak zażerał się, siorbiąc jak świnia, a chwilami wręcz mycząc z rozkoszy. Ponieważ dobry afgański zwyczaj nakazuje dzielić się jedzeniem ze wszystkimi świadkami posiłku, Jewgienij zaraz po pierwszym garnku przystąpił do gotowania drugiego, znacznie większego kotła, po czym przez resztę dnia krążył po całym obozie i udzielał fachowych konsultacji przy kolejnych ogniskach. Ponieważ zaś w kwestii dzielenia się jedzeniem obowiązuje w Afganistanie ścisła wzajemność, wieczorem stary matros omal nie umarł z przejedzenia.

Po dwóch dniach w okolicznych strumieniach zabrakło pstrągów. Po trzech wrócił oddział wysłany do kopalni po szmaragdy. Wprawdzie muzułmanin powinien zawsze i bezwzględnie poddawać się woli Boga, ale ci mieli wyraźny żal do Allaha, że ominęła ich zupa rybna. Także Maulanie zrzedła mina, ale na widok zaledwie jednego osła objuczonego surowymi heliodorami. Żyła złotych szmaragdów definitywnie się wyczerpała i bez czterech odbitych osłów z ich ładunkiem byłoby teraz naprawdę biednie. Znać było, że kupiec liczył na znacznie więcej i wręcz gotuje się ze skrywanej złości. Co prawda przy ludziach nie nazywał Sergiusza inaczej jak „najserdeczniejszym, drogim przyjacielem, zesłanym mu przez Allaha", ale za to zaczął patrzeć wilkiem na konia starszego lejtnanta. Poczciwy Torszi robił teraz za żywy wyrzut sumienia w dziedzinie rozrzutności. Dodawszy do tego przegrany zakład z Kuroczkinem, udział rosyjskiego kupca w klejnotach i główszczyznę dla najemników, Hafizullah wyszedł finansowo na wszystkich swoich dąsach co najwyżej na zero, a być może jak Zabłocki na mydle. Allah okazał się nie tylko sprawiedliwy, ale i rychliwy! Teraz brakowało już tylko tego, by Maulana faktycznie zaczął sprowadzać mydło do kraju, w którym do obmywania się używano wyłącznie wody, w powszechnym przekonaniu oczyszczającej się samoistnie po przepłynięciu sześciu kroków od miejsca zabrudzenia… *Inszallah!*

Powyższe kalkulacje nie przeszkodziły jednak Hafizullahowi wracać do Kabulu niczym Aleksander Macedoński spod Gaugameli, gdzie dokonał się ostateczny podbój Persji. Ba, afgański kupiec wpiął sobie nawet w turban gałązkę suchego wawrzynu, którą znalazł w koszu z przyprawami. Najemnicy przyjęli to nawiązanie do znanej im heroicznej tradycji z całą powagą, ale Sergiusz i Jewgienij dyskretnie ocierali łzy z kącików oczu, ilekroć spojrzeli na kupca. Maliniak przez całą drogę do stolicy Afganista-

nu głośno po polsku deliberował, jakimi to ziołami, prócz bobko-
wego liścia, Maulana Hafizullah powinien się jeszcze przyozdobić
i jak bardzo byłoby mu do twarzy na przykład w dziewiczym roz-
marynie i z łodygą rabarbaru w tyłku... Bogu dzięki, że szeregowiec w dari znał tylko kilkanaście podstawowych słów.

A co się tyczy zaszłości historycznych i Zakaniego, to Pers generalnie nie myślał przepraszać za Termopile. „Trzeba było, jak
mądrzy ludzie Wschodu, nie szukać guza i nie włazić w drogę silniejszemu przeciwnikowi!". Mimo całej swojej wiedzy, perski
uczony szczerze nie pojmował, dlaczego szlachetny Leonidas, który zrobił z siebie takiego idiotę, a na dodatek wygubił przy tym
wszystkich swoich ludzi, jest w Europie tak czczony. Przyjmował
to do wiadomości, ale zupełnie nie akceptował. Dać się zabić
można wszak na tysiące różnych sposobów, a umarli już żadnego
wpływu na realną politykę nie mają i można z ich sławą robić, co
się komu żywnie podoba. Leonidas miał po śmierci więcej szczęścia niż rozumu za życia. W ostatecznym rozrachunku nikt nic by
nie stracił, ani Grecja, ani sam Leonidas, gdyby rok później król
Sparty z trzema setkami swoich żywych desperatów stawił się pod
Platejami. No i czym ostatecznie skończył się dla Sparty ów brak
umiaru w demonstrowaniu męskiej pogardy dla śmierci? Persja,
jakby kto nie wiedział, jeszcze istniała... Choć prawda, że miała
się niezbyt dobrze. I absolutnie nie ma nic niehonorowego w całkowitym podporządkowaniu się Persów Aleksandrowi po bitwie
pod Gaugamelą, no przecież Wielki Macedończyk o pokonanym
królu Dariuszu wyrażał się zawsze w samych superlatywach, a per-
ską tradycję traktował z ogromnym szacunkiem. Służyć zdobywcy
z taką klasą to już prawdziwy zaszczyt! Między nami mówiąc, panie Lawendowski, wyrazy współczucia dla Polaków z powodu
prostackiego stylu bycia carów...

Tego rodzaju potyczki słowne nie rozpraszały jednak gęstnieją-
cej między Zakanim a Sergiuszem atmosfery niedomówień. Obaj
równie dobrze zdawali sobie z tego sprawę. Dlatego Pers, jeśli nie

był niezbędny jako tłumacz, raczej trzymał się z dala i wolał pomagać przy rannych.

W Kabulu Kuroczkin powitał ich chlebem i solą. Dla wszystkich niemuzułmanów było *nieobchodimo* po literatce wódki. Zakani wypił duszkiem i się nie zakrztusił, znać było wprawę po wizycie w Krakowie opanowanym przez młodopolską zarazę. Swieta jak poprzednio machała im z okna. Potem zaczęło się wielkie rozkulbaczanie, dzielenie klejnotów i rozliczenia z najemnikami. W zamieszaniu, jakie zapanowało w karawanseraju, ustalono pospiesznie, że jeńca na razie przechowa u siebie Maulana. Rosyjskiemu kupcowi nader niepolitycznie byłoby trzymać poddanego afgańskiego szacha we własnej piwnicy. Hafizullah przysiągł na Koran tragicznie zmarłego mułły, że nie zgładzi winnego tej śmierci bez jednoczesnej zgody wspólnika oraz jego siostrzeńca.

Iwan Iwanowicz dopiero po dwóch godzinach tej kołomyi zdołał znaleźć chwilę, aby na boku szepnąć starszemu lejtnantowi dwa elektryzujące słowa: „aparat iskrzy". Jednak nie była to informacja, która poraziła Sergiusza najbardziej.

Swietłana była w ciąży!

Dziewczyna siedziała na łóżku i patrzyła na niego z miną skarconego psiaka. Podejrzewała to już przed wyprawą do Pańdźsziru, ale dopiero trzy dni temu znające się na rzeczy kobiety Maulany zbadały ją i postawiły kropkę nad „i". Tyle razy nabierali innych na rzekomo odmienny stan Swiety, że teraz po prostu przyszła kolej na nich…

Sergiusz stał nad nią lekko pochylony, z rękami opuszczonymi niczym łapy szympansa i z detalami wyobrażał sobie, jak generał Brusiłow urywa mu głowę:

„Moje gratulacje, Siergieju Henrykowiczu, moje gratulacje! *Polak umiejet!* Na zdrowie wam! Tylko żebyście się jeszcze mogli pochwalić równie owocnymi wynikami waszej misji! Co poza brzuchem u Swietłany Tedorowny udało wam się zrobić?".

„Zdobyłem wioskę bandytów, panie generale. No, prawie…"

„Znaczy się, Siergieju Henrykowiczu, lekcje z taktyki odrobiliście. Bardzo dobrze! Bez tego bym was z mojej szkoły ze stopniem oficerskim nigdy nie wypuścił. Co macie jeszcze?".

„Kawałek elektrycznego amplifikatora, panie generale".

„A zgadnijcie no, gdzie ten kawałek, *gospodin* Popow każe wam sobie wsadzić, a? I żebyście wiedzieli, że ja ten rozkaz jeszcze urzędowo potwierdzę…"

„Języka zdobyłem, panie generale!"

„To już lepiej, Siergieju Henrykowiczu, to się wam chwali. I co mówi ten wasz język?"

„*Macium, macium*, panie generale".

– Powiedz do mnie coś… – szepnęła dziewczyna drżącym głosem.

Chciała, to powiedział. Obowiązkowo najgłupszą rzecz, jaką może powiedzieć mężczyzna w tej sytuacji.

– Jak?!

Swietłana spąsowiała po koniuszki uszu, ale odpowiedziała.

– Ja też dużo myślała o tym… Kiedy mnie mąż gwałtem brał, to ja od tego całkiem przestałam krwawić… – rumieniła się coraz bardziej, zacinała, ale mówiła dalej. – Potem w stolicy ja tylko czasem… nie co miesiąc jak inne… Może to było raz co trzeci miesiąc, co czwarty… tylko troszkę krwi… ja nie myślała o tym. I dopiero kiedy ja z tobą… przy tobie… Wtedy trzy razy zdarzyło mi się równo, co cały księżyc… No, a potem przestało znów… Tylko że to już nie było tak, jak wtedy z mężem… To był już *riebionok*… Ty był dla mnie za dobry. To dlatego.

Nie śmiała podnieść na niego wzroku. Podciągnęła kolana pod brodę, objęła je mocno rękami i znieruchomiała.

Sergiusz odetchnął głęboko i bardzo powoli. Teraz wszystkie wariactwa Swietłany w drodze do Kabulu stały się o wiele bardziej logiczne. Zwłaszcza całe to gadanie o Księżycu w kontekście szczytów Hindukuszu należało uznać za freudyzm doskonały. I oczywiście teraz dopiero dotarło do niego, że noce, podczas których Swieta odwracała się do niego tyłem lub chciała się bawić tylko w Katarzynę Wielką, zdarzały się w regularnych odstępach czasu…

– Generał Brusiłow wyprorokował – stwierdził wreszcie, nieudolnie starając się, by zabrzmiało to jak żart. – Tobie teraz pierzyna i ptasie mleczko!

Poderwała szybko głowę i znów spojrzała na niego wzrokiem bezwzględnej strzygi, którą poznał w Petersburgu.

– Poradzę! – wysyczała z dawną furią.

– A poronić chcesz? – spytał tylko.

Drapieżny ogień w jej oczach zgasł momentalnie.

– To co teraz będzie? – skuliła się znowu.

– A co ma być? – starszy lejtnant wziął głęboki wdech. – Popa nam trzeba!

– Ze mną… – szepnęła z niedowierzaniem i aż pobladła z wrażenia. – Taki wielki człowiek? Oficer z samego Carskiego Sioła… *eto nie nado, nie nado*…

– Cicho bądź, kobieto! – Sergiusz miał już serdecznie dość spraw idących na opak. – Jestem polskim oficerem! Pójdziesz za mnie za mąż? – przeszedł na polski.

– *Pojdu*…

– No i dobrze! – Wyszedł z sypialni, z rozmachem trzaskając drzwiami.

Teraz najważniejsza była odpowiedź na pytanie, gdzie w tym cholernym domu znajduje się najbliższa butelka wódki?!

Kuroczkin znalazł go późnym wieczorem w swoim bizantyjskim gabinecie, gdzie starszy lejtnant wypił najpierw do lustra raz za razem dwie setki, a potem już tylko się w to lustro bez końca gapił. Widział w nim Patrycję… Zaniepokojona służba musiała donieść gospodarzowi o tak niezwyczajnym zachowaniu gościa.

– Nalejecie mi kropelkę? – zagadnął kupiec.

Sergiusz bez słowa podał mu pełną szklaneczkę. Iwan Iwanowicz wychylił, odchrząknął i przeszedł do rzeczy.

– Czego wam trzeba, Siergieju Henrykowiczu?

– Popa – odparł grobowym głosem oficer.

Kuroczkin nie był zaskoczony nic a nic.

– Tak, ja rozumiem – odpowiedział z kamienną twarzą. – Wszystko tu jest najzupełniej zgodne z logiką. Najpierw była wasza podróż poślubna, po podróży wesele u mnie w domu, no to teraz pora na ślub… Porządek musi być!

Sergiusz popatrzył na niego ciężkim wzrokiem. Nie miał siły komentować.

– Po popa najlepiej będzie posłać do Konstantynopola – kupiec kontynuował głośne myślenie. – Trzeba liczyć trzy miesiące w jedną stronę. Jak dojedzie za pół roku, będzie tu w sam raz na chrzciny, jak rozumiem. Na cóż by miał dwa razy jeździć…? Tak więc pół roku, chyba że gdzie po drodze, w tureckiej Anatolii lub Izmirze jakiś grecki batiuszka się trafi. Można by też popróbować na północy, po naszej stronie, w przygranicznych garnizonach, ale tam pop dojeżdża tylko od święta, dwa, trzy razy do roku, można by się z nim rozminąć… Dlatego za Bosforem szukać pewniej.

– Kapitan na statku ma prawo udzielać ślubów – stwierdził oficer, popadając do reszty w wisielczy humor. – Może byście mi tutaj, Iwanie Iwanowiczu, jaki okręt z kapitanem sprowadzili?

– Klient nasz pan – Kuroczkin nalał im obu. – Tylko z którego morza sobie życzycie? Kaspijskiego? Perskiego? Czy z Oceanu Indyjskiego? No i jaka flaga ma być?

– Nie zapytacie, kto zapłaci? – Sergiusz sięgnął po szklankę.

– A po co mam pytać? – przepił do niego kupiec. – Skoro ja na każdym waszym dzikim pomyśle, Siergieju Henrykowiczu, bardzo dobrze na swoje wychodzę. Słyszałem już, że gdyby nie wasza głowa, heliodory by w czorty poszły.

– Maulana jest zły.

– To u niego nie nowość. Przejdzie mu, Siergieju Henrykowiczu. Skoro teraz stracił, tym chętniej nowy interes ze mną zrobi, żeby sobie powetować. To jak będzie z tym statkiem?

Trzeba przyznać, że z Kuroczkina dobry był kompan. Stuknęli się szkłem.

– A radio będzie gadać jutro, dokładnie w południe – powiedział kupiec, zmieniając temat. – Posłuchacie sami, co gadają...

– Dobranoc, Iwanie Iwanowiczu! – oficer podniósł się z krzesła. – Jutro też jest dzień, wtedy o tym pomyślimy.

Kiedy Sergiusz wrócił do sypialni, Swietłana była już w łóżku. Położył się obok niej, wsunął jej dłoń pod koszulę i pogładził po udach. Natychmiast je uniosła i rozłożyła szeroko.

– Weź sobie, co chcesz... – mruknęła z niechęcią, przekręcając głowę w bok. – Tylko w usta nie całuj, bo mi od wódki mdło...

Masz tobie! Najbliższy pop dwa tysiące kilometrów stąd, porządna cerkiew ze trzy tysiące, a żona już w ramionach! Toż on przecież ledwie co wypił...

Przestała się boczyć, gdy wycałował jej brzuch, piersi i szyję. Roznamiętniona zrzuciła koszulę, okrycie i niebawem jak przed wyjazdem prężyła się pod nim na samym prześcieradle, niczym dziki rosomak, drapiąc mu plecy, zdrabniając imię Sergiusz na setki sposobów i wykrzykując je coraz głośniej.

Od kwater najemników, przez uchylone okno sypialni dolatywał obłędny kociokwik kilkudziesięciu armonii, tabli i robobów jęczących, buczących i łomoczących jednocześnie oraz przenikliwy zapach palonego haszyszu. Od narkotykowego dymu w karawanseraju musiało być teraz równie gęsto jak od prochowego na polu niedawnej bitwy. Najemnicy świętowali zwycięstwo, szczęśliwy powrót i wypłatę, rycząc dziko wojownicze pieśni, strzelając w powietrze i tańcząc do bladego świtu.

To była naprawdę długa, gorąca, kabulska noc...

Rano Sergiusz i Swieta mieli zamiar wylegiwać się do południa, ale przed ósmą zjawił się Maulana i pilnie poproszono ich oboje na dół.

Kabulski kupiec od razu zastrzegł się, że wiadomy *mordegał buru* jeszcze żyje, a on przyszedł tu w innej sprawie, za którą też należałoby zabić... Z tymi słowy Hafizullah wywlókł czającego się za jego plecami nastolatka z mocno obitą gębą, najwyraźniej jakiś czas temu oraz całkiem świeżo, z rozmachem rzucił go na kolana przed Swietłaną, po czym w obecności Kuroczkina oraz wszystkich specjalnie zwołanych w tym celu domowników kazał mu błagać starszego lejtnanta i jego żonę o przebaczenie.

O co poszło, Sergiusz dowiedział się dopiero teraz. Chłystek nasłuchał się w *czajchanie* opowieści, jakie to białe kobiety są łatwe i że nie robią problemów z „tych rzeczy". Głęboko obeznanym ekspertem był jakiś student, który przez niespełna dwa lata pobierał nauki na paryskiej Sorbonie, a raczej w okolicach Moulin Rouge i stanowczo utrzymywał, że posiadł w tym czasie połowę Francuzek oraz przedstawicielki licznych innych europejskich nacji, w tym Hawajki. Ogromnie zainspirowany męskimi opowieściami młody kuzynek Hafizullaha zakradł się do kobiecej części domu i wszedł do pokoju Swiety, kiedy ta w samej bieliźnie robiła akurat poranną gimnastykę. Do tupotu i łomotu o tej porze dziewczyna zdążyła już pozostałe domowniczki przyzwyczaić...

Smark tłumaczył się potem, że spadł z dachu, co było o tyle prawdą, że na koniec wyleciał oknem. Dziwiono się jednak ogólnie, bo przecież dom Hafizullaha, choć okazały, nie był jednak zbyt wysoki, no a tu zdawała się wchodzić w grę któraś z wież twierdzy Bala Hissar, broniącej doliny Kabulu i urwisko pod wieżą razem. By uwiarygodnić obrażenia, delikwent wymyślił na poczekaniu jeszcze wóz z owocami mango, który miał go na dodatek przejechać, a woźnica uciekł z miejsca wypadku. Na ulicy faktycznie poniewierały się jakieś gnijące mango – czego tam zresztą nie było! – ale to tłumaczenie było jednocześnie mimowolnym wyznaniem winy, gdyż „mango" w dari znaczy *am*, co z kolei po uzbecku, który obok dialektów perskich był w domu Maulany językiem służby, jest nazwą najsekretniejszej części ciała kobiety. Przekładając rzecz na kategorie Zachodu, poturbowany chłopak powiedział, że pogryzła go wagina uzębiona.

Zaraz skojarzono, w którą stronę wychodzi okno pokoju Swietłany, po czym śmiechu i oburzenia było pół na pół. Do czasu aż wrócił gospodarz, który nie myślał bawić się w subtelne gry językowe i od razu sprał winowajcę na kwaśne jabłko, wydobywając z niego wszystkie szczegóły zajścia. Jaki Maulana był, taki był, ale absolutnie nie mógł pozwolić sobie na to, aby po mieście rozeszła się plotka, że toleruje choćby najmniejsze uchybianie gościom pod swoim dachem. Po czymś takim jako kupiec i mężczyzna Hafizullah byłby skończony w Kabulu, Afganistanie i na całym Środkowym Wschodzie.

Teraz tak naprawdę nie chodziło o przeprosiny, zniewaga była bowiem niewybaczalna. Nikt nie oczekiwał, że Swietłana coś powie lub wykona jakiś gest, który podniesie winowajcę z prochu. Chyba zresztą nie miała na to ochoty. Kiedy patrzyła na wyrostka, miała taki sam wzrok jak wtedy, gdy wspominała swojego męża. Stała więc niczym posąg i obserwowała cywilną egzekucję. Kiedy chłopak przestał dukać swoje ekspiacje, Maulana chwycił go za kołnierz i wyrzucił za drzwi, zapowiadając, że jeszcze dziś odeśle smarkacza w niesławie do rodzinnej wsi. Było bardzo wątpliwe, czy ojciec przyjmie *benanga*, który zhańbił swój ród w oczach znakomitego krewnego ze stolicy. Realne perspektywy nieszczęśnik miał tylko dwie – samobójstwo lub przystanie do bandy rozbójników. Nie przypadkiem ochrona karawan była w Afganistanie tak prężną gałęzią gospodarki. Honor stracić łatwo, odzyskać go nie sposób, a żyć trzeba…

W następnej kolejności zaczął przepraszać Swietłanę sam Maulana Hafizullah i on już zdecydowanie wybaczenia od niej oczekiwał. Kiedy dziewczyna sztywno skinęła głową, kupiec natychmiast pożegnał się i wyszedł.

Krótko mówiąc, handlowy partner Kuroczkina zwarzył wszystkim humory od samego rana. Do śniadania zasiedli jak do stypy. Przy stole Iwan Iwanowicz napomknął mimochodem, że można by zażądać od Maulany jeszcze materialnego zadośćuczynienia, ale Sergiusz nie podjął tematu. Wobec tego kupiec, najwyraźniej dla podtrzymania nastroju, zaczął mówić o torturach, którym należało poddać ich jeńca. Proponował siłą wlać mu w gardło ćwiartkę wódki, bo tutejsi ludzie, żyjąc według nakazów Proroka, od pokoleń odwykli od alkoholu i nawet tak niewielka ilość zupełnie pozbawiała ich własnej woli i skutecznie rozwiązywała języki. A jeśli sukinsyn nadal nie będzie gadał, to z całą pewnością nie przetrzyma późniejszego kaca i za łyk wody powie wszystko!

Starszy lejtnant słuchał tych dywagacji jednym uchem. Bardziej dały mu do myślenia słowa Swietłany, które wypowiedziała półgłosem, tak by tylko on usłyszał, że Hafizullah jest jeszcze gorszy człowiek niż jej własnoręcznie ubity mąż... Czyżby się czegoś szczególnego o kabulskim kupcu dowiedziała? Na razie nie było kiedy ją o to pytać.

Pierwsi najemnicy właśnie zaczęli dochodzić do siebie po całonocnej zabawie i z wolna zbierali się do powrotów w rodzinne strony lub szukać nowego zaciągu. Wszyscy przed odjazdem chcieli się koniecznie pożegnać z Sergiuszem, który musiał się z każdym serdecznie uściskać. Czekali przed gankiem cierpliwie, aż oficer do nich wyjdzie. Razem z oficjalnym mężem zadawała szyku Swietłana w nowiutkiej, błękitnej burce, którą wreszcie sobie sprawiła.

Przy okazji Kuroczkin sprostował mylne wyobrażenia Sergiusza na temat jego rangi w rozwiązującym się właśnie oddziale. Otóż najemnicy wcale nie uważali starszego lejtnanta za swojego wodza ani za choćby równego sobie. Ot, po prostu Sergiusz był miłym cudzoziemcem, który wyświadczył im „usługę przywódczą", dobrze organizując bitwę, a oni w zamian za to bardzo go polubili. Wątpliwe jednak, czy którykolwiek z nich zgodziłby się wydać za niego za mąż swoją siostrę, nawet gdyby oficer przeszedł na islam. Grzecznościowy tytuł białego *czapandoza* nie miał tu nic do rzeczy.

Niewiele brakowało, a przez ten korowód solennych pożegnań z mężczyznami na wpół uwędzonymi w haszyszowym dymie ominęła ich zapowiadana przez Kuroczkina audycja radiowa. Jednak

Swietłana gładko odegrała scenę omdlenia, Sergiusz chwycił ją na ręce i wniósł do domu, a kolejni chętni usiedli opodal w cieniu, by cierpliwie poczekać na jego powrót.

Swieta z telefonem miała do czynienia w Pitrze nieraz, więc na dwóch dorosłych mężczyzn ekscytujących się dość podobną zabawką patrzyła szczerze rozbawiona. Chciała nawet sobie pójść, ale starszy lejtnant powiedział, by została. Nalała więc sobie szklankę wody i popijała w kącie.

Gospodarz rozstawił na biurku elektromagnetyczny rezonator, złożony z cewki i butelki lejdejskiej, iskrownik oraz detektor, a następnie z dużą wprawą połączył to wszystko ze sobą, a także z anteną i uziemieniem. Wspomniał przy tym, że drut od anteny rozciągnięty jest na strychu i musiał stoczyć ze swoimi Hazarkami całą batalię, żeby nie wieszały na nim prania.

Dokładnie w południe, w szerokiej na siedem dziesiątych milimetra szczelinie pomiędzy kulkami odbiorczego iskrownika zaczęła skakać niebieska skra. Doświadczony Iwan Iwanowicz natychmiast założył słuchawki i zaczął z wprawą obracać pokrętło igły galenowego detektora. Maleńkie irydowe ostrze błądziło przez chwilę po powierzchni kryształu, aż znalazło punkt, w którym prąd mógł płynąć tylko w jedną stronę, dzięki czemu zareagowały na niego membrany słuchawek. Gdy uzyskali odbiór, kupiec oddał jedną Sergiuszowi.

– Po jakiemu to… – starszy lejtnant słuchał w skupieniu. – Po arabsku?

– Koran recytują, Siergieju Henrykowiczu – skinął głową Kuroczkin. – Zawsze od tego zaczynają, ale zaraz będzie w tutejszej mowie.

Śpiewna recytacja w muzułmańskim języku liturgicznym ustała po kilku minutach, po czym rozległ się głos zrozumiały dla większości mieszkańców Afganistanu. Kuroczkin tłumaczył na bieżąco. Tajemniczy lektor objaśniał przeczytany przed chwilą fragment świętej księgi. Chodziło o Ludy Księgi, czyli zaratusztrian, żydów i chrześcijan oraz tolerancję, jaką prorok nakazywał wobec przedstawicieli religii poprzednio objawionych. Doprawdy, trudno było uznać, by kaznodzieja z eteru namawiał do czegoś złego, ale po wszystkich rozmowach z Zakanim na temat islamu Sergiusz był skłonny doszukiwać się w tym drugiego dna. Zaraz jednak uwagę oficera przykuło stwierdzenie lektora, że Anglicy są Ludem Księgi i jako tacy cieszą się pewnymi błogosławieństwami Allaha, oczywiście, daleko nie tak wielkimi jak wspaniali mieszkańcy Afganistanu, ale jednak niewątpliwymi i wiernym wolno z tych angielskich błogosławieństw korzystać, a nawet im się one należą, tym bardziej że Prorok nakazuje wiernym szukać wiedzy „od kołyski po grób".

A więc takie buty! Anglicy wyrzuceni z Afganistanu tradycyjnym sposobem, rzeczywiście wciskali się do tego kraju z powrotem niekonwencjonalną drogą przez radiowy eter, przekabacając umysły tubylców na swoją stronę. To zdecydowanie naruszało równowagę wpływów politycznych, uzgodnioną pomiędzy królem Anglii a carem Rosji. Nareszcie było co napisać w raporcie dla generała Brusiłowa, poza informacją o szczęśliwym poczęciu i zaproszeniem do trzymania dzieciątka do chrztu!

– Teraz uważajcie, Siergieju Henrykowiczu… – w głosie kupca pojawiło się napięcie.

Głos w słuchawce niespodziewanie ścichł i przeszedł w niezrozumiały bełkot. Starszy lejtnant wsłuchał się najuważniej, jak umiał. Zdołał tylko rozpoznać po brzmieniu język angielski, dobiegający jakby z niezmiernej dali, może nawet z samego Albionu…

– Możecie podregulować? – Sergiusz wskazał detektor.

Kuroczkin pokręcił przecząco głową.

– Zmienili częstotliwość – wyjaśnił fachowo. – Nasz rezonator jest nastawiony tylko na jedną, dlatego teraz ledwo łapie falę. O, widzicie, jak nam ta iskierka zwątlała…! Z tego, co zrozumiałem z pism profesora Popowa, to trzeba by dać teraz inną butelkę lejdejską albo przewinąć cewkę, tylko ja nie wiem jak.

– Popow by wiedział… – mruknął oficer, odkładając słuchawkę.

Iskrownik zgasł całkiem.

– Myśleliście, skąd nadają, Iwanie Iwanowiczu? – zagadnął Sergiusz.

– Cały czas, Siergieju Henrykowiczu. – Gospodarz zdemontował odbiornik, a na jego miejscu rozłożył mapę doliny rzeki Kabul wraz z planem miasta.

– Swieta, podejdź tu – polecił Sergiusz.

Dziewczyna pochyliła się nad płachtą papieru wraz z nimi.

– To może być Góra Armatnia – Kuroczkin pokazał na przedmieścia Kabulu – może być twierdza Bala Hissar, a może i pałac samego szacha... Wszystkie wewnętrzne stoki tej doliny też wchodzą w grę, choć to chyba jednak trochę za daleko, bo my byśmy tutaj nic nie odebrali bez tego całego amplifikatora... Chyba że ten ich jest mocny. Jednak tak naprawdę, Siergieju Henrykowiczu, żadne z tych miejsc nijak się nie nadaje!

– Dlaczego?

– Tutaj wszędzie pełno ciekawskich oczu. Jakby zauważyli, że ktoś takie sztuki magiczne wyprawia, zaraz byłoby zbiegowisko po horyzont i nazajutrz cały Kabul by wiedział.

– No właśnie! – Sergiusz podniósł wzrok na Swietłanę. – A o czym plotkują tutejsze kobiety? Słyszałyście z Szirin coś o mówiących księgach Koranu?

Dziewczyna skinęła twierdząco.

– Mówią, że to jest wielki znak od tego ich Boga, skoro święte księgi zaczęły mówić ludzkim głosem – odpowiedziała. – Jedne gadają, że to znaczy, iż niedługo będzie koniec świata, drugie, że taki cud zapowiada, iż wiara Mahometa zawojuje cały świat, a inne, że tylko angielski król przyjmie islam.

– A kto taką księgę ma?

– Święci pustelnicy, co żyją daleko i wysoko w górach, bo tam do nich aniołom z nieba najbliżej.

– A w samym Kabulu ktoś taki jest? – naciskał oficer.

Pokręciła głową.

– Jakby się tu taki gdzieś pokazał, to baby przy studni zaraz by o tym wiedziały – wtrącił się kupiec. – Ja właśnie o tym mówię...

– A wy macie w końcu jakiś pomysł, Iwanie Iwanowiczu, czy nie?! – zirytował się starszy lejtnant.

– To musi być w prywatnym domu, Siergieju Henrykowiczu, takim jak mój. W mieście albo gdzieś blisko miasta. I w tym domu nie ma tutejszych kobiet... Znaczy muzułmanek.

– Takich jak wasze Hazarki? – zagadnął podchwytliwie Sergiusz.

– One są szyitki, więc ich tu za bardzo nie uważają, ale przy publicznej studni plotkować wolno im jak wszystkim innym. I te moje mnie już obgadały względem tych drutów na strychu i aparatu Popowa w biurku, jeśli do tego pijecie, Siergieju Henrykowiczu. Ja się już musiałem tłumaczyć paru znajomym z bazaru, że pioruny łapię, żeby z nich złoto robić. Co to jest piorunochron, niektórzy tu wiedzą, a o robieniu złota słyszeli wszyscy od niepamiętnych czasów, mało kto sam nie próbował, zresztą każdy kupiec jest od robienia złota... – puścił oko.

– Wtajemniczony człowiek jednak zgadnie, co macie w domu – zauważył oficer, wspominając swoją pierwszą rozmowę z Popowem.

– Nic na to nie poradzę – kupiec rozłożył ręce. – Jakbym gadać zakazał, to dopiero byłoby gadanie... Póki co, szyickim paplaniem nikt się na bazarze nie przejął, bo wcześniej te moje gadały, że dżiny w butelki łapię... Ale jakby się kto przejął, zaraz by to do mnie doszło. Plotek słuchać i prawdę z plotki wyłuskać to w moim fachu podstawowa rzecz, Siergieju Henrykowiczu, więc nie bójcie się!

– Zatem dom, w którym nie mieszkają muzułmanki – Sergiusz ukrócił kupieckie dywagacje. – Czyli pewnie jakaś ambasada...

– W Kabulu nie ma ambasad – przypomniał Kuroczkin. – Szachowi nie wolno prowadzić własnej polityki zagranicznej. Tyle sobie Anglicy dwadzieścia lat temu wywojowali. Z innymi krajami tylko za pośrednictwem Anglików wolno Afgańcom gadać. Jest angielski poseł, który siedzi szachowi na głowie i tego pilnuje, ale sam woli się zbytnio w pałacu nie pokazywać, żeby go kiedy stamtąd z kindżałem w plecach nie wynieśli. Herbaty z trucizną też by tutaj lordowskiej mości nie pożałowali.

– Zatem jeśli jest w Kabulu jakieś zagraniczne przedstawicielstwo, to nieoficjalnie i *incognito*.

– Czyli trudno będzie znaleźć – podsumował gospodarz – ale popytać nie zawadzi... A wy, Siergieju Henrykowiczu, idźcie się teraz pożegnać z naszymi ludźmi, bo uświerkną mi przed domem z tęsknoty. Potem zapraszam was na obiad!

Pożegnać wszystkich najemników nie udało się jednak przed obiadem, podwieczorkiem ani nawet przed kolacją, bo niektórzy co bardziej przydymieni haszyszem wstali dopiero po południu. Jeszcze inni, gdy tylko wstali, urządzili sobie poprawiny... *Adżale kore szejtun ast!* Słońce już zaszło, kiedy na posesji Kuroczkina zostali tylko stali pracownicy, hazarska służba oraz mieszkańcy europejskiego domu.

Sergiusz, schodząc ze swojego posterunku na ganku willi, postanowił pomówić ze Swietłaną o Maulanie Hafizullahu. Dziewczyna od razu straciła humor. Nie usiadła obok oficera na łóżku, ale mówiąc, ciskała się po całym pokoju.

– On ma cztery żony i wszystkie bije... – zaczęła.

Starszy lejtnant popatrzył na nią ze zrozumieniem. Niewątpliwie miała uraz po trzech latach małżeństwa z brutalnym pijakiem. Wszakże Maulana nie mógł pić. To by znaczyło, że można spodziewać się po nim znacznie bardziej sadystycznych rozrywek... Opowieść Swiety to przypuszczenie potwierdzała.

– Szirin jest najmłodsza, młodsza ode mnie... O dwa lata. Ten dzik traktuje ją najgorzej ze wszystkich... – zacięła się i zamilkła.

– Co jej robi?

– Nie mogę powiedzieć – potrząsnęła głową. – Szirin mnie powiedziała w sekrecie...

– Rozumiem.

– Siergiej! – przypadła mu do kolan. – Jego trzeba ubić! Zabić jak złego dzika! – wybuchła.

– To wojenna wyprawa – przypomniał jej oschle i surowo. – Służymy Białemu Carowi, pamiętasz? Nie sobie samym ani nie Szirin. A Maulana jest nam potrzebny.

– Ja wiem! – powiedziała szybko z ogniem w oczach. – Ja wszystko rozumiem! To ty jego zabij, kiedy on już nie będzie potrzebny, albo pozwól mnie!

– Masz słuchać moich rozkazów.

– I będę! Tylko ja chcę, żebyś ty wiedział, że temu dzikowi trzeba zginąć! Nie żałuj go, Sergiusza, kiedy przyjdzie na niego czas!

– Dobrze. – Przytaknął, żeby się wreszcie uspokoiła.

Pocałowała go szybko, wstała i zaczęła się rozbierać.

– Swietoczka… – spróbował ją powstrzymać. – Nie mam teraz ochoty na miłość.

– To nie na miłość. To na złość! – fuknęła, zrzuciła suknię, po czym sięgnęła do kufra i cisnęła na łóżko dwie pary bokserskich rękawic. – Wdziewaj!

– Przy nadziei chcesz się bić?

– Dla *riebionka* to gorzej, kiedy matkę sama złość w środku trzęsie. – Szybko pozbyła się całej bielizny. – Zauroczyć się od tego może!

Sergiusz nie wiedział, czy od dalszej dyskusji powstrzymał go argument dotyczący zauroczenia, czy urok nagiej, gniewnej, antycznej bogini, której żywy posąg stanął teraz przed nim. Nie spuszczając oczu ze Swiety, zaczął się szykować do sparingu.

Ona tymczasem postanowiła się pochwalić jeszcze jednym nowym strojem. Kobiety Maulany uszyły jej z ciemnogranatowego jedwabiu obcisły trykot do ćwiczeń, zaprojektowany według własnego pomysłu. Miał on bardzo przyzwoite długie rękawy i nogawki, minimalny dekolt oraz – jakżeby inaczej – kapturek szczelnie zakrywający włosy. Do środka tego stroju wchodziło się przez rozcięte plecy. Wiązało się go z tyłu, trochę jak kaftan bezpieczeństwa, za pomocą czterech par tasiemek – w tali, pod biustem, na wysokości pach i na karku. Nie było to zbyt wygodne, ale krawczynie nie wyobrażały sobie, by w pobliżu nie było innej kobiety, która pomogłaby się ubrać. Teraz musiał to zrobić Sergiusz. W sumie wypadało przyznać, że całość prezentowała się dużo lepiej niż dotychczasowe improwizacje Swietłany z bandażem w roli głównej. Trykot tak dobrze przylegał do ciała, że dziewczyna wyglądała w nim jak naga Murzynka. Sam starszy lejtnant stanął naprzeciwko swej mrocznej hurysy w podkoszulce i spodniach. Oboje byli boso.

– Tylko mnie w brzuch nie bij! – przestrzegła, gdy założyli rękawice.

– Oczywiście…

Uwaga na temat brzucha to była romantyczna zmyłka, obliczona na to, że on się zadziwi tak oczywistą prośbą i opuści gardę. Sergiusz zareagował zgodnie z oczekiwaniem Swiety i dostał taki lewy sierpowy, że omal nie wyleciał oknem jak kuzynek Hafizullaha.

Żartów nie było. Przynajmniej z jej strony. On jakoś nie mógł się przemóc, żeby bić tak mocno jak zwykle. Ona natomiast prała go tak jakby był samym Maulaną, złym dzikiem, wrednym dżinem, byłym mężem i uralskim diabłem naraz. O zdrowie swojego dziecka Swieta zadbała z taką energią, że po dwóch minutach Sergiusz już tylko się rozpaczliwie bronił. Dobrze, że nie kopała, ale niewiele to pomogło. Kilkanaście sekund później dziewczyna z impetem rozbiła jego osłonę, po czym sufit najwyraźniej spadł Sergiuszowi na głowę, a światło zgasło…

– Siergiuszeńka! – ocknął się, leżąc z głową na jej kolanach, a ona cuciła go pocałunkami. Teraz, dla odmiany, była z niej sama słodycz w rękawicach bokserskich.

– Sierotę chcesz urodzić? – jęknął.

– W żadnym wypadku – zapewniła z powagą i zdjęła rękawice, pomagając sobie zębami. – Co mam tobie za to dać… – szepnęła zmysłowo, pochylając się niżej. – Chcesz, żebym tobie… mało wiele… zrobiła… jak Katarzyna Wielka…

– A może burkę założysz? – Sergiusz poczuł się dużo lepiej. – I nic innego pod spodem…

Polizała jego ucho, po czym odwróciła się tyłem, by rozwiązał jej tasiemki trykotu.

Starszy lejtnant usiadł i ściągnął rękawice bokserskie.

Z ogrodu doleciał nieokreślony dźwięk, który jednak sprawił, że oboje pilnie nadstawili uszu. Chwilę potem na parterze willi rozległ się brzęk tłuczonej szyby.

– Ratunku! Pomocy! – krzyknął po rosyjsku Zakani.

Poderwali się na równe nogi. Sergiusz sięgnął pod poduszkę po parabelkę, Swietłana pospiesznie zarzuciła na ramię swój pas z nożami.

Hukněly strzały. W domu i na zewnątrz. Krzyki, tupot i szczęk żelaza… Starszy lejtnant zreflektował się, że z pistoletem przeciwko długiej klindze, z pojedynku na długość ramienia nie ma szansy wyjść cało. Czym prędzej więc przerzucił parabelkę do lewej ręki, a prawą sięgnął pod łóżko, do skrzyni z bronią, chwytając za pierwszą namacaną rękojeść szabli.

Tymczasem Swieta chciała wyskoczyć przez okno.

– Dziecko! – krzyknął za nią Sergiusz, starając się przekrzyczeć strzelaninę.

Opamiętała się i wybiegła razem z nim na schody. Właśnie wpadł tędy na piętro jakiś czarno okutany brodacz dzierżący sierp bojowy o podwójnym ostrzu, rozwidlającym się na zakrzywioną głownię i prosty sztych, teraz zakrwawiony… Mężczyzna na pewno nie był Hazarem.

– *Ałła!!!* – wrzasnął i rzucił się na nich.

Sergiusz strzelił, Swieta rzuciła nożem. On trafił w pierś, ona w oko. Starszy lejtnant natychmiast zbiegł na dół, dziewczyna została chwilę przy dogorywającym zabójcy, bo spodobał się jej jego sierp.

Na parterze oficer zderzył się z hazarskim służącym z dymiącym mauzerem w ręku. Poznali się. Hazar pokazał lufą drzwi pokoju

Zakaniego. Na progu leżał kolejny napastnik z przestrzeloną głową. Wewnątrz trwała walka. Sergiusz bez wahania wpadł do środka.

Przyparty do ściany Pers ratował swoje życie, zastawiając się krzesłem przed sztychami szabli. Atakujący musiał być pod wpływem jakiegoś narkotyku, bo nie zareagował na dwa strzały w plecy. Dopiero cięcie szablą w kark sprawiło, że padł sparaliżowany.

Dwóch następnych zabójców właśnie wskakiwało oknami. Hazar nie wszedł za oficerem, strzelał do kogoś w przedpokoju. Sergiusz stanął między Zakanim a napastnikami, ale nim zdążył strzelić, ci zarzucili go kindżałami wirującymi jak srebrzyste bumerangi. Odbił dwa szablą, trzeci wbił się w krzesło uczonego. Starszy lejtnant nie pozwolił zabójcom sięgnąć po następne, strzelił każdemu w brzuch i znów bez oczekiwanej reakcji na postrzał. Zamiast tego przeciwnicy rozbiegli się na boki, wymanewrowując oficera. Jeden wdał się z nim w pojedynek szermierczy, drugi przyskoczył do Persa, nad którym znów zawisło śmiertelne niebezpieczeństwo. Sergiusz spróbował osłonić ogniem Zakaniego, jednocześnie ścinając się ze swoim przeciwnikiem. Musiał strzelać bez celowania pod swoją prawą pachą. Nie trafił. Kandydat na zabójcę uczonego nie przejął się odpryskującym wokół tynkiem i rykoszetami, z determinacją dążąc do celu.

Sergiusz wywinął błyskawiczny piruet, cięciem z góry ominął zastawę przeciwnika i rozchlastał mu tętnicę szyjną wraz z rdzeniem kręgowym. Dopiero podziałało! Z tymi ludźmi doprawdy walczyło się jak z żywymi trupami…

Pers chwiał się na nogach, ale wciąż zasłaniał porąbanym krzesłem.

Bandytą atakującym Zakaniego starszy lejtnant już nie zdążył się zająć. Zrobiła to Swietłana. Od tyłu złapała zabójcę za twarz, zasłoniła mu oczy i szarpnęła do tyłu, gładko podrzynając gardło zdobycznym sierpem. Nie poprzestała na jednym cięciu, ale zrobiła jeszcze dwa, równie płynne, i głowa przeciwnika została jej w ręku.

– Dobre… – spojrzała z uznaniem na swoje ostrze. Sergiusz dopiero teraz spostrzegł, że wykuto je ze stali damasceńskiej.

W następnej sekundzie dziewczyna, uchwyciwszy odciętą głowę za brodę, strząsnęła z niej turban i z półobrotu rzuciła w okno, trafiając w twarz następnego włażącego do środka zabójcę. Zaskoczony mężczyzna spadł z powrotem do ogrodu, a Swieta z uniesionym sierpem i dzikim okrzykiem wyskoczyła za nim.

Skok z parteru chyba nie był zbyt ryzykowny dla dziecka? Z tą myślą Sergiusz wyjrzał z pokoju na korytarz. Obrońcy domu gęsto strzelali do napastników w okolicy ganku. Słuchać też było strzały z mosina. Tylko jednego…

Hazar z mauzerem wciąż był tam, gdzie oficer widział go po raz ostatni. Służący był ranny w rękę, ale nadal zdolny do walki. Sergiusz na migi kazał mu przyjść i pilnować Zakaniego, a sam wyskoczył na zewnątrz tym samym oknem co Swietłana.

Wylądował nogami na zdekapitowanym trupie jej przeciwnika, którego głowa, nadal w turbanie, leżała na trawniku parę kroków dalej i wyglądała w mroku jak wielki, koślawy grzyb. Głowy poprzedniego delikwenta ani dziewczyny nigdzie nie było widać. Chyba zabrała ją za sobą w charakterze broni psychologicznej. Mimo woli wyobraził sobie Swietłanę, jak robi teraz *entrée* w jakimś eleganckim salonie… Hinduska bogini Kali wpadłaby w kompleksy!

Wciąż rozglądając się za towarzyszką, starszy lejtnant obiegł dom i zdołał jeszcze wpakować kulę jednemu z uciekających już napastników. Stwierdził, że atak od frontu miał na celu odwrócenie uwagi obrońców. W zasadzie skutecznie, bo zbiegli się tu niemal wszyscy – wyrwany z łóżka Kuroczkin z mauzerem i w zabawnym, przypominającym wielki śliniak pokrowcu, chroniącym jego majestatyczną brodę przed rozwichrzeniem we śnie, Spirydon Feliksowicz z ciężkim, mosiężnym lichtarzem, Wołodia i Ged, obaj z naganami, uzbrojeni jak popadło Hazarowie, a nawet Maliniak, pijany w trzy dupy, ale z bronią w ręku.

Gdzie był Jewgienij Piotrowicz?

Sergiusza oblało gorąco. Jak to gdzie?! Na posterunku w ogrodzie… Jak co wieczór zgodnie z poleceniem starszego lejtnanta weteran obserwował zza krzaków róż Zakaniego, który przeważnie wtedy coś pisał, dopóki uczony nie położył się spać.

Kiedy walczono w pokoju Persa, na stole leżały papiery, a on nie miał na sobie piżamy, lecz nadal dzienne ubranie… To Zakani był głównym celem napaści na dom, weteran zaś…

Sergiusz już wiedział. Biegł z powrotem do ogrodu porażony pewnością, jeszcze zanim usłyszał rozpaczliwy płacz Swietłany.

– *Batiuszeńkaaaaa!!!*

Klęczała przy ciele starego matrosa, gryząc z rozpaczy zakrwawione pięści. Jewgienijowi podcięto gardło i pokłuto go nożami. Mocno pokaleczone dłonie i palce wskazywały, że walczył do ostatniego uderzenia serca. Sierp i głowa bandyty musiały wypaść dziewczynie z rąk, gdy znalazła zwłoki.

Starszy lejtnant stanął nad nimi bez żadnej myśli. Nie! Jedną myśl jednak miał. Przeraźliwie jasną i kuszącą wręcz erotycznie jak najpiękniejsza rozbierająca się kobieta – pójść do Zakaniego i porąbać Persa szablą na dzwona! Zanim się opanował, zrobił już jeden krok w tym kierunku.

– Wracaj do naszego pokoju! – rozkazał stanowczo Swietłanie. – Nikt nie powinien cię takiej widzieć!

Według muzułmańskich pojęć była prawie naga, a do tego krew na rękach i twarzy… Do bramy Kuroczkina już dobijała się straż miejska zwabiona odgłosami strzelaniny. Należało uniknąć dodatkowego skandalu.

Swieta posłuchała go machinalnie, jak lunatyczka. Otarła oczy, rozmazując łzy i krew, podniosła sierp i znikła w ciemnościach. Sergiusz przyklęknął i zamknął powieki Jewgienija. Na przeżegnanie się już nie było czasu.

Należało działać szybko! A nade wszystko myśleć precyzyjnie.

Starszy lejtnant chwycił odciętą głowę i odniósł ją w pobliże właściciela, żeby nie było za dużo pytań. Zakani był lekko ranny w pierś sztychem szabli, która przebiła siedzisko krzesła. Sergiusz kazał mu położyć się na łóżku, zgarnął z podłogi, podwójną garść krzepnącej krwi i garnirował nią Persa tak, że wyglądał lepiej od prawdziwych nieboszczyków poniewierających się w jego pokoju. Napuszony afgański oficer przybyły na czele patrolu straży miejskiej nie bawił się w dochodzenie ani pisanie raportów. Poprzestał na pobieżnym obejrzeniu pobojowiska, w podaną liczbę trzech ofiar bandyckiej napaści uwierzył na słowo. Po stronie obrońców prócz Jewgienija padł jeden służący, czterech dalszych było rannych. Bardziej od faktów, za przeproszeniem, „oficera policji" interesowało wymuszenie okupu od Kuroczkina za jego Hazarów, którzy ośmielili się strzelać do pełnoprawnych mieszkańców Afganistanu. Skorumpowany sukinsyn chciał od razu zaaresztować całą służbę „do czasu aż się sprawa wyjaśni". Na szczęście wyjaśniła się szybko, gdyż kupiec nie pożałował *salam*. Zadowolony oficer zajął się wobec tego wywozem trupów napastników, których naliczono dziewięć, z tego dwóm czuć było z ust gorzkimi migdałami. Zbyt ciężko ranni, by uciekać, zażyli cyjanek, żeby uniknąć przesłuchania. Niewątpliwie zamierzali wymordować cudzoziemców po cichu, dlatego przyszli uzbrojeni w większości w broń białą i gwałtowny ogień obrońców willi okazał się dla nich przykrą niespodzianką. Pozostali przy życiu bandyci musieli zdrowo oberwać, bo na ulicy przed domem było dużo krwi, ale nikogo żywego nie złapano. Ślad posoki urywał się nagle, widać odjechali specjalnie przygotowanym wozem. Sugestia pościgu w wykonaniu oficjalnych przedstawicieli prawa i porządku zaowocowała litanią aluzji na temat wielkiej kosztowności tego przedsięwzięcia, ciężkich czasów i wysokich cen, więc Sergiusz machnął ręką na pościg, a Afgańczyk obraził się na mało pojętnego *horedżi* i czym prędzej zabrał się ze swoimi ludźmi oraz trupami bandytów. Z punktu widzenia władzy państwowej sprawa została formalnie zamknięta. Przyjęto, że motywem napaści na dom rosyjskiego kupca była chęć rabunku szmaragdów świeżo dostarczonych z Pandższiru.

Kamienie szlachetne miały znaczenie o tyle, że po wyjeździe najemników właśnie ze względu na nie Kuroczkin nakazał swoim Hazarom czujność oraz trzymanie broni w pogotowiu. Jak zwykle Iwan Iwanowicz nie dał się zaskoczyć. Aczkolwiek straty, jaką ponieśli, kupiec nie przewidział.

Śmierć Jewgienija wstrząsnęła wszystkimi, ale chyba najbardziej Spirydonem Feliksowiczem. Stary księgowy na tę wiadomość doznał palpitacji serca, musiał zażyć nitroglicerynę, a kiedy doszedł do siebie, zapowiedział okrutną zemstę na mocodawcy morderców i wszystkich jego wspólnikach. Kuroczkin radził się nie śmiać, nie wiadomo tylko, czy przez szacunek dla staruszka, czy dlatego, że jego zaufany buchalter mógł być naprawdę groźny.

Sergiusza opuścił jego zwykły sarkazm. Bardziej niż śmiać z jakichkolwiek powodów, szczerze chciało mu się płakać. Nie mógł sobie jednak pozwolić na żal po bohaterskim weteranie spod Synopy, gdyż musiał wreszcie stanowczo rozmówić się z Zakanim. I nie myśleć przy tym, że gdyby zdecydował się na to wcześniej, Jewgienij by żył...

Dodatkowo irytował Sergiusza fakt, że walczył dziś tą przeklętą, muzealną polską szablą, której tak bardzo chciał się pozbyć.

Akurat „Bóg, Honor i Ojczyzna" przypadkiem wpadły mu w rękę!

Królowie polscy i betlejemscy

Dla Persa, oficjalnie uznanego za zmarłego, przygotowano mały pokoik na poddaszu willi. Jedyne okno, wychodzące na kwatery służby, szczelnie zasłonięto i dodatkowo zabito deskami od wewnątrz. Atrapę zwłok uczonego sporządzono ze szmat i kamieni, po czym zawiniętą w całun, położono obok obmytego z krwi i okrytego tak samo ciała Jewgienija. Ze względu na letnią porę pogrzeb miał się odbyć jutro rano. Kuroczkin wybrał na grób miejsce obok krzaka herbacianych róż, który okazał się ostatnim posterunkiem starego matrosa.

Gdy Sergiusz wszedł, Zakani akurat porządkował swoje rzeczy, przeniesione w pośpiechu z dołu. Natychmiast przerwał tę pracę.

– Jestem głęboko wdzięczny Panu Mądrości za życie tego dzielnego starca – powiedział z powagą uczony. – I panu też, panie Lawendowski. Gdyby Ormuzd pana nie natchnął i nie kazał pan mnie śledzić, zabójcy weszliby do tego domu niezauważeni. Nie ostrzegłoby mnie zamieszanie w ogrodzie i nie rozmawialibyśmy teraz. Zapewne zabitych wśród służby też byłoby więcej. Ta jedna śmierć ocaliła zatem niejedno ludzkie życie. Jest pan dobrym dowódcą, starszy lejtnancie Lawendowski. Mam nadzieję, że ten stopień wojskowy jest nadal aktualny.

– Skąd pan wie? – Sergiusz ciężko usiadł za stołem.

– Powiedzieli mi to ci, którzy opowiadali mi o pańskiej wspaniałej szarży nad brzegiem Zatoki Koreańskiej, pod ogniem ciężkiej japońskiej artylerii, w poprzek pola bitwy.

– Po liniach wewnętrznych... – oficer odruchowo poprawił cywila i dopiero teraz dotarło do niego znaczenie tych słów. – Czy Patrycja McGinn jest w Kabulu? – zapytał szybko.

– Nie. Pani Lawendowska nigdy nie była w Afganistanie.

Zatem generał Brusiłow kłamał... Sergiusz przygryzł wargi. Nie kłamał, usprawiedliwił natychmiast swojego zwierzchnika, tylko zachował się jak dowódca mówiący to, co trzeba, żeby podnieść morale podległego żołnierza. W wojsku to zwykła rzecz.

– Przyjęła moje rodowe nazwisko? – zagadnął, by mieć czas ochłonąć. – Przecież mój stryj zginął, zanim zdążyli się pobrać...

– Panna Patrycja zgodnie z chińskim ceremoniałem *minghun* poślubiła ducha pułkownika Lawendowskiego i jako prawowita małżonka przyjęła nazwisko męża – wyjaśnił rzeczowo Zakani.

– Gdzie jest teraz?! Zdrowa?! Ona i dzieci?!

– Przebywa wraz z synami w moim domu w Persji. Miałem również wielki zaszczyt gościć polskiego i chińskiego króla Władysława V...

– Polski król nosi imię Mikołaj! – syknął wytrącony z równowagi oficer.

– Tytuł króla Polski nosiło legalnie tylko dwóch carów – odrzekł stanowczo Zakani. – Byli to Aleksander I oraz Mikołaj I, do czasu swej detronizacji w styczniu 1831 roku, za konstytucyjne krzywoprzysięstwo. Pers ma pana ojczystej historii uczyć? – spojrzał zdziwiony. – Po złożeniu rezygnacji z polskiego tronu car Mikołaj oraz wszyscy jego następcy byli już tylko uzurpatorami. Elekcja księcia Tajpingów Hung Siao-Tiena była całkowicie zgodna z polskim prawem i tradycją. I proszę nie mówić, że Władysław V nie miał za sobą większości narodu, Aleksander I też jej bowiem nie miał. Skoro carowie uznali, że Polacy mają prawo ofiarować im swoją koronę, winni byli też uznać, że pańscy rodacy mogą ją odebrać, skoro warunki umowy nie zostały dochowane.

Sergiusz potrząsnął głową zdegustowany do imentu.

– Co się zaś tyczy zdrowia moich drogich gości – kontynuował uczony – pani Patrycja i jej dzieci, o ile wiem, czują się dobrze. Niestety, król Władysław niedomaga, obawiamy się, że to coś poważnego. Doktor Zakrzewski wyjechał z nim na kurację do Euro-

231

py. Natomiast wielce szanowny sierżant Fedorczyk opiekuje się panią Lawendowską i pańskimi młodymi kuzynami.

– Myślałem, że po bitwie o Harbin oni uciekli do Japonii – mruknął starszy lejtnant. – Albo do Mongolii lub Tybetu. Afganistan też mógł być. Na Persję nigdy bym nie wpadł!

– No właśnie, panie Lawendowski. I nie tylko pan…

– Irlandka, Pers, Chińczyk i banda zwariowanych Polaków… – wyliczył zirytowany Sergiusz. – Jak wyście się w ogóle mogli spotkać?!

– Zapewniam pana, panie Lawendowski, że ludzie, którzy poświęcili życie na szukanie prawdy i sprawiedliwości, muszą spotkać się prędzej czy później, niezależnie od tego, w jak odległych krajach i kulturach się urodzili. W moim przypadku stało się to za pośrednictwem młodego pana Brzozowskiego. Wspomnę jeszcze, że w Persji właśnie dojrzewa rewolucja, więc wytrawni spiskowcy są na wagę złota…

– Kim pan u licha jest, panie Zakani?!

Pers wyprostował się z godnością.

– Proszę wybaczyć, że nie przedstawiłem się do końca. Jestem Farhad Darius Kacper Zakani, książę z bocznej linii dynastii Achemenidów, tej samej, z którą walczył Aleksander Macedoński. Kłamałem, mówiąc, że historia mego rodu sięga zaledwie ośmiu pokoleń wstecz. Ogólnie rzecz biorąc, jestem potomkiem szlachetnych Ariów tak samo jak pan. W szczególności zaś w linii prostej dziedzicem mędrca Kacpra, jednego z trzech kapłanów Zaratustry, którzy przybyli do Betlejem, by potwierdzić i uznać sukcesję bożych objawień, a przy okazji wydostali świętą rodzinę z tarapatów, ofiarowując złoto, które umożliwiło im ucieczkę do Egiptu.

– Tak, tak… A na dodatek jest pan profesorem nieistniejącego uniwersytetu w Teheranie – dopowiedział kwaśno oficer.

– W szczerość moich naukowych zainteresowań chyba pan nie wątpi. Tradycja rodzinna zobowiązuje! A uniwersytet w Teheranie powstanie, gdy tylko wrócę do kraju i zbiorę uczniów. Dotąd sądziłem, że nie jestem gotowy i będę potrzebował jeszcze dwóch, trzech podróży badawczych, ale to, czego się dowiedziałem, towarzysząc panu, dopełnia już moją wiedzę do stanu godnego przekazania. Myślę jednak, że teraz bardziej chciałby pan usłyszeć, dlaczego próbowano mnie dzisiaj zabić?

– Nie – Sergiusz wstał. – To może zaczekać, nie za wiele naraz. Myślę, że jest ktoś, komu moja obecność jest w tej chwili bardziej potrzebna.

– To dobra myśl, panie Lawendowski. Niech pan idzie.

Przeczucie nie myliło ich obu.

Kiedy starszy lejtnant wrócił do siebie, zastał tam widok, od którego serce podeszło mu do gardła.

Swietłana na niego czekała. Tak jak się wcześniej umówili, w burce założonej na nagie ciało. Tylko że wcześniej nie obmyła się z krwi... Siedziała na łóżku i machinalnie zdrapywała z dłoni czarnobrunatne skrzepy.

Z tak jawnym szaleństwem Sergiusz nigdy dotąd nie miał do czynienia u nikogo. Przez moment kompletnie nie wiedział, co robić. Potem pierwszym odruchem była ucieczka. Potrzebował zadziwiająco długiej chwili, żeby oddalić tę pokusę i wziąć się w garść. Wreszcie podszedł, bardzo powoli uniósł zasłonę z jej twarzy. Spodziewał się ujrzeć pod nią odczłowieczone oblicze demona o pełnych obłędu oczach. Zamiast strzygi zobaczył twarz małej, kompletnie zagubionej dziewczynki. Krew na jej policzkach i ustach wyglądała niemal jak rozmazana czekolada.

– Swietoczka... – zdjął z niej całą burkę i odrzucił na bok.

– Tak? – Zareagowała bez emocji.

– Chodź tutaj – wziął ją za rękę i poprowadził do umywalni w kącie sypialni. Poszła bezwolna jak lalka. Chciał umyć jej ręce i twarz, ale prawie całe jej ciało było pokryte krwią, która przesiąkła przez jedwab trykotu, a stopy brudne od ziemi i trawy. Postawił więc miskę na podłodze, kazał dziewczynie w niej stanąć i umył ją całą od głowy do nóg, przy okazji upewniając się, czy nie

233

jest ranna. Nie była. Tylko jej duszę rozdarło. Nie podejrzewał, że aż tak pokochała Jewgienija.

Najstaranniej i najdelikatniej, jak umiał, obmył jej łono. Zdawało mu się nawet, że czuje ruchy dziecka, choć chyba na to było za wcześnie.

– Sergiusza… – dopiero teraz zareagowała przytomnie. – Tyś o mnie nie zapomniał?

– Nigdy o tobie nie zapomnę. – Wytarł ją, wziął ją na ręce i zaniósł do łóżka. Zakrwawiony sierp wkopał pod nie, a zesztywniały trykot wrzucił do miski z brudną wodą i wystawił na zewnątrz, żeby zajęła się nim służba. Hazarki żywo krzątały się po domu, szczególnie wiele roboty miały w byłym pokoju Zakaniego.

Z braku miski Sergiusz odświeżył się mokrym ręcznikiem i dopiero teraz opadło z niego napięcie, a w głowie zaczął się kręcić rój niesprecyzowanych, mętnych myśli. Im mniej dawały się ogarnąć, tym więcej ich było. Położył się obok dziewczyny i mocno ją przytulił. Poczuł, że sam zaczyna tracić kontrolę nad rzeczywistością.

– Mnie jego tak bardzo żal… – Swietłana obróciła ku niemu zapłakaną twarz. – Ja mało co znałam swojego ojca, a Jewgieniusza był dla mnie taki dobry.

– Wiem, Swieta, wiem… – Coraz bardziej mieszało mu się w głowie. Nie był w stanie wykrzesać już żadnej sensownej myśli. Twarz Swietłany była przed nim, a twarz Patrycji w nim. Obie ledwo widoczne w mroku i nie wiadomo, która bardziej rzeczywista. Zdawało się, że opowieść Zakaniego, wiadomości, które od niego usłyszał, zaczynają puchnąć, wręcz rozsadzając Sergiuszowi mózg.

– Dawno zapomniałam, że serce może tak boleć… tak bardzo… Trzymaj mnie!

– Trzymam…

Wszystko się wokół kręciło i rozmywało. Nic już nie miało znaczenia, poza tym by mocno trzymać się nawzajem. Odpływali gdzieś poza czas. Oboje nie mieli pojęcia, czy zrobili ze sobą to, co do kobiety i mężczyzny należy, czy tylko wirowali wokół siebie jako dwie mocno złączone dusze, niepragnące nic innego poza samą bliskością.

W każdym razie w końcu zasnęli, a sen pozwolił im się pozbierać i dojść do siebie.

Spali aż do południa. Kuroczkin nie pozwolił ich budzić i specjalnie zaczekał z pogrzebem. Tuż przed samą ceremonią kupiec napomknął mimochodem, że tajemnicze radio dziś nie nadawało. Następnie Iwan Iwanowicz jako gospodarz spełnił funkcję nieobecnego kapłana, czytając fragmenty Pisma o obróceniu się w proch i zmartwychwstaniu. Swietłana już nie desperowała. Była smutna, ale spokojna. Z braku czarnej sukni cała okryła się surowym płatem czarnego jedwabiu, który dostarczył jej Kuroczkin. Sergiusz, na prośbę Zakaniego, który oczywiście nie mógł być obecny, odczytał nad jego „grobem" fragment Gath, tak naprawdę przełożonym przez perskiego uczonego na rosyjski z myślą o zdążającej na spotkanie Stwórcy duszy Jewgienija:

Kto wystrzega się złego kłamcy i śmiertelników, którzy zaprzeczają Panu,

Kto czci Najwyższego z pomocą świętej wiary zbawcy Zaratustry,

Temu, o Ormuździe, będziesz ojcem, przyjacielem, a nawet bratem!

Pogrzebu nie zaszczycił swoją obecnością Maulana Hafizullah. Jako muzułmanin przy pochówku innowierców koniecznie być nie musiał, ale wypadało mu okazać szacunek Kuroczkinowi. Afgański kupiec nie przyszedł jednak, bo się wstydził. A to z tej przyczyny, że ten nocy uciekł powierzony mu na przechowanie jeniec... Bez wątpienia ktoś łajdakowi dopomógł, szczęściem po cichu i w domu Maulany nikt nie zginął. Cóż, nieszczęścia chodzą parami, a to akurat nie było największe. Dobrze, że było coś w zamian i zamiast niezłomnego pana Macium Macium zdecydował się mówić Zakani. Starszy lejtnant przygotowywał się w duchu do tej rozmowy.

Po obiedzie Swietłana oznajmiła, że chce jak dotychczas spotkać się z Szirin na kolejną lekcję dari. Ten język może pomóc jej pomścić „ojczulka Jewgienija", więc chce się go nauczyć jak najprędzej. Sergiusz wyraził zgodę, ciesząc się, że Swieta woli coś robić niż bezczynnie rozpamiętywać. Dali jej tylko na drogę przez miasto dodatkową ochronę, czyli dwóch dobrze uzbrojonych Hazarów oprócz Geda.

Nawiasem mówiąc, chłopak dzielnie stawał w obronie domu i starszej siostry. Tak dzielnie, że to on postrzelił tego Hazara z mauzerem, który bronił schodów i drzwi do pokoju Zakaniego. Chwała Bogu, rana była powierzchowna i tylko jedna, bo nieustraszony młody bojownik zapomniał strzelać z wrażenia na widok stroju Swietłany. To ona odesłała go na ganek do innych. Ged upierał się stanowczo, że tej nocy trafił jeszcze kogoś. Nie można było wykluczyć. Dlatego Kuroczkin upewnił się, że jego służący zginął od broni białej, zanim ciało odniesiono na szyicki cmentarz.

Chociaż było to nieodzowne, Sergiusz na kolejną rozmowę z Zakanim najmniejszej ochoty nie miał. Na diabła mu nowe wątpliwości?! Wiedział, że Persa nijak nie przegada, a używając na cześć Jewgienija metafory marynistycznej, po cholerę mu nowe dziury w burcie jego światopoglądu poniżej linii wody? Zwłaszcza że po czymś takim na dno można było pójść nie tylko w sensie metaforycznym, ale i jak najbardziej dosłownie… Starszy lejtnant Lawendowski zdecydowanie nie zamierzał dać się wciągnąć do sekty Polaków patriotów, wyznawców niezłomnej walki za własną i cudzą wolność, ale z drugiej strony zupełnie nie wiedział, jak się przed tym bronić. Listek figowy panslawizmu wyglądał wyjątkowo żałośnie na tle golizny jego argumentacji. No i naprawdę głupio było kolejny raz dać się zagiąć cudzoziemcowi z historii Polski. Mówiąc krótko, nadmiar królów polskich i betlejemskich zdecydowanie wyszedł Sergiuszowi bokiem! Dobrze, że przynajmniej kwaśny humor mu wrócił…

Wyprawiwszy Swietłanę do Szirin, starszy lejtnant postanowił, jak kawalerzyście przystało, najpierw zająć się koniem i zamiast do Persa poszedł do Torsziego. Na progu stajni zastał Maliniaka, który, o dziwo, całkiem trzeźwy, siedział i czyścił karabin, zupełnie jak niedawno Jewgienij w tym samym miejscu. Po powrocie z Pańdźsziru hazarska ochmistrzyni trzymała się od szeregowca z daleka. Był on bowiem teraz w tak dobrej komitywie z najemnikami oraz męską strażą domu Kurocznika, że teraz jego słowo przeciwko jej słowu skończyłoby się dla niej obcięciem języka. Polski abnegat wyraźnie odbił się od dna.

– Kiedy pójdziemy pomścić starego? – zapytał, gdy oficer się zbliżył.

– A wiecie, Maliniak, dokąd iść?

– To szef jest od tego, żeby się dowiedzieć! – wzruszył ramionami i przerepetował mosina na pusto, upewniając się, że zamek lekko chodzi. – Szef się dowie, a ja zaraz każdemu z tych sukinsynów bagnet w dupę aż po kolbę wsadzę! W samo, jak tu mówią, „oczko wróbelka"!

Proszę, proszę! Nie dość, że się od dna odbił, to jeszcze mówił dowódcy, co ma robić. No i znać było kandaharski dowcip, wyostrzony w towarzystwie afgańskich wesołków i w oparach haszyszu... Zrezygnowany Sergiusz wyjął z kieszeni marchewkę, podszedł z nią do Torszego.

– *Auual ta'am, ba'ad kalam*, najpierw jedzenie, potem plotki – powiedział do rumaka.

Torszi zarżał radośnie, niewątpliwie też w dari.

Starszy lejtnant dokładnie wyczesał wierzchowcowi bujną grzywę i ogon, po czym wreszcie poczuł się gotów do rozmowy z „Trzema Królami w jednej osobie".

– Od czego mam zacząć, panie Lawendowski? – spytał kilka minut później Zakani, wskazując oficerowi krzesło.

– Od Szach Fuladi – odpowiedział Sergiusz.

– Na wschodnim stoku tej góry zbudowano doświadczalną stację radiową dużej mocy. Niestety, ku rozczarowaniu konstruktorów okazało się, że fale radiowe łatwiej dolatują stamtąd do Petersburga niż do większości afgańskich dolin. Podobno były za długie i nie przechodziły przez góry, w skałach jest bowiem żelazo, które to uniemożliwia. Nie znam szczegółów technicznych. Początkowo próbowano przezwyciężyć tę przeszkodę, zwiększając moc nadawania, a ponieważ nie dało to rezultatu, postanowiono zmienić pierwotną ideę i zastosować system mniejszych nadajników, rozmieszczonych w kluczowych punktach nad poszczególnymi dolinami. W pierwszej kolejności tymi zamieszkałymi przez potomków żołnierzy Wielkiego Aleksandra, którzy istotnie ujrzeli w tych aparatach drugą jutrzenkę swojej religii.

– Dziwne, że przez tyle wieków nie nawrócili się na islam.

– Ta odrobina godności i wierności wierze przodków to akurat jedyna rzecz, która budzi moje uznanie w przypadku tych ludzi. Natomiast ich okrucieństwa i bandyckich metod w żadnym razie nie pochwalam, dlatego pomogłem w rozprawie z nimi.

– Ale nie chciał pan, abym się dowiedział, że oni mają maszyny radiowe…

– Owszem, ponieważ aż tak wielka pomoc w pańskiej misji nie leżała w moim interesie. Ale może mówmy po kolei?

– Oczywiście, proszę, panie Zakani.

– Zwiększanie mocy nadajnika na Szach Fuladi dało tylko ten skutek, że dowiedział się o nim profesor Popow i zaalarmował wojskowe władze. Tę część historii pan zna. Na wieść o pańskiej wyprawie niezwłocznie ewakuowano całą aparaturę, nie wiem dokąd, ale wiem, kogo może pan o to spytać. O tym jednak za chwilę. U stóp Szach Fuladi czekała na pana mała macedońska armia, ale pan rozsądnie nie wszedł jej w drogę.

– A pan mnie przed tym dyskretnie ostrzegał, dlaczego?

– Zacznę może od tego, jak doszło do naszego spotkania w Astrachaniu. Otóż faktycznie wracałem wtedy z podróży naukowej do domu. Nasi wspólni znajomi odnaleźli mnie w Charkowie i poprosili o pomoc.

– Miał mnie pan uratować czy zabić?

– Tak się złożyło, że życzono sobie jednego i drugiego naraz. Pańscy przeciwnicy, po wydarzeniach w Moskwie i akcji rosyjskiego kontrwywiadu, podzieli się na frakcje. Jedni chcieli, abym poprawił spartaczoną robotę, oczywiście nie sam, tylko przez wynajętych ludzi. Drudzy, a ściślej mówiąc, otoczenie króla Władysława V życzyło sobie, bym jedynie obserwował pańskie poczynania. Ostatecznie rzecz pozostawiono do mojej decyzji, jaka była, chyba nie muszę mówić… – Zakani sięgnął do kieszeni i położył na stole złotą plakietkę z Zeusem, ten okazalszy model, taki sam, jaki zdobył Maliniak, oraz czarny, żelazny sygnet, na którym wyryto łaciński krzyż, a u jego podnóża literę „W" i rzymską piątkę. – Aby uzyskać pomoc potomków macedońskich Greków, należy pokazać im tę płytkę i wypowiedzieć w antycznej grece słowa: „świeża woda i nowy ogień". To chyba nie powinien być żaden kłopot dla Europejczyka z klasycznym wykształceniem?

Sergiusz po chwili namysłu przełożył hasło na język Homera. Zakani skinął głową i przesunął płytkę w stronę oficera.

– Jest pańska – stwierdził.

– Dziękuję. Domyślam się, że do tego pierścionka też jest jakieś nader romantyczne hasełko…

– Owszem, panie Lawendowski. Jest hasło i odzew, ale nie zdradzę ich panu. – Pers schował sygnet. – Zresztą, pan ich nie potrzebuje. Wystarczy, że poprosi pan o spotkanie z panią Patrycją. Ten pierścień pokazałem na znak, że mówię prawdę. Proszę nie próbować mi go odebrać.

– Nie zamierzam, panie Zakani. Wciąż jest mi pan za bardzo potrzebny. Jednak chyba może mi pan powiedzieć, co łączy enigmatyczne Bursztynowe Królestwo, istniejące obecnie Bóg wie gdzie, z wszechpotężnym Imperium Brytyjskim, nad którym nigdy nie zachodzi słońce?

– Prosty sojusz polityczny, panie Lawendowski. Pańscy rodacy działają w ścisłym porozumieniu z Japonią. Nie zmienił tego ów niefortunny incydent nad Zatoką Koreańską, wprost przeciwnie, gdyż Japończycy nabrali do Polaków większego szacunku. Natomiast Anglia jest największym sojusznikiem Japonii i właśnie kończy budować dla cesarza Mutsuhito nowoczesną flotę pancerników. Oczywiście przeciwko Rosji.

– Piękny spisek… – wycedził przez zęby Sergiusz.

– Ale jeszcze daleko niecały – zmitygował go Zakani.

– Domyślam się! Panu jako perskiemu patriocie jest zdecydowanie bliżej do moich rodaków niż do króla Anglii, który chce ujarzmić Persję.

– Słusznie. Tym niemniej to Anglicy pierwsi zwrócili się do mnie z prośbą o pomoc w ostatecznym zniewoleniu Persji. Pomijam na razie, jak wielkie i niestosowne było to z ich strony *faux pas*. Anglicy w podbitych krajach zawsze opierają swoje rządy na lokalnej arystokracji. Uznano, że ja jako członek rodu odsuniętego od bieżącej polityki przez aktualnie panującą dynastię Kadżarów dobrze nadaję się do tej roli. I że zaspokojenie osobistej żądzy władzy jest dla mnie ważniejsze od zdrady kraju. Aż do tej chwili nie zrobiłem nic, aby wyprowadzić ich z błędu.

– No tak – pokiwał głową Sergiusz. – *Konrada Wallenroda* czytał pan w oryginale…

– To wielkie dzieło – uprzejmie zgodził się Pers.

– Rozumiem też, że nadmiernie nie mógł pan pomóc Rosji, czyli mnie, zatem prowadził pan własną politykę równowagi sił, balansując pomiędzy lojalnością wobec trzech czy nawet czterech stron. Tylko po co Anglikom było wpychać się z tym radiem do Afganistanu? Dlaczego akurat tu?!

– W Londynie uświadomiono sobie, że dotychczas Wielka Brytania podbijała niewłaściwe kraje. Kluczem do władzy nad światem nie jest Afryka Południowa, Indie, Australia, Kanada czy porty Chin, lecz właśnie Afganistan, ze względu na ów walor „drugiej Szwajcarii", o którym wspominał nasz drogi gospodarz. Szwajcarii znacznie większej i trudniejszej do zdobycia niż ta pierwsza. Potrzebne były tylko przychylne nastawienie miejscowej ludności i sprawniejszy system łączności ze światem. Radio jest w stanie zapewnić obie te rzeczy naraz.

– A więc wszystko zaczęło się od kryzysu argentyńskiego 1890 roku? – upewnił się Sergiusz.

– Zgadza się. Uwadze londyńskich bankierów nie uszła rola, jaką w sprawie Baringsów odegrali kupcy z kabulskiego bazaru, których spekulacje mocno uderzyły Anglików po kieszeni. Do tej pory tego typu ataki na światowy system ekonomiczny były specjalnością „gnomów z Zurychu", a tu nagle pojawił się nowy gracz, na dodatek absolutnie poza zasięgiem Banku Anglii i jego mocodawców.

– Poszliby wtedy z torbami, gdyby nie car Rosji! – Sergiusz przypomniał sobie, co o tej sprawie mówił Kuroczkin.

– To prawda. Anglicy w zamian za rosyjski ratunek ich systemu finansowego sprzymierzyli się z Japonią przeciwko Rosji. Czarna niewdzięczność to w polityce międzynarodowej najsolidniejsza waluta. Zapewne Brytyjczycy nie chcieli, żeby imperium carów zbytnio urosło w siłę. Wracając zaś do tematu, przez całe lata 90. ministrowie królowej Wiktorii łamali sobie głowy, jak trzeci raz dobrać się do Afganistanu, ale tym razem skutecznie. Nie ułatwiała im tego niefortunna z początku wojna z afrykańskimi Burami, aż nagle spadł im jak z nieba wynalazek radia. Mówią panu coś nazwiska John Ambrose Fleming i Lee De Forest?

– Zupełnie nic.

– Ci ludzie rozwiązali zagadkę amplifikacji prądów elektrycznych, o której pan wspominał. Stało się to dokładnie w czasie, gdy cały cywilizowany świat był zapatrzony w Chiny, obronę pekińskiej dzielnicy ambasad przed bokserami i gazety nie pisały o niczym innym. Anglicy jednak, wyjątkowo jak na nich, tym razem nie zlekceważyli nowego wynalazku i zaproponowali obu uczonym pracę dla swojej armii. Ich patenty zostaną ogłoszone publicznie dopiero, gdy przestaną być tajemnicą wojskową. Do tej pory rząd jego wysokości Edwarda VII gwarantuje wynalazcom pełną ochronę praw, zwłaszcza przed tym amerykańskim gangsterem Edisonem, który dotąd chyba tylko przez przeoczenie nie przywłaszczył sobie idei Kopernika i nie opatentował pod własnym nazwiskiem ruchu planet wokół Słońca. Tym razem jednak mister Edison musiał się zadowolić sławą wynalazcy zwykłej żarówki. Podobno wprost szalał z wściekłości, gdyż Fleming był jego pracownikiem, a swojego przełomowego odkrycia dokonał po godzinach pracy w londyńskim oddziale Edison Electric Light Company, ale agenci jej królewskiej mości Wiktorii złożyli panu Edisonowi propozycję nie do odrzucenia... Mniejsza o to! Obu geniuszom dyskretnie zapewniono rajskie warunki badań, choć oficjalnie oni nie pracują razem ani nawet się jeszcze nie znają.

– A co Fleming i De Forest właściwie wynaleźli? – spytał Sergiusz.

– Nazwali to żarówką amplifikacyjną. Ten właśnie przedmiot bóg Zeus trzyma w lewej dłoni – pokazał na plakietkę.

– Jak to dokładnie wygląda?

– Przykro mi, panie Lawendowski, nie zostałem dopuszczony do tak wielkiej tajemnicy. Wiem tylko, że żarówka amplifikacyjna ma znacznie krótszy niż zwykła drucik wolframowy, który tylko się żarzy, zamiast jasno świecić. Poza tym są tam jeszcze jakieś blaszki i metalowe siatki. Naprawdę nie wiem, jak ona działa, jednak efekty tego działania są doprawdy imponujące. Wiek XX będzie wiekiem fal radiowych!

– Może przejdźmy wreszcie do istoty rzeczy, panie Zakani. Dlaczego chciano pana zabić?

– Nie miałem czasu szczegółowo wypytywać o to moich nocnych gości, ale domyślam się, że uznano mnie za zdrajcę angielskiej sprawy. Prawdopodobnie rozpoznał mnie ktoś z tej bandyckiej wioski, bez wątpienia kryli się tam jacyś biali ludzie z lornetkami, którzy przekazali do Kabulu drogą radiową wiadomość, że pomogłem ująć ich agenta udającego pustelnika i może jeszcze przekazałem udający Koran odbiornik w ręce Rosjan. Na kogoś takiego sam bym wydał wyrok śmierci. Oczywiście, przed wczorajszą napaścią nie mogłem mieć co do tego żadnej pewności.

– Kogo zatem mam prosić od dalsze wyjaśnienia?

– Ów człowiek nazywa się Teodor Talbot i ma kwaterę niedaleko Kabulu, w dość ciekawym miejscu, około półtorej angielskiej mili od miasta.

– Co to za miejsce?

– Hinduski dom publiczny przy drodze do Dżalalabadu. Tam, jak sądzę, znajduje się nadajnik obsługujący dolinę Kabulu.

– A także kobiety, które nie wymieniają plotek z muzułmankami… – mruknął Sergiusz. – Dziękuję za informacje! – wstał.

– A ja za uratowanie życia. Nadal czuję się pańskim dłużnikiem, oczywiście w granicach rozsądku.

– Ja także w granicach rozsądku postaram się respektować aktualny sojusz polsko-chińsko-perski…

– Ma pan na głowie ważniejszy problem – dokończył za niego Zakani.

– Nie przypuszczałem, że miło mi będzie poznać potrójnego agenta.

* * *

Starszy lejtnant zszedł na dół, niezwłocznie odszukał Kuroczkina i zapytał go o hinduski lupanar.

– Znam – stwierdził kupiec i zamknął księgę rachunkową, którą właśnie przeglądał. – A nawet kiedyś bywałem… – przygładził swą imponującą brodę. – Nad wyraz interesujące miejsce. Co chcecie z nim zrobić, Siergieju Henrykowiczu?

– Puścić z dymem, Iwanie Iwanowiczu.

– No żal, ale skoro matka ojczyzna każe, jestem gotów na takie poświęcenie.

– To nie pora na żarty.

– Nawet nie wiecie, jak bardzo jestem poważny, Siergieju Henrykowiczu. Nawet nie wiecie! Toż wy chcecie palić domy pod samym bokiem szacha, który na dodatek będzie musiał tłumaczyć się osobiście, jeśli zginie przy tym jakiś Anglik… Ormiańskiego koniaczku? – sięgnął po kryształową karafkę. – Wypijcie sobie spokojnie, pomaleńku jeden kieliszeczek, zanim powiecie mi jeszcze co nieco.

– Anglików tu nie kochają – próbował się bronić Sergiusz.

– Prawda, nie kochają, ale to jeszcze nie znaczy, że chcą mieć z nimi trzecią wojnę, i to akurat wtedy, gdy zażyczy sobie tego pewien bardzo dzielny carski oficer.

– Nie mówcie, Iwanie Iwanowiczu, że zaskoczyło was, że przyjechałem tu zapolować na Anglika.

– Po cichu, gdzieś w górach, to i owszem polować można, a nawet trzeba. Bo na co mi zachodnia konkurencja? Ale żeby tak prawie w samej stolicy, no tościе jednak troszkę mnie zadziwili, Siergieju Henrykowiczu. Bądźcie łaskawi zauważyć, że nawet nasi nieproszeni nocni goście starali się za bardzo nie hałasować...

– Podobno wy na moich dzikich pomysłach dobrze wychodzicie.

– Na tym też wyjdę – Kuroczkin uśmiechnął się szeroko i stuknął z nim kieliszkiem. – Niech was o to głowa nie boli. Tylko wpierw pomyśleć muszę. A jest o czym...

– Po pierwsze znajdźcie mi ludzi! – ponaglił starszy lejtnant.

– Do takiej zbójeckiej roboty na bazarze szukać ich nie można – myślał głośno kupiec. – Szanujący się strażnicy karawan takich zleceń nie biorą, a i wieść by się zaraz rozeszła.

– Ale macie kogoś na myśli?

– Moich Hazarów – odparł Kuroczkin. – Oni grymasić nie będą, bo rzadko zdarza się im dobrze zarobić. Samego szacha też nie lubią.

– Dlaczego?

– Ojciec obecnego *gosudara* tęgo zalał Hazarom sadła za skórę, kiedy oni bunt podnieśli podczas drugiej wojny z Anglikami. Afgańscy ludzie z natury są równie weseli co dzicy, to pewnie już sami wiecie. Wiele rzeczy ich cieszy, mało która wystrasza, ale nawet oni do dziś bledną na wspomnienie, jak to Żelazny Emir zbuntowanych Hazarów pokarał. Tym, co z życiem uszli, majątki pozabierał, które i tak za wielkie nigdy nie były. Żyją oni teraz jak ci pariasi w Indiach, z czyszczenia wychodków i odzierania *koży* z padliny.

– Z wyjątkiem tych, których wy zatrudniacie – domyślił się Sergiusz.

– Pasztunom i Tadżykom nie honor pracować dla cudzoziemca, na każdym kroku robiliby mi łaskę, a każdą rzecz po swojemu, znaczy nijak. A ja potrzebuję ludzi posłusznych i zaufanych, na których można i nogą tupnąć, kiedy sprawiedliwie trzeba.

– Oni zaś wiedzą, że jeśli was, Iwanie Iwanowiczu, nie stanie, to im też się pogorszy. Stąd ta lojalność?

– Nie tylko, Siergieju Henrykowiczu.

– Słyszałem, że kobietę swoją wam dali.

– *Niet, niet!* Moją Sedikę wziąłem sobie sam... – kupiec uśmiechnął się do swoich wspomnień. – Na ulicy hulał wiatr-swawolnik, spódnicę pannie poderwał i bardzo piękne stópki i łydeczki pokazały się... Takie piękne, że odtąd ja już innych nie chcę. Dałem za te nóżki słuszny okup, a i dotąd krewnym Sediki dobrą pracę daję. Ma się rozumieć to wszystko po cichu, wszelkie pozory zachowywać trzeba...

– Ludzie jednak swoje wiedzą.

– Tak, wiedzą, bo jakżeby ludzie mogli nie wiedzieć, skoro my między nimi żyjemy? Ale ludzie tutaj tacy sami jak wszędzie na świecie, gdy wiedzą, a nie widzą, to jakby nie wiedzieli... Tylko wielce szanowny Spirydon Feliksowicz czasem kołki na głowie ciosa, że w grzechu żyję. To ja jemu wtedy mówię, że w takim razie na ten szyicki islam przejdę i ichni ślub wezmę. Tak i znów na pół roku mam spokój.

– Dziewczyna na waszą wiarę nie może?

– Ech, Siergieju Henrykowiczu! Hazarowie wprawdzie tutaj za ostatnich robią, ale nie aż do tego stopnia. Jakby Sedika od swojej wiary odeszła, to każdy muzułmanin mógłby ją bezkarnie ubić, ale jej rodzeni goniliby za nią pierwsi, żeby taka hańba na ród nie spadła.

– A co z waszymi dziećmi?

– To już moje zmartwienie, Siergieju Henrykowiczu – kupiec uciął osobisty wątek. – Nasze sprawy wyglądają tak; znajdę wam dwudziestu pewnych i chętnych do bitki Hazarów. Więcej nie mogę, bo oni po czymś takim przez parę lat nie będą mogli pokazać się w Kabulu. Jak już swoje zrobią, to od razu na pielgrzymkę do Mekki pójdą, żeby żadnych podejrzeń nie było. Wy sami też już raczej do mnie wracać nie powinniście. Ogłoszę, że posłałem was w interesach do Kandaharu, do Mekki to po drodze, więc nikt nie będzie wydziwiał, gdy z Kabulu wyjedziecie razem. Jeśli zaś jawnie i urzędowo co nie bądź napsocicie, to ja szaty rozdzieram i was wyklinam, rozumiemy się?

– Całkowicie, Iwanie Iwanowiczu.

– Ponieważ sprawa jest nietypowa, podpiszecie mi ekstra parę wojskowych fakturek do rozliczenia z Mateczką Rosją. Jeśli wam się powiedzie, to medal i tak wam dadzą, a od bohatera nikt się o papiery nie upomni.

– No, nie wiem – mruknął Sergiusz pod wpływem złych mandżurskich wspomnień.

– A jak się nie powiedzie, to i tak już nie wasze zmartwienie… – dokończył z przekonaniem Iwan Iwanowicz.

– Dobrze – zgodził się starszy lejtnant po namyśle – ale nie będę niczego podpisywał *in blanco*. Zapotrzebujcie od naszej armii, co chcecie, z umiarem być nie musi.

– Umiar tu nijak w grę nie wchodzi, Siergieju Henrykowiczu – zapewnił z powagą kupiec.

– Byle byście tam od razu konkretnie napisali, co chcecie, żeby potem ten papier za mną latami nie pełzł i w tyłek nie kąsał…

– Jak sobie życzycie. Tylko w takim razie ja teraz muszę prędko na bazar biec i zamówienia pozbierać, a potem całą resztę załatwić.

– Nie zatrzymuję, Iwanie Iwanowiczu – Sergiusz dopił koniak i poszedł do swojego pokoju.

Sir Teodor Talbot

Swietłana jeszcze nie wróciła.

Starszy lejtnant położył się na łóżku i czekając na dziewczynę, zaczął oglądać jej zdobyczny sierp, który przed wyjściem starannie oczyściła z zaschniętej krwi.

Dopiero teraz dostrzegł, jakaż to była przepiękna broń!

Przede wszystkim nie byle jaka stal damasceńska, ale prawdziwy bułat! Rozdwojone, wstęgowano-prążkowane ostrze w każdym fragmencie wykonano w sposób doskonale przemyślany. W miejscu rozwidlenia głowni był prostokątny rowek do przechwytywania i łamania klingi przeciwnika, a poszerzony jelec i głowica mogły służyć jako dodatkowe dźwignie podczas kruszenia wrogiej broni. Sierpowata część ostrza po wewnętrznej stronie była niewiarygodnie wręcz ostra i twarda, tak że swobodnie mogła przeciąć nie tylko kręgosłup, co Sergiusz widział na własne oczy, ale pewnie nawet kość udową – wystarczyło fachowo uderzyć lekko kolebiącym ruchem, by wyzyskać kształt krawędzi tnącej, która z kolei dwa centymetry od czubka zmieniała profil na poprzeczny i sierp kończył się małym dłutkiem, dzięki czemu można było używać go też jak czekana, wspinając się po skałach i murach, bez obawy stępienia i ukruszenia części przeznaczonej do cięcia. Ostrze proste mogło służyć jako tasak lub maczeta do prac obozowych oraz do kłucia sztychem, na głębokość prawie dwudziestu centymetrów. Finezji całości dodawało precyzyjne wyważenie w taki sposób, że krzywa część głowni służyła jak bijak młotka dla prostej, zwiększając nacisk pióra, dokładnie w punkcie największej siły uderzenia, a tę dodatkową energię ciosu przekazywało dno rowka łamacza mieczy. Rękojeść obłożono misternie karbowanym hebanem. Sądząc po wadze srebrnej głowicy, pewnie jeszcze można było tym wszystkim rzucać jak bumerangiem, ale Sergiusz nie odważył się sprawdzać, żeby nie zostać bez ręki lub głowy.

– Bawisz się? – Swietłana weszła bezszelestnie niczym błękitny duch i ściągnęła burkę. – A czy ty wiesz, co się stało?! – zapytała z napięciem w głosie.

– Co takiego? – Sergiusz usiadł szybko.

– Jeniec nie uciekł. To Maulana jego uwolnił!

– Dlaczego?!

– Dogadali się między sobą. Maulana wolał wziąć okup za krew kuzyna niż życie winowajcy. Zdradził nas za pieniądze!

– Potrzebował się odkuć... – mruknął pod nosem Sergiusz.

– To przez niego ten napad i śmierć batiuszeńki! – Swietłana unosiła się coraz bardziej. – Bo jakby nas wyrżnęli, nikt by już potem o żadnego jeńca nie pytał.

– Jesteś pewna? Skąd wiesz? – postanowił zmitygować towarzyszkę, zanim ta całkiem straci panowanie nad sobą.

– Szirin mi powiedziała.

– Zdradziła własnego męża?

– Maulana nie jest jej mąż! – spojrzała na niego z furią.

– Jak to nie? – szczerze zdziwił się starszy lejtnant. – Jeśli oni nie są małżeństwem, to kim?

Swietłana zmieszała się i z wahaniem usiadła obok niego.

– Dobrze już... powiem – westchnęła. – Ale ty nie mów nikomu. Mąż i żona są wtedy, jak był ślub w cerkwi przed popem, a potem chłop jebał po bożemu... – poczerwieniała gwałtownie. – Odwrotnie też może być... – uśmiechnęła się do Sergiusza i zezłościła sekundę później. – Tyle nawet ja wiem, choć ja mało uczona! A oni tylko ślub z ichnim mułem mieli...

Sergiusz zmilczał jej przejęzyczenie.

– Chcesz mi powiedzieć, że Szirin po trzech latach małżeństwa wciąż jest dziewicą?

Swietłana pokiwała głową.

– On jej… – przygryzła wargi. – W nocy… tylko tak jak chłopca używa… mówi, że z nią tak mu się podoba…

Oficer przypomniał sobie, że Szirin pochodziła z jakiegoś zmuzułmanionego rosyjskiego rodu, który nie cieszył się tutaj zbyt wielkim szacunkiem, ale mimo wszystko…

– Chyba jest na to jakieś prawo? – zapytał, marszcząc brwi.

– W tym ich Koranie stoi, że mężczyzna może uprawiać kobietę jak chce, tak jakby ona była jakieś pole za stodołą. No a pole można też zostawić, by leżało odłogiem… Z polem czasem tak trzeba, a ich obyczaj taki, że oni tu kobiety od ugoru nie odróżniają… Maulana mówi, że takie jest jego prawo i tylko dla samej swojej rozkoszy się z nią bawi. Od rodzenia ma inne żony.

– I Szirin tobie to wszystko powiedziała?

– Tak. Dlatego, że z nikim dotąd rozmawiać nie mogła. Duszę otworzyć potrzebowała, że też chciałaby rodzić jak drugie… Maulanę trzeba ubić! Uratować od niego Szirin!

– Uspokój się i teraz ty posłuchaj… – Opowiedział jej o planie ataku na hinduski dom publiczny.

Ucieszyła się bardzo. Wzięła sierp i zaczęła sprawdzać palcem, czy obie głownie są dostatecznie ostre.

Nagle zapukano do drzwi. Otworzył oficer, a Swietłana natychmiast przyczaiła się z sierpem. Ostrożność okazała się jednak zbyteczna. Był to tylko goniec z pilnym listem od Kuroczkina, który właśnie od swoich informatorów z bazaru dowiedział się, co Maulana Hafizullah zrobił z ich jeńcem, a ponadto że afgański kupiec pospiesznie opuścił Kabul w towarzystwie dwudziestu dwóch dobrze uzbrojonych Tadżyków ze swojego klanu. Wyjechali z miasta drogą na północny zachód i pan Macium Macium najprawdopodobniej był z nimi.

Niewątpliwie należało ich ścigać, tylko że na pościg było już zdecydowanie za późno. Maulana miał cały dzień przewagi. Chytry kupiec nie zasypiał gruszek w popiele, podczas gdy pełen patriotyczno-egzystencjalnych rozterek starszy lejtnant Lawendowski karmił konia marchewką...

Celu tajnej wyprawy swego już byłego handlowego partnera Kuroczkin mimo najszczerszych starań ustalić nie zdołał.

– Szirin się tego dowie! – odparła na to Swietłana. – Kobiety mają swoje sposoby...

– A co będzie chciała w zamian za to? Głowy Maulany?

– Pójdę z nią zaraz pomówić! – poderwała się.

– Spokojnie! Przychodząc tam dwa razy jednego dnia, wzbudzisz podejrzenia.

– To co mamy robić?!

– Weźmiemy rano ten bajzel i tam dobrze popytamy. Jak nic nie powiedzą, masz wolną ręką.

– Kocham cię, Sieriożeńka! – z zapałem cmoknęła go w policzek.

– Tylko najpierw masz pytać, potem ścinać głowy! – zastrzegł się szybko.

Odpowiedziała mu prawdziwym uśmiechem Mony Lisy.

– Znaczy się, teraz... my mamy dla siebie całą noc...? – spytała, zniżając głos.

– Noc to w domu publicznym jest dzień – odparł. – Pójdziemy tam rano, jak wszyscy położą się spać... – przełknął ślinę.

Swietłana rozpuściła włosy.

– Nie patrz na mnie teraz – powiedziała. – Będzie niespodzianka...

Posłusznie odwrócił się do okna.

– Tylko burki nie zakładaj – powiedział, nasłuchując szelestu zdejmowanej sukni. Po wczorajszej przygodzie zdecydowanie nie miał ochoty na igraszki w burce na gołe ciało.

– Nie będę... – zrobiła kilka kroków po pokoju. – Teraz możesz na mnie patrzeć!

Odwrócił się i zaparło mu dech, choć właściwie nie zrobiła nic nadzwyczajnego. Po prostu stała naga, z dzbanem wody na ramieniu i patrzyła na niego błyszczącymi oczami. Wyglądała jak kominkowy posążek, tylko naturalnej wielkości i żywy. Oj, bardzo żywy...

– Taką cię zapamiętam na zawsze! – powiedział Sergiusz z podziwem.

Uśmiechnęła się i obróciła powoli dokoła, dopełniając prostej i fascynującej improwizacji. Rozpinającemu koszulę Sergiuszowi jeden guzik został w palcach.

Kiedy on się pospiesznie rozbierał, ona zrobiła dwa kroki w bok, weszła do miski postawionej na podłodze i powoli wylała sobie na głowę całą zawartość dzbana. Mokrzuteńka położyła się do łóżka i wyciągnęła do niego ramiona.

– Chodź się ochłodzić... – szepnęła zmysłowo.

Dzień istotnie był upalny, jednakowoż ochładzanie się absolutnie nie wchodziło w grę. Posiedli siebie z taką wielką namiętnością, że cała ta woda po prostu wykipiała!

A potem Sergiusz nie miał już nic przeciwko burce ani Katarzynie Wielkiej w burce, ani innym figlom, o których nie śniło się nawet szkolonym w sztuce Kamasutry hinduskim kurtyzanom.

Na sen ledwie starczyło im czasu po świcie, jednak na śniadanie zeszli o zwykłej porze.

Kuroczkin również miał za sobą nieprzespaną noc, ale wnosząc z jego marnego humoru, wyłącznie z powodów profesjonalnych. Utrata wspólnika była dla niego dużym kłopotem, co odzwierciedliły faktury przedstawione starszemu lejtnantowi do podpisu przed posiłkiem.

Sergiusz obiecywał sobie nie dziwić się niczemu, ale mimo to, kiedy spojrzał w papiery, ręka mu zadrżała.

– Na co wam tutaj lokomotywa, Iwanie Iwanowiczu?

– Sprzedam – odparł oschle kupiec, dając do zrozumienia, że zupełnie nie jest w nastroju do żartów.

– A co za to kupicie? – oficer przeciwnie, był w nastroju jak najbardziej odpowiednim.

– „Wodę z rodzynek"... – odparł Kuroczkin ponuro.

– Dacie radę tyle wypić?

– Przerobię ją na brandy i wypiją Anglicy w północnych Indiach. Wyjdzie taniej, niż wozić ją z Europy. Co chcielibyście jeszcze wiedzieć, Siergieju Henrykowiczu?

– Kto tę lokomotywę kupi?

– Szach dla syna. Młody kniaź lubi bawić się kolejką na miarę swojego *wieliczestwa*.

– Wybaczcie żart, Iwanie Iwanowiczu, ale mamy dziś taki piękny dzień. W sam raz, by kogoś zabić!

– Tak… – kupiec popatrzył na niego z namysłem. – Właściwie to Maulana, po tym, co zrobił, mógłby już nie wrócić… Nawet nie powinien. On teraz angielski ajent i tylko jego własny ród będzie po nim płakał. Na bazarze nikt.

Swietłana natychmiast zbystrzała i usłużnie nalała kupcowi kawy. Ten przyjął filiżankę z wdzięcznością.

– Rozumiemy się, Iwanie Iwanowiczu – zapewnił Sergiusz.

Kuroczkin bez słowa, z góry dziękując za przysługę, przedarł jedno z podpisanych przez oficera zapotrzebowań. Akurat nie to adresowane do zarządu kolei transkaspijskiej w Samarkandzie, ale też niebagatelne. Chodziło tam o dziesięć tysięcy wojskowych pledów. Starszy lejtnant uwolniony od części przyszłej odpowiedzialności przed dociekliwą intendenturą, która mogłaby spytać, co chciał w te koce zawinąć („Może Szach Fuladi przed wiecznym lodem uchronić, a?"), postanowił już nie zaprzątać sobie głowy kwestią, jak parowóz na grzbietach wielbłądów będzie forsować przełęcz Salang. Najważniejsze, że tym razem nie chodziło o bezcenne działa Deporta z supertajnymi oporopowrotnikami, z powodu których cała Francja i pół Europy od dekady dudniły aferą Dreyfusa. Niewiele brakowało, by Sergiusz trzy lata temu stał się rosyjskim odpowiednikiem francuskiego kapitana.

– Zjecie z nami ostatnie śniadanie? – zagadnął kupca.

– Jeśli wam roztropnie przed walką jeść…

– Ja powinnam – odparła Swietłana.

– A ja może rzeczywiście tylko kawy się z wami napiję – stwierdził oficer. – A prowiant wezmę na drogę.

– Zaraz tobie zrobię! – oznajmiła ochoczo dziewczyna.

Niedługo potem dołączyli do nich Spirydon Feliksowicz oraz Wołodia i atmosfera nieco poweselała. Ale tylko na chwilę, gdyż zaraz trzeba było ogłosić, że „młoda para" wyjeżdża do Kandaharu razem z dziesięcioma Hazarami wybierającymi się na pielgrzymkę do Mekki.

Pozostałych dziesięciu już od wczorajszego zmierzchu z bezpiecznej odległości obserwowało „brytyjską ambasadę w Kabulu", jak nazwał ów przybytek Iwan Iwanowicz.

Większość bagaży od dawna czekała spakowana na wszelki wypadek, więc przygotowania do drogi nie zajęły im wiele czasu. Pożegnanie przy bramie było hałaśliwe i z mnóstwem błogosławieństw, jak należało się pielgrzymom ruszającym do Mekki. Zakani miał na twarzy maskę starca, zdobytą w Pańdższirze. Maliniak dziarsko zacierał ręce i pohukiwał. Ged trochę marudził, bo wpadła mu w oko jakaś hazarska panienka podręczna i żal mu było wyjeżdżać. Swietłana pocieszała chłopaka, tuląc go jak prawdziwa starsza siostra.

Wreszcie do Sergiusza podszedł Kuroczkin z wódką, by wypić strzemiennego.

– My się już pewnie nigdy nie zobaczymy, Iwanie Iwanowiczu – powiedział starszy lejtnant, ciskając kieliszkiem o ziemię.

– Ano pewnie nie, Siergieju Henrykowiczu – kupiec także rozbił swoje naczynie.

Uściskali się jak bracia.

– Nie zapomnijcie o grobie Jewgienija – powiedział oficer.

– Ja nie zapomnę! – zapewnił Spirydon Feliksowicz z wilczym błyskiem w oku.

– W drogę! – zawołał Sergiusz, wskakując na grzbiet Torsziego.

Rodziny z orkiestrą chciały odprowadzić ich do rogatek miasta, ale jeźdźcy narzucili takie tempo, że w połowie ulicy piesi zostali w tyle. Z Kabulu wyjechali drogą na Kandahar, jak było umówione, po czym gdy tylko miasto znikło z oczu, a w pobliżu nie było nikogo, uskoczyli w bok i rozproszywszy się na małe grupki, polnymi ścieżkami przemknęli na wschód, na drogę do Dżalalabadu.

W umówionym miejscu zbiórki, niedaleko hinduskiego lupanaru stawili się wszyscy przed godziną dziesiątą rano. W domu publicznym była to pełnia pory spoczynku, praktycznie środek nocy. Gul Abdulkader, przewodzący grupie Hazarów, którzy obserwowali ów przybytek od wczorajszego zmierzchu, potwierdził, że ostatni klient odjechał stąd przed ósmą rano.

– Strażników jest trzech – mówił Gul łamanym rosyjskim. Szef Hazarów miał brodę i włosy siwe jak u stuletniego starca, choć sam nie dobiegł jeszcze pięćdziesiątki. Podobno osiwiał za sprawą Żelaznego Emira, przez delikatność nie wypadało pytać o szczegóły. Anglików nie cierpiał tak samo jak panującej w Afganistanie dynastii za to, że ci po 1880 roku zostawili swych hazarskich sojuszników na pastwę losu. – Jeden przy bramie od drogi i dwóch na tarasie przy głównym wejściu – uściślił meldunek Hazar.

– Tylko trzech? – zdziwił się Sergiusz.

Było to za mało nawet jak na rutynową ochronę. Dziwne tym bardziej, że chodziło o ludzi, którzy powinni byli spodziewać się rewanżu...

– Patrzyliśmy dobrze – zapewnił Abdulkader. – Tylko trzech sipajów na straży, a w środku dwóch białych mężczyzn, pewnie Anglików, którzy teraz śpią.

Nie wypadało okazać braku zaufania, ale sprawa z daleka śmierdziała zasadzką!

Sergiusz wziął lornetkę i sam uważnie się przyjrzał.

Przybytek hinduskich rozkoszy składał się z czterech parterowych pawilonów połączonych w regularny kwadrat. W środku i na zewnątrz budynku znajdował się ogród z licznymi altanami, otoczony też kwadratowym, wysokim na cztery metry, tradycyjnym afgańskim murem z niepalonej gliny. Gdyby ktoś chciał ten mur forsować górą, do myślenia powinny mu dać cztery wieżyczki – pagody wieńczące naroża głównego budynku. W centrum całej posesji wznosił się kilkunastometrowy, drewniany maszt, ozdobiony mnóstwem kolorowych wstążek, falujących leniwie w gorącym powietrzu. Żadnego drutu nie dało się dojrzeć, ale na pewno tam był...

Dom publiczny zbudowano na płaskim wzniesieniu niedaleko brzegu rzeki Kabul. Starszy lejtnant i jego ludzie znajdowali się na sąsiednim, wyższym i bardziej stromym wzgórzu. Droga na Dżalalabad oraz rzeka były około trzystu, czterystu metrów stąd. Całą okolicę gęsto porastały drzewa i krzewy zapewniające niecnemu przybytkowi konieczną dyskrecję, a w tej chwili doskonałą osłonę przyczajonym wokół Hazarom. Na głównym trakcie ani na jego odnodze, biegnącej dwoma zakosami do lupanaru, jak okiem sięgnąć nie było widać nikogo. Nic dziwnego, gdyż zbliżała się najbardziej upalna pora dnia. Powietrze już trzeszczało od żaru.

Dziesięciu ludzi..., stwierdził w duchu oficer. Żeby dobrze zabezpieczyć taki budynek oraz teren potrzebnych było minimum dziesięciu ludzi, a i dwudziestu nie byłoby za dużo. Zatem czemu tylko trzech? Powiedzmy, że pięciu... Nadal za mało!

Sergiusz opuścił lornetkę i wziął snajperkę, żeby przez celownik lepiej przyjrzeć się wieżyczkom i altankom. Faktycznie nie było tam nikogo. Wobec tego skierował broń na strażników. Sipaje mogli być naprawdę groźni. Nie! Rysy twarzy nie pozostawiały wątpliwości. To były zwykłe miejscowe wykidajły, tylko ubrane w stylu hinduskich wojowników. Jednak mieli się na baczności, a przynajmniej starali się... Wyraźnie brała ich senność, z którą usilnie walczyli. Po całonocnym pilnowaniu dziwek i klientów nie było w tym nic osobliwego, ale to jednak z kolei oznaczało, że...

Nikt ich nie zmienił!

Zatem naprawdę było tylko tych trzech. Najwyraźniej więcej mężczyzn zdolnych do walki nie zostało tam po najściu na dom Kuroczkina – to był jedyny logiczny wniosek. Jeżeli do ataku wczorajszej nocy Anglicy użyli wszystkich swoich ludzi, to znaczy, że innych po prostu nie mieli. A straty ponieśli znacznie większe, niż się spodziewali. Musieli zatem ściągnąć uzupełnienie z jakiegoś odleglejszego miejsca. Zawiadomione przez radio posiłki z pewnością były już w drodze, ale jeszcze nie dotarły... To się po angielsku nazywa *handicap*!

Teraz należało tylko nie spieprzyć sprawy zbytnią pewnością siebie.

– Trzeba po cichu zlikwidować strażnika przy bramie – powiedział Sergiusz, odwróciwszy się do swoich.

– Ja pójdę! – natychmiast zgłosił się Maliniak. Niewątpliwie chciał się pilnie dobrać do hinduskiego miodu. – Mam własną burkę – przypomniał. – Podejdę jako baba...

– A na pewno ubijesz tak, co by nie pisnął? – spytała z powątpiewaniem Swietłana. – Ja to zrobię lepiej!

– Idźcie oboje – rozstrzygnął spór starszy lejtnant. – Pan, panie Zakani, trzyma się mnie, a wy – zwrócił się do Gula – ruszacie, kiedy my wejdziemy do środka. Tylko szable i kindżały, żadnego strzelania! Chyba że w ostateczności i do pewnego celu. Wszystko zrozumieliście?

Abdulkader powtórzył rozkaz i ruszył do swoich.

– Baby naprzód! – Sergiusz rozpoczął akcję.

Burka Swietłany była błękitna, Maliniaka seledynowa. Strażnik musiał mimo woli przysnąć w upale, bo zareagował, dopiero gdy postacie w kobiecych strojach zbliżyły się do niego na pięć kroków. Zaskoczony odezwał się do nich na tyle głośno, że usłyszeli go też strażnicy siedzący przy drzwiach głównego budynku i jednocześnie spojrzeli w stronę bramy.

Maliniak wykazał się przytomnością umysłu. Wyjął swą złotą płytkę z Zeusem i pokazał ją strażnikowi, który natychmiast ustąpił mu z drogi, nieopatrznie odwracając się plecami do Swietłany. Cios był błyskawiczny jak ukąszenie żmii. Ze sztyletem po rękojeść w podstawie czaszki mężczyzna miękko osunął się w ramiona swej zabójczyni, która zatkała mu usta i odciągnęła na bok. W tej samej chwili szeregowiec, skupiając na sobie całą uwagę, przeszedł przez bramę z wciąż uniesioną do góry plakietką i ruszył do strażników przy drzwiach. Jeden z nich wstał na jego widok, ale zachowywał się spokojnie.

W połowie alejki dołączyła do niego Swietłana i do ludzi pilnujących drzwi podeszli razem. Maliniak upuścił złotą płytkę u stóp czekającego na niego strażnika, który odruchowo schylił się po nią i też dostał nożem w kark. Cios nie był tak finezyjny jak dziewczyny, ale równie skuteczny. Znać było wprawę nabytą na podwarszawskich świniobiciach. W tym czasie ostatni strażnik zachłystywał się krwią z przechlastanego jednym cięciem gardła. Swietłana dobiła go niedbałym pchnięciem w oko i uchyliwszy drzwi, ostrożnie weszła do środka. Maliniak zrzucił burkę i zdjął z pleców karabin.

– Szybko, panie Zakani! – Sergiusz wyskoczył z zarośli i pobiegł do bramy.

Za nimi popędził Ged. Mieli teraz na głowie ważniejsze sprawy niż przeganianie smarkacza.

Najbardziej denerwujące w tym wszystkim było to, że szło im tak gładko!

Starszy lejtnant przy bramie jeszcze raz spojrzał przez celownik w zasłonięte białym muślinem okno widocznej stąd wieżyczki, jednej, potem drugiej... Nic i nikogo. Cholera jasna!

– Zostań tu i osłaniaj nas! – syknął do Geda. – Tylko nie strzelaj pierwszy!

Chłopak wyjął nagana zza pasa i przyczaił się.

– Panie Zakani, biegiem do drzwi!

Przebyli odkrytą przestrzeń w pięć sekund i wciąż nikt nie strzelił. Oficer nie wierzył swojemu szczęściu.

– Maliniak, wchodzimy! Wie pan gdzie? – obejrzał się na uczonego.

– A niby skąd?! – obruszył się Pers. – Jestem tu pierwszy raz! Tylko mówiono mi...

– Nieważne! – Sergiusz zagłębił się w przyjemny chłód domu uciech.

257

Swietłana, unosząc oburącz do góry siatkę burki osłaniającą twarz, stała naprzeciw Hinduski, która mówiła do niej coś z intonacją usłużnie pytającą.

– Swieta, Zakani, pilnujcie kobiet! Maliniak za mną!

Szeregowiec wydurnił się dopiero teraz. Wszedł, wycierając zakrwawiony nóż o spodnie na udzie. Hinduska na ten widok wrzasnęła przeraźliwie i dała drapaka w głąb domu, zanim zaplątana w burkę Swietłana zdążyła ją złapać.

O dziwo, fakt, że ktoś wreszcie zrobił coś przeciwko nim, sprawił, że na Sergiusza spłynęły ulga i profesjonalny spokój. Zarzucił snajperkę na plecy, wyjął z kieszeni parabellum, po czym osłaniany przez Maliniaka ruszył na poszukiwanie Anglików.

Starał się wydedukować pozycję wrogów. Część budynku, do której weszli, służyła za salon i nie miała żadnych ścian ani przepierzeń, leżało tu tylko mnóstwo rozmaitych kolorowych poduch, poduszek i dywanów, wszystko przesiąknięte wonią haszyszu i olejku sandałowego. Hinduska uciekła w prawo, gdzie zapewne znajdowały się sypialnie jej koleżanek, które chciała ostrzec. Zakładając, że w pierwszej chwili pomyślała o swoich towarzyszkach, a nie o Anglikach…

Przypuszczenie starszego lejtnanta co do położenia kobiecego skrzydła potwierdził dobiegający stamtąd rejwach, szybko przybierający na sile. Wobec tego Sergiusz wbiegł w korytarz po lewej. Tu, sądząc po intensywnym zapachu orientalnych przypraw i oleju, była kuchnia oraz inne pomieszczenia gospodarcze. Wobec tego pozostawał czwarty, najbardziej oddalony od wejścia pawilon, do którego prowadziła elegancka alejka przez środek wewnętrznego ogrodu i placyk z masztem radiowym, co oficer zobaczył z okna. Tam w głębi musiały znajdować się najbardziej reprezentacyjne apartamenty dla lepszych gości…

W skrzydle, przez które przemykali obaj Polacy, powinno być przejście dla służby. I było, na końcu korytarza za aksamitną kotarą. Sergiusz zajrzał za nią i wszedł do małego raju…

Szemrała tu marmurowa fontanna, a wokół niej falowały zasłony z białego jedwabiu. Budynek miał solidne ściany i dach, przystosowane do surowych, kontynentalnych zim. Jednak latem wszystkie okna i drzwi wymontowano, by zapewnić przewiew, i przesłonięto półprzezroczystymi firanami.

Akurat na jedną z nich padł cień mężczyzny z bronią krótką w ręku. Maliniak natychmiast złożył się do strzału, ale oficer przygiął mu lufę do ziemi.

Hinduski wciąż darły się w głębi domu, ale nad ich wrzaskami zaczęły dominować głosy Zakaniego i Swietłany. Cień Anglika zwrócił się w tamtą stronę.

Sergiusz przełożył parabelkę do lewej dłoni, prawą cicho i powoli wyciągnął szablę. Tym razem porządną, ruską, przewidzianą regulaminem kawalerii, żadnych staroci z sentymentalnymi inskrypcjami! Uniósł ostrze i upewniwszy się, że słońce jest przed nim i nie może zdradzić go żaden cień, ruszył ostrożnie w stronę przeciwnika.

Anglik nasłuchiwał.

Szmer fontanny skutecznie zagłuszył lekkie kroki i oddech skradającego się starszego lejtnanta.

Jego przeciwnik odsunął lufą zasłonę i na korytarz wysunęła się ręka dzierżąca pokraczny, samorepetujący rewolwer Webley-Fosbery, którego bębenek podczas strzelania wykonywał złożony ruch posuwisto-obrotowy. Była to broń zdecydowanie zbyt wymyślna i skomplikowana jak na afgański kurz. Choć podobno celna.

Sergiusz odrąbał ją gładkim cięciem, cztery palce od nadgarstka, jakby zgodnie z prawem szariatu wykonywał wyrok za kradzież. Zanim młody, rudy mężczyzna w szelkach od spodni na gołe ciało zdołał pojąć, że patrzy na kikut swej prawej ręki, starszy lejtnant zadał mu dwa szybkie sztychy, w krtań i serce, przebijając jedno i drugie na wylot.

Nie obyło się bez hałasu. Nieszczęśnik runął z łomotem, który zsumował się z gwałtownym tupotem nóg rozbiegających się po budynku Hazarów i nową falą wrzasku Hindusek.

Dzieło duetu Webley-Fosbery kolejny raz dowiodło swej zawodności w warunkach bojowych. Rewolwer nie wypalił, uderzając o podłogę, mimo że palec uciętej dłoni kurczowo zacisnął się na spuście.

– Jenkins... Co się tam do diaska dzieje?! – zapytał zaspanym głosem ktoś w sąsiednim pokoju.

Odpowiedzią była agonalna czkawka, której właśnie dostał zapytany.

– Napijcie się wody, Jenkins – poradził mu tamten – to zaraz wam przejdzie...

Starszy lejtnant wszedł szybko do pokoju mówiącego i odchylił moskitierę nad jego łóżkiem. Anglik w średnim wieku otworzył oczy dopiero wtedy, gdy zakrwawiony czubek szabli dotknął jego grdyki. Naga Hinduska u jego boku spała jak zabita.

– Mister Teodor Talbot, jak przypuszczam... – Sergiusz słabo znał angielski, ale akurat ten zwrot był ostatnio w powszechnym użyciu na całym świecie.

– Istotnie, a z kim ja mam przyjemność? – leżący wykazał iście wyspiarską flegmę.

– Starszy lejtnant Sergiusz Lawendowski, kawaleria cesarstwa Rosji – odpowiedział po francusku Sergiusz.

– Pan wybaczy, nie zauważyłem munduru – Anglik też przeszedł na francuski.

– To znaczy, że konwencja haska nas nie obowiązuje. Obaj bierzemy udział w nielegalnej walce.

– Niech pan mówi za siebie! – obruszył się tamten.

– Bardzo proszę nie próbować sięgać pod poduszkę, monsieur Talbot, bo nie dokończymy tej jakże interesującej dyskusji.

– Przysługuje mi tytuł szlachecki – Anglik grzecznie położył obie ręce na kołdrze. – Co z moimi ludźmi?

– Nie żyją – odparł krótko starszy lejtnant. – Ja również jestem szlachcicem, sir Talbot.

– Bardzo mi miło, sir Lawendowsky, ale proszę wybaczyć, nie zwykłem prowadzić konwersacji z innym szlachcicem na leżąco i w niekompletnym stroju. Zwłaszcza w przypadku mojej partnerki...

Sergiusz wymierzył swoje parabellum w głowę Talbota, a drugą ręką, płazem szabli pacnął w pupę śpiącą Hinduskę. Dziewczyna poderwała się błyskawicznie i bez krzyku, widać udawała już od dobrej chwili. Starszy lejtnant szablą wskazał jej drzwi, a ona wybiegła z pokoju, nie zadając sobie trudu, aby cokolwiek na siebie zarzucić, nawet nie skrzyżowała ramion na piersiach.

– Hej, ślicznotko, zaczekaj! – rozległ się na korytarzu tęskny głos Malinika.

Odpowiedziało mu tylko szybsze plaskanie bosych stóp o posadzkę.

– Szeregowy, do mnie – polecił Sergiusz, nie spuszczając wzroku z Talbota.

– Się robi szefie, ale w wojsku nie jesteśmy! – Maliniak wszedł z karabinem gotowym do strzału.

– Zabierzcie broń spod poduszki.

Zgodnie z przewidywaniami Sergiusza leżał tam kolejny Webley-Fosbery. Że też można było spać z głową na tak kanciastym ustrojstwie?!

– Jeeezuu, tym się strzela czy repasuje pończochy...? – skrzywił się Maliniak, podnosząc angielski rewolwer do oczu. – Moja szwagierka też ma takie coś, tylko większe, i ona tym ceruje. A gdyby wiedziała, mogłaby szturmować cytadelę...

– Proszę się ubrać, sir Talbot!

– *Gaspadyn Sergisz?! Gdie wy?!!* – rozległo się wołanie Gula Abdulkadera.

– Tu jestem! – odkrzyknął mu oficer.

Hazar wszedł po chwili i zaczął meldować. Dom publiczny był opanowany, konie wprowadzone do ogrodu, brama zamknięta od wewnątrz, trupy posprzątane, a straże wystawione, tu i przy drodze. Mieli teraz dobrych parę godzin spokoju, ponieważ lupanar otwierano zwykle po czwartej po południu, kiedy ustawał letni skwar. Żeński personel nie sprawiał kłopotów. Bajzelmama, madame Sandra, od razu wywiesiła białą flagę i poszła na pełną współpracę. Z kolei zachowanie Hazarów wobec kobiet było wzorowe. Wszak odbywali świętą pielgrzymkę! Owszem, mogli pomścić krewnych – tego zabitego u Kuroczkina i drugiego, któremu po walce z powodu rany musiano amputować prawą rękę, co było gorsze od śmierci. Rodowa zemsta to prawie święta wojna, lecz uleganie cielesnej pokusie byłoby teraz ciężką obrazą Allaha, a powstrzymanie się od niej wielką zasługą przyszłych *hadżi*.

Potwierdziły się podejrzenia Sergiusza dotyczące przyczyn słabej ochrony lupanaru. W suterenie gospodarczego skrzydła Hazarowie znaleźli miniaturowe koszary na dwadzieścia prycz, z których tylko cztery były zajęte. Leżeli na nich ciężko ranni lub udający takowych, co nie było specjalnie trudne, gdyż wszyscy mieli liczne i świeże rany postrzałowe. Nie ulegało wątpliwości, że brali udział w napaści na dom rosyjskiego kupca. Abdulkader znalazł w zaimprowizowanym szpitalu miseczkę z wyjętymi kulami i przyniósł ją na dowód. Były tam charakterystyczne pociski z mauzerów, naganów oraz parabellum kaliber 9 – jedyna kula Sergiusza, którą wystrzelił poza domem. Hazarowie poprzestali na razie na pilnowaniu pokiereszowanych jeńców. Ponadto znaleźli dwoje solidnie zamkniętych drzwi. Jedne w piwnicy, drugie prowadziły do wieżyczki w północno-wschodnim narożniku lupanaru. Nie wyważali ich bez rozkazu.

– Szefie, chyba nie darujemy tym skurwysynom?! – wykrzyknął Maliniak, gdy Gul skończył mówić. – Trzeba pomścić naszego starego! Po to żeśmy tu przyszli!

– Dobrze – zgodził się Sergiusz po krótkim namyśle. – Tylko bez dłubania w żadnym oczku… Załatwcie to szybko.

Maliniak ze złym uśmiechem założył bagnet na mosina i wyszedł. Przy ubierającym się Talbocie zastąpiło go dwóch Hazarów, baczących na każdy ruch pojmanego. Jeden z nich miał karabin po Jewgieniju.

– Głupie, kolorowe zwierzęta! Całkowicie zasłużyli sobie na to!
– Anglik, jak się okazało, zrozumiał zasadniczy sens rozmowy,
a na pewno mimikę i finałowy gest szeregowca. – Proszę sobie
wyobrazić, sir Lawendowsky, że chociaż wyraźnie tego zakazałem,
ci głupcy nałykali się przed akcją jakichś indyjskich afrodyzjaków,
po których nie czuli bólu i mimo znacznego fizycznego pobudze-
nia mieli spowolniony refleks. Dlatego zostali odparci i ponieśli
takie straty! Trzech z tych idiotów skonało w drodze powrotnej,
kolejny zdechł wczoraj!

– Cóż, panie Talbot, takie są skutki, kiedy garnizon i burdel
w jednym stoją domu. Nie będę panu współczuł z tego tytułu
– Sergiusz wytarł i schował szablę, ani na chwilę nie opuszczając
parabelki.

– Mam dla pana lepszą propozycję. – Anglik wyrównał ostatnią
fałdę na swoim surducie i wyprostował się z godnością.

Oficer dał mu znak, by wyszli na korytarz.

– Aby uniknąć wysłuchiwania po raz drugi tego, co już wiem, kogoś panu przedstawię… – starszy lejtnant chciał posłać po Zakaniego, ale uczony właśnie nadszedł w towarzystwie Swietłany. Dziewczyna była w pełnym rynsztunku, to znaczy w odpowiedniej dla
wiktoriańskiej mężatki w kolonialnej podróży, sięgającej do kostek
białej sukni, przepasanej wszakże jedwabnym sznurem do dusze-
nia. U jej prawego biodra wisiał sierp. Do tego szereg sześciu sztyletów, zatkniętych w czarnej szarfie biegnącej skosem przez pierś.

Zabójczyni od niechcenia skubała owoc granatu.

– Mój Boże! – zawołał teatralnie zdumiony Talbot. – Prawdziwa Amazonka!

– Niezbyt ścisłe spostrzeżenie – powiedział perski uczony, ściągając maskę świątobliwego starca.

– Zakani… – wycedził przez zęby Anglik. – Powinienem był się
spodziewać!

– Wizyta wymaga rewizyty – odparował po francusku Pers, wyciągając z kieszeni chusteczkę. – Na Ormuzda! Jak pańscy ludzie

wytrzymują w tej gutaperce w taki upał? – zaczął wycierać pot z zaczerwienionej twarzy.

– Dają dużo pudru – Talbot odzyskał flegmę. – Pożałuje pan tej zdrady.

– Poskarży się pan mojemu szachowi, że nie chciałem zdradzić Persji?

– Powiemy, że chciał pan zdradzić. Wasz szach jest tak głupi, że uwierzy w każdy spisek. Pojęcia patriotyzm swoim umysłem nie ogarnia.

– W to nie wątpię, sir Talbot. Muszę jednak zauważyć, że niesłusznie uznał mnie pan za winnego. Pan Lawendowski jest tak zdolnym oficerem, że poradził sobie bez nadmiernej pomocy z mojej strony. Gdyby nie zechciał mnie pan zabić, nie byłoby nas tu teraz.

Swietłana znudzona rozmową w nieznanym jej języku, wzięła Sergiusza pod ramię.

– Masz krew na policzku… – zlizała przyschniętą kroplę z wyzywającym erotyzmem.

Zgorszeni Hazarowie odwrócili wzrok i karabiny. Na szczęście starszy lejtnant cały czas mierzył do Talbota.

– Czyż oni nie są pięknymi drapieżnikami?! – zawołał Zakani, patrząc z zachwytem na Polaka i Rosjankę. – Ten kraj i ta ziemia sprawiają, że budzi się w nich pamięć krwi aryjskich przodków.

– Gratuluję, panie Zakani, pańska teoria się potwierdza – powiedział Anglik lodowatym tonem.

– Pora na poważną rozmowę – rzekł do niego Sergiusz.

– Istotnie – skinął głową Talbot. – Niech jeden z pańskich ludzi wyjmie klucze z dolnej półki sekretarzyka koło łóżka. Pokażę panu coś.

– A ja chciałbym zapytać, jak długo potrwa ta rozmowa? – Pers niespodziewanie przeszedł na polski. – Jestem nie tylko uczonym, ale i mężczyzną… – spojrzał znacząco w stronę kobiecego skrzydła budynku.

– Proszę się nie krępować, panie Zakani – odparł starszy lejtnant, po czym ruszył za Talbotem do piwnicy. Jeden z uzbrojonych Hazarów szedł przed nimi, drugi z tyłu.

Były to jedne z tych drzwi, o których wspominał Abdulkader. Anglik otworzył je podanymi kluczami. Po drugiej stronie było elektrotechniczne laboratorium. Oświetlały je żarówki zasilane z potężnej baterii suchych ogniw. Widząc, że jego Hazarowie patrzą na to wszystko drewnianym wzrokiem, Sergiusz nakazał im zostać za drzwi. Posłuchali z wielką chęcią.

– Proszę tędy! – Talbot wskazał następne pomieszczenie.

Starszy lejtnant wzmógł czujność i ruszył za nim. Anglik ze swej strony poruszał się tak, by nie prowokować oficera, wyraźnie chciał wzbudzić jego zaufanie. Po chwili obaj stanęli przed bardzo dziwnym urządzeniem wielkości dużego stołu. Składało się ono z szeregu pionowo-równoległych żelaznych przekładni, połączonych ze sobą za pomocą kilku poprzecznych, bardzo skomplikowanych wałów korbowych.

– Co to jest? – zdziwił się Sergiusz, przypatrując się uważnie maszynie. – Skrzyżowanie młockarni z arytmometrem?

– To drugie skojarzenie jest bardzo trafne, sir Lawendowsky. Mam zaszczyt zaprezentować panu maszynę analityczną nieznanego szerzej brytyjskiego geniusza Charlesa Babbage'a. Brakuje tu jeszcze silnika parowego lub elektrycznego, ale zapewniam, że mechanizm jest wypróbowany.

– Do czego służy?

– Najogólniej mówiąc, do szybkiego liczenia oraz porównywania informacji i znajdowania zawartych w nich podobieństw. Innymi słowy, to jednocześnie mechaniczny księgowy, łamacz szyfrów i zarazem makler zdolny przewidywać stan koniunktury na giełdzie. Czy potrafi pan sobie wyobrazić, jakie możliwości daje maszyna analityczna w połączeniu z przesyłaniem wiadomości poprzeą eter?

– Potrafię – odparł Sergiusz. – I poniekąd po to tu jestem, żeby tych możliwości nie dała…

– Może nadeszła pora, aby powtórnie przemyślał pan swoją misję?

– Chce mnie pan nakłonić do zdrady?

– Znam pewnych pańskich rodaków i do głębi oburza mnie wielkie nieszczęście i niesprawiedliwość, jakie spotkały pańską ojczyznę Polskę...

– Aha, więc uważa pan, że wszyscy Polacy są wiecznymi buntownikami, nieustanie szukającymi okazji, by sprzeniewierzyć się swojemu władcy, a na dodatek mnie osobiście za sentymentalnego głupka patriotę.

– Nie chciałem pana obrazić! – zapewnił szybko Talbot.

– Wobec tego proszę z łaski swojej nie traktować mnie jak naiwnego Murzyna z waszych kolonii. Niby z jakiego powodu miałbym odstąpić cara dla króla Anglii?

– Z tego samego, dla którego służy pan Rosji.

– Co pan ma na myśli?

– Fakt, że nie jest pan głupim patriotą, jak sam był pan łaskaw stwierdzić. Zatem, woli pan służyć silniejszemu niż jakimś utopiom, bardzo roztropnie! Ja doskonale to rozumiem...

Talbot niewątpliwie znał się na ludziach. Gdyby teraz nagle uderzył Sergiusza pięścią w splot słoneczny, ów cios nie zrobiłby na starszym lejtnancie większego wrażenia niż te słowa. Anglik z wprawą doświadczonego diabła-kusiciela bezbłędnie wyczuł największą duchową słabość oficera. Sergiusz przygryzł wargi i z trudem się opanował.

– Wątpię, czy Wielka Brytania jest silniejsza od Rosji – odpowiedział wymijająco.

– To istotnie rzecz do dyskusji – przyznał Talbot. – Wszakże ja mam na myśli imperium znacznie potężniejsze od brytyjskiego. Żeby uprzedzić pańskie pytanie, powiem, że ja też prowadzę tutaj własną grę. Król Anglii jest w tym interesie udziałowcem mniejszościowym.

– Cóż to więc jest za imperium? – spytał starszy lejtnant. – Mam nadzieję, że nie marsjańskie...

– Podziwiam pańską domyślność! Znów nieomal pan trafił. Mówiąc ściślej, blisko *Wojny światów*, czytał pan tę książkę?

– Owszem.

– Wobec tego miło mi zakomunikować panu, że mister Herbert George Wells jest naszym honorowym prezesem lub można by rzec, ojcem założycielem ponadnarodowego imperium ludzi genialnych.

– Jeszcze jeden mason! – skrzywił się z niesmakiem Sergiusz. – Doprawdy, tylko żydowskiego spisku w tym Afganistanie brakowało…

– Ależ myli się pan! – zawołał Talbot. – To jest przedsięwzięcie czysto aryjskie! Dlatego do czasu mile był w nim widziany książę Zakani ze swoimi oryginalnymi zainteresowaniami. Jednak okazał się zbyt prymitywny.

– „Prymitywny" to doprawdy ostatnie słowo, jakiego bym użył do charakterystyki tego człowieka.

– A ja nie. Dla prymitywnych i małostkowych patriotów, którzy nie rozumieją, że narody to przeżytek, nie ma miejsca w naszym klubie. Nawet jeśli przy okazji są wybitnymi poliglotami.

– Jakim klubie, u licha?! – zirytował się starszy lejtnant.

– Wszechstronnie wykształconych technokratów, których zadaniem, przeznaczeniem i zaszczytnym obowiązkiem jest przyjęcie odpowiedzialności za cały ziemski glob oraz jego sprawy. Właśnie teraz, kiedy postęp i najnowocześniejsza technika dały nam do rąk tak znakomite możliwości komunikowania się i przetwarzania informacji. Gdy obszary wolnego handlu i cywilizowanej bankowości ogarnęły już prawie cały świat. W takiej chwili nie możemy pozostać bezczynni! I niniejszym proponuję panu akces do naszego grona. Zaznaczę, że oprócz pana Wellsa jednym z nas jest także Nikolae Tesla, projektant aparatów radiowych, z których tu korzystamy, a oprócz tych dwóch dżentelmenów są dziesiątki innych znakomitości ze świata nauki, techniki, filozofii i ekonomii.

– Fleming i De Forest także?

– Tych genialnych wynalazców jeszcze nie wtajemniczono. Oni sądzą, że uczestniczą w tradycyjnej misji białego człowieka realizowanej na terenie Afganistanu. Pan De Forest jednak nie popiera zbytnio tej idei i jest bliski przyłączenia się do nas. Być może już wkrótce to nastąpi.

– Zatem moich rodaków dążących do odrodzenia Polski, podobnie jak ja, uważa pan za romantycznych idiotów?

– Nie użyłbym aż tak mocnego słowa, monsieur Lawendowski. To tylko anachroniczni hobbiści, których poczynania nie mają dla świata najmniejszego znaczenia, aczkolwiek mogłyby zainspirować niejednego poetę. Z pewnością nieżyjący lord Byron byłby zachwycony. Pomysł z Chińczykiem w roli polskiego króla doskonale pasuje do tamtej epoki.

– Chyba pora, abyśmy przeszli do rzeczy, sir Talbot.

– Też tak sądzę, sir Lawendowski.

– Co panu mówi nazwisko Maulana Hafizullah?

– Podobno naraził pan tego kabulskiego dżentelmena na zbyt duże wydatki. Dlatego on zwrócił się do mnie z propozycją, abym zrekompensował mu szkody, na którą chętnie przystałem. Rozumie pan chyba, że wykupienie od śmierci swojego człowieka należało do moich obowiązków i zarazem mieściło się w obyczajach tubylców.

– Gdyby tylko o to chodziło, Maulana nie zniknąłby z miasta. Nie podejrzewaliśmy go o nic, dopóki nie wyjechał. A nawet wtedy mógł spokojnie ubić podwójny interes, sprzedając najpierw panu pańskiego człowieka, a potem pana i jego z powrotem mnie...

– Przed tym właśnie zabezpieczył mnie ów nagły wyjazd. Zaproponowałem mister Hafizullahowi interes znacznie korzystniejszy od podwójnej zdrady.

– Niech mi pan nie mówi, że było to wstąpienie do grona wszechstronnie wykształconych technokratów! – parsknął śmiechem starszy lejtnant. – Może jeszcze afgańskiemu nieukowi opowiadał pan o radiu?!

– W istocie, opowiedziałem. Mister Hafizullah wprawdzie nie jest człowiekiem zbyt wykształconym, ale ma pewną dozę pierwotnej inteligencji, którą niekiedy nazywa się chytrością.

– Niezbyt wielką – ostrożnie zgodził się Sergiusz. – Domyślam się, że wykonał pan jakąś elektrotechniczną demonstrację, ale dziwię się bardzo, że Maulana nie uznał tego za kuglarską sztuczkę.

– Właśnie w tym rzecz, że on postanowił przekonać się osobiście, jak przydatny może być radiowy eter dla kupca prowadzącego rozległe interesy. Zaproponowałem mister Hafizullahowi najpierw rozmowę przez radio z jednym z moich współpracowników, a następnie, by bez świadków przekazał swojemu rozmówcy życzenie, a dokładniej mówiąc, listę życzeń, które zostaną spełnione w pewnym odległym miejscu. Nasz afgański przyjaciel wyruszył tam sprawdzić skuteczność swej dyspozycji, i to jak najszybciej, aby zwykły kurier nie mógł go uprzedzić. Dodam, że ta dyspozycja była niebagatelna materialnie, a jej pomyślne załatwienie wymaga mniej więcej tyle czasu, ile zajmuje tradycyjna podróż. Do tego dochodzą godni zaufania świadkowie na miejscu, którzy mają potwierdzić daty i terminy. Mister Hafizullah naprawdę dobrze przemyślał ten test.

– Dokąd pojechał Maulana?

– To mogę panu powiedzieć dopiero wtedy, kiedy stanie się pan jednym z nas i gdy przekonam się, że pański akces był szczery. Obawiam się, że do tej pory ta sprawa zupełnie przestanie być aktualna.

– Dlatego muszę wiedzieć to teraz. Od tego zależy moja decyzja.

– Mamy remis, panie Lawendowski. Najpierw ja wziąłem pana za durnia, teraz pan mnie.

– Bez tej informacji pańskie życie nie będzie miało dla mnie znaczenia.

– Tak samo będzie, jeżeli jej udzielę. Nie może mnie pan więzić, a porwanie byłoby dla pana bardzo niedogodne…

– Są jeszcze tortury, panie Talbot.

– Nie ma pan na nie zbyt wiele czasu, a ja postaram się w miarę mych skromnych możliwości wytrzymać możliwie długo dla wielkiej idei globalnej technokracji, której poświęciłem życie. Zresztą widzę po panu, że myśl o torturach budzi pański niesmak. Zatem sprawa wygląda tak: musi pan się do mnie przyłączyć albo mnie zabić. Trzeciego wyjścia nie ma.

– Dokąd pojechał Maulana Hafizullah?!

– Nie powiem.

– Wobec tego zabiję pana.

– Tak z zimną krwią? To chyba nie po słowiańsku.

– Aaa, więc na to pan liczy… Zapewniam wobec tego, że to nie będzie z zimną krwią.

– Obraziłem pana czymś?

– Wystarczy, że pomyślę o Jewgieniju Piotrowiczu…

– Kto to taki?

– Pozna go pan za chwilę na tamtym świecie, jeśli nie powie mi pan, gdzie jest Maulana.

– Nie powiem.

– Ostatnie ostrzeżenie… – myśli starszego lejtnanta pobiegły do krzaka herbacianych róż w ogrodzie Kuroczkina, do bezbronnych dłoni starego matrosa chwytających w rozpaczliwej walce ostrza szlachtujących go morderców, podnieconych hinduskim narkotykiem. Wyobraził sobie bezsilność i ból, w jakich gasła świadomość Jewgienija, na koniec wspomniał przeraźliwy krzyk Swietłany…

– Witamy w klubie, panie oficerze! – oznajmił triumfalnie Talbot.

Sergiusz strzelił mu między oczy.

Zabił z jak najbardziej gorącą krwią. Pociągnął za spust jeszcze trzy razy, aż z głowy Anglika została tylko krwawa kaszka. Dopiero wtedy zdołał opanować wybuch furii, która go ogarnęła na widok ostatniego aktu niezachwianej pewności siebie sir Teodora Talbota.

Dwoje solidnych, grubo wytłumionych drzwi sprawiło, że czekający w piwnicznym korytarzu Hazarowie nie usłyszeli wystrzałów. Oficer zarzucił na zwłoki jakiś brezent, po czym usiadł na chwilę, by ochłonąć i zebrać myśli.

Anglik był bliższy wygranej, niż mogłoby się wydawać. Zasiał tyle wątpliwości, ile mógł, i postawił wszystko na jedną kartę, licząc na sumę wahania oraz moralnych oporów przeciwnika. Do tego nieustanny kontakt wzrokowy. To musiało zadziałać i pomimo gniewu ręka z pistoletem powinna była opaść. Tak oto pierwszy wyłom w psychice i woli Sergiusza Lawendowskiego zostałby dokonany. A potem byłyby inne liczne możliwości… Talbot przegrał tylko przez przypadek. Gdyby nie znieczulająca sumienie przygoda w Moskwie, starszy lejtnant faktycznie by się nie przemógł. Chyba.

Młode dziki

Uporawszy się z emocjami, Sergiusz zaczął myszkować po laboratorium. Żarówek zwykłych i amplifikacyjnych było tu dziesiątki. Istny sezam! Zwłaszcza w porównaniu z dotychczasową zdobyczą starszego lejtnanta. W tej piwnicy konstruowano „mówiące księgi Koranu" – było ich blisko tuzin na różnym etapie zaawansowania montażu, a ponadto niedokończony nadajnik, znacznie większy od odbiorników, dlatego umieszczono go w skrzyni imitującej podróżny kufer. Większość miejsca zajmowały tam suche baterie. Całe laboratorium musiało stanowić królestwo nieżyjącego Jenkinsa, wskazywało na to jednoznacznie oprawione w ramki zdjęcie poległego Anglika w mundurze Warrant Officer Class I, czyli chorążego brytyjskich wojsk inżynieryjnych. Ofiara starszego lejtnanta stała w jakimś parku pod rękę ze śmiertelnie poważną, grubokościstą, krowiooką angielską dziewuchą, już teraz, mimo młodego wieku, nie wykazującą choćby śladu urody. Sergiusz pocieszył się, że oszczędził swojemu przeciwnikowi gorszej od śmierci małżeńskiej gehenny na stare lata, w stylu – jak mawiają Rosjanie – „Pojechała za mną na Sybir i całą katorgę mi zepsuła!" (nie ma to jak szczypta zdrowego cynizmu na pierwszej linii frontu), a następnie skupił się na swoim zadaniu.

Jedna z „ksiąg Koranu" była już spakowana do wysyłki, co oznaczało, że na pewno jest sprawna, a także całkowicie uzbrojona… Oficer mimo ryzyka postanowił zająć się właśnie tym odbiornikiem.

Kiedy się wiedziało, czego szukać, styki elektryczne na okładkach i spinających je klamrach były widoczne na pierwszy rzut oka. Sergiusz zbocznikował wszystkie długimi kawałkami kabli i krokodylkami, które znalazł na laboratoryjnym stole, po czym rozpiął obejmy, chwalebnie unikając porażenia. Dalej z największą ostrożnością, stając bokiem z otwartymi ustami, żeby mu nie popękały bębenki w uszach, jedną ręką zasłaniając się krzesłem, jak ostatnio Zakani, drugą wyciągniętą na całą długość ramienia, czubkiem szabli otworzył pokrywkę, imitującą przednią okładkę.

Pseudo-Koran, chwalić Allaha, nie wybuchł.

Sergiusz odetchnął z ulgą i zajrzał do środka. Na samym wierzchu była metalowa miseczka z pergaminową torebką fotograficznej magnezji z elektrycznym zapalnikiem, a obok trzy laski dynamitu z opóźniaczem wybuchu, działającym na zasadzie elektromagnesu połączonego z mimośrodem podobnym do maleńkiego koła lokomotywy. W chwili odpalenia magnezji zaczynał się obrót mimośrodu, który sekundę później zwierał kolejne styki, powodując eksplozję głównego ładunku wybuchowego. Jeżeli po pierwszym, nieudanym rażeniu prądem drugie ostrzeżenie okazało się skuteczne i księgę zamknięto natychmiast po oślepiającym błysku, wybuch nie następował, co pozwalało oszczędzić cenne urządzenie. Ponowne otwarcie zdetonowałoby dynamit po czasie stanowiącym pozostałą część zwłoki, czyli po kilku dziesiątych sekundy.

Starszy lejtnant sprawnie pozbył się zapalników oraz reszty systemu autodestrukcji i jego uwagę przykuło właściwe urządzenie radiowe. Teraz elektrotechniczne studia na statku płynącym w dół Wołgi przydały mu się w całej pełni.

W odbiorniku żarówki amplifikacyjne były dwie, w nadajniku cztery, zamocowane na elastycznych, gumowych podpórkach dla wytłumienia wstrząsów. Rozmiarami znacznie przewyższały zwykłe żarówki, dorównując dużym szklankom do herbaty. Zasilały je dwa rodzaje baterii. Pierwsze były długimi stosami wielu szeregowych ogniw, dającymi w sumie napięcie 255 woltów (woltomierz był pod ręką) i podłączonymi do wewnętrznych blaszek żarówek amplifikacyjnych za pośrednictwem styków na obejmach księgi. Otwarcie obejm powodowało wyłączenie zasilania odbiornika, a w zamian wysokie napięcie pojawiało się na krawędziach okładek, rażąc prądem osobę, która ich dotykała. Baterie drugiego rodzaju miały tylko 6 woltów, ale za to dużą sprawność prądową i służyły do nagrzewania żarników amplifikatorów. „Głos anioła" zapewne wydobywał się z urządzenia przypominającego dużą słuchawkę telefoniczną przymocowaną do spodu tytułowej okładki. Ponadto w pudełku były jeszcze cewki z ruchomymi rdzeniami, kondensator strojący, który wyglądał jak dwie butelki lejdejskie, wsuwane jedna w drugą, oraz znajomy detektor galenowy, podłączony jednak nie do słuchawek, lecz do małego galwanometru mierzącego siłę odbieranego sygnału. Żeby zobaczyć skalę, należało podnieść do góry klapkę z imieniem Mahometa, stanowiącym część muzułmańskiego wyznania wiary, na przedniej okładce.

W porównaniu z tym, co dał im profesor Popow, to urządzenie było absolutnym cudem techniki XX stulecia! Akademik powinien zaniemówić z wrażenia na widok takiego łupu. Najbardziej jednak ucieszyły Sergiusza i wbiły go w dumę rezultaty badań obwodu antenowego nadajnika. To było dokładnie to, czego starszy lejtnant się spodziewał, czyli transformator Tesli, w którego obwodzie pierwotnym zamiast iskrownika umieszczono dużą żarówkę amplifikacyjną, dwa razy większą od pozostałych. Wielki Aleksander Popow powinien teraz Sergiuszowi Lawendowskiemu wpisać w indeks wielką piątkę z jeszcze większym plusem!

Starszy lejtnant chwilę cieszył się tą myślą, po czym wrócił do pracy. Żeby znów się jakiś mułła nie przyczepił, scyzorykiem usunął z okładki wszystkie zbędne litery tytułu oraz wyznania wiary, a te, które były główkami pokręteł, przyciął tak, by przestały przypominać arabskie gzygzoły. Na miejsce lasek dynamitu włożył do odbiornika dodatkowy komplet baterii, uciął sobie porządny kawał kabla na antenę i uziemienie, na koniec zaś, zawinąwszy całą zdobycz w brezent, wyniósł ją z laboratorium.

Hazarowie za drzwiami zaczęli się już niepokoić, więc konstatację, że tę norę czarnoksiężnika należy wysadzić w powietrze, przyjęli z entuzjazmem i na wyścigi pobiegli po dynamit. Sergiusz z paczką pod pachą wrócił na górę, gdzie pod jego nieobecność zapanowało ogólne, błogie rozprzężenie.

Pierwszym napotkanym człowiekiem był półnagi Maliniak, który na widok starszego lejtnanta zaczął bez pośpiechu dopinać rozporek spodni.

– Jak szefowi poszło? – zagadnął życzliwie.

– Spotkałem ciekawego człowieka i zabiłem go – odparł Sergiusz. Też był w zbyt dobrym nastroju, by zaczynać scysję.

– Tego drugiego angola? – domyślił się szeregowy. – To dobrze, bo gdyby nie szef, ja bym skurwiela własnoręcznie pochlastał jak oni naszego starego... Nieważne! – zmienił temat. – Rany boskie, żeby szef wiedział, co te śniade suczki potrafią! – zwierzył się zafascynowany, wskazując wzrokiem pokój, z którego właśnie wyszedł. Tam na łóżku, wśród skotłowanej, różowej pościeli siedziały dwie Hinduski ubrane jedynie w biżuterię i uśmiechnęły się promiennie do zaglądającego oficera.

– Domyślam się, Maliniak.

– Wątpię, szefie! Kurde, toż mnie ani w głowie nie postało, że chłop z babą i baba z babą mogą takie rzeczy ze sobą robić!

– To się nazywa Kamasutra.

– Ale skąd, szefie! Jedna jest Lakszmi, druga ma na imię Hira, żadna Kama Coś-Tam... ale już mi się pozajączkowało, która jest która... Ech, będzie co wspominać!

– Cieszcie się nimi szybciej, Maliniak.

– Ale ja już nie dam rady – westchnął żałośnie.

– Spokojnie, one znajdą sposób...

– Mówi szef? – spytał z nadzieją szeregowy.

Sergiusz spojrzał na zegarek.

– Daję wam jeszcze trzy kwadranse.

– Ludzki z szefa człowiek!

Okazało się, że Zakaniemu także nie należy jeszcze przeszkadzać. Pers, sądząc po chórze głosów ekstazy dobiegających zza zasłony jego pokoju, wetował sobie długotrwały celibat w towarzystwie aż trzech dziewcząt. Co więcej, także Ged został dziś w pełni mężczyzną. Jego chłopięctwo zabrała milutka rówieśniczka imieniem Ratnavati, co stało się za przyzwoleniem Swietłany. Ona sama też skorzystała z usług dziewcząt madame Sandry, które wymasowały jej stopy, pomalowały na karminowo paznokcie, ufarbowały włosy na kolor promiennego miodu oraz zrobiły olśniewająco-zabójczy hinduski makijaż, co sprawiło, że burka w miejscu publicznym stała się absolutnie konieczna, inaczej doszłoby do zamieszek. Dodatkowo, co Swieta szepnęła Sergiuszowi na ucho, egzotyczne ekspertki od wszelkich kobiecych wdzięków, jakimś sekretnym sposobem zmiękczyły jej włosy łonowe do delikatności aksamitu, o czym *lubimij* starszy lejtnant może się przekonać, kiedy tylko zechce...

Gul Abdulkader i jego ludzie, żeby nie być tak całkiem stratni, zajadali się w salonie lupanaru zdobycznymi słodyczami, których był tutaj naprawdę wielki wybór. Stanowczo, indyjskie domy publiczne należałoby zdobywać częściej!

Pobyt na tej Wyspie Szczęśliwej należało jednak przedłużać z umiarem, a nade wszystko przytomnie. Przez myślenie o włosach łonowych Swietłany Sergiusz omal nie wyleciał w powietrze na angielskiej minie podłożonej w zamkniętej wieżyczce, w której mieściły się nadajnik oraz studio radiowe, na co wskazywał przewód antenowy biegnący tu od centralnego masztu.

Allah musiał być bardzo rozgniewany z powodu miejsca, w którym ośmielono się czytać jego świętą księgę, albowiem wciąż czuwał nad starszym lejtnantem i w ostatniej chwili, gdy ten już gmerał kluczami Talbota w zamku, natchnął erotycznie rozkojarzonego oficera myślą, by lepiej przyjrzał się zawiasom. Tutaj też były dyskretne, elektryczne styki... Doprawdy niewiele brakowało, by bohaterskiej pamięci Jenkins z nawiązką wyrównał porachunki z kolegą z konkurencyjnego imperium.

Po chwili namysłu Sergiusz stwierdził, że otwarcie drzwi pomieszczenia nadawczego przekracza jego saperskie umiejętności.

W sumie to nie miał tam nic do roboty, więc najlepiej było wysadzić wieżyczkę wraz z całą zawartością, podkładając ładunek pod drzwi. Jeśli jeszcze wybuchnie ten po drugiej stronie, to będzie, jak mawiają saperzy: „błąd na korzyść pewności dekonstrukcji"...

Przedtem jednak koniecznie należało zrobić jedną, niezawodną rzecz, po której mężczyzna odzyskiwał strategiczną jasność umysłu. Z tym postanowieniem starszy lejtnant wrócił do swej przyjaciółki. Swieta była już lekko naburmuszona, że jej przyszły polski mąż okazał się gapą i nie pojął, że „kiedy tylko zechcesz" znaczy „bierz mnie natychmiast!". Wszakże nie kazała mu zbyt długo całować swych dłoni na przeprosiny. Jednym ruchem brwi przegnała hinduskie masażystki stóp, po czym uniosła przed Sergiuszem suknię niczym kurtynę teatru Bolszoj...

Chwilę później określenie „jedwabny szlak" nabrało dla starszego lejtnanta zupełnie nowego znaczenia.

Dochodziło wpół do drugiej po południu, kiedy przebyli ze Swietłaną ów szlak od krańca do krańca. Rzucona mimochodem wzmianka, że pomoc Szirin będzie im jednak niezbędna, podziałała na Swietłanę lepiej od wszelkich hinduskich afrodyzjaków. W miłosnym uniesieniu trzeba było tylko uważać na jej szarfę ze sztyletami, której za nic nie chciała zdjąć.

Do tej pory zrobili swoje także Maliniak i Zakani. Zatem nadszedł czas, by pozbyć się świadków. Madame Sandra i jej personel, czyli starsza hinduska kucharka, dwie przechodzone kurtyzany do wszelkich innych posług oraz piętnaście dziewcząt jak z obrazka *Bhagawadgity* to było stanowczo zbyt wiele oczu i ust, kiedy zacznie się śledztwo. Rzecz jasna nikt nie zamierzał zakopywać ich w ogródku. Powinny były stąd szybko wyjechać i nie dać się złapać. Na miejscu były cztery dobrze odżywione muły oraz dwa wielkie, dwukołowe wozy, na których cały fraucymer łatwo mógł się pomieścić. Nawiasem mówiąc, na podłodze jednego z nich były jeszcze ślady krwi.

Należało tylko zadbać o motywację bajzelmamy. Argument, że mogą odpowiadać za śmierć Anglików, choć nie do pominięcia, był mało przekonujący. Trochę lepsza była zgoda, by Hinduski zabrały wszystkie swoje kosztowności i co cenniejsze sprzęty z domu uciech. Najlepsze jednak, jak zwykle, okazało się złoto i żywa gotówka z kasy sir Talbota. Wprawdzie środki na bieżące brytyjskie wydatki znajdowały się w solidnym ogniotrwałym sejfie, ale z szyfrowym zamkiem jego arystokratyczna wysokość książę Farhad Darius Kacper Zakani poradził sobie w trzy minuty. Bez komentarza, narodzie prawosławny!

Kiedy Pers z dystyngowanym niesmakiem odmówił przyjęcia swojej doli, Sergiusz podzielił zdobycz po połowie między Hazarów a Hinduski, wywołując entuzjazm obu stron. Teraz było już pewne, że madame Sandra prędzej stanie na uszach, niż pozwoli się złapać i odebrać sobie pieniądze. Ustalono, że uda się na niepodlegające żadnej cywilizowanej władzy Terytorium Wolnych Plemion, na pograniczu Indii i Afganistanu, tam poszuka sobie możnego protektora i ponownie otworzy firmę. Dla ochrony przed pospolitą napaścią pozwolono kobietom zabrać oba angielskie rewolwery oraz jedną strzelbę. Spakowały się w trymiga, sprawniej od plutonu żołnierzy. Mała Ratnavati posłała buziaka puchnącemu z męskiej dumy Gedowi, po czym cała Kamasutra na kółkach pomknęła do Dżalalabadu, aż się za nią kurzyło.

Należało uciekającym kobietom dać co najmniej dwie godziny. Przez ten czas poczyniono staranne przygotowania do całkowitej destrukcji domu uciech. Anglicy mieli sporo materiałów wybuchowych, więc Sergiusz mógł zaoszczędzić swojego dynamitu. Ponadto znaleźli sto kilkadziesiąt litrów nafty, dwie beczki oliwy i kilkanaście kilogramów masła, które starannie rozsmarowano na poduszkach rozłożonych po całym lupanarze. W kilku miejscach dla lepszego cugu zerwali podłogi i fragmenty dachu. Całą wodę z cysterny w ogrodzie spuszono na stok wzgórza, tak by podczas gaszenia pożaru trzeba było biegać do aż rzeki. Ponieważ w niemal każdym pokoju lupanaru znajdował się blaszany budzik, niebawem po połączeniu ich z bateriami elektrycznymi mieli tuzin zapalników zegarowych. Wszystkie nastawiono na czwartą po południu, biorąc za wzór wskazania zegara słonecznego, którą to rolę spełniał dla niepoznaki maszt antenowy.

Sergiusz osobiście założył ładunki wybuchowe w laboratorium i wieżyczce nadawczej. Trzy grube wiązki dynamitu umieścił na wierzchu maszyny analitycznej, tak by siła wybuchu wbiła całe to żelastwo możliwie głęboko w ziemię, zanim dodatkowo przysypie je gruz z walącego się stropu. Sir Teodor Talbot miał zostać pogrzebany razem ze swoim projektem. Przed ostatecznym zamknięciem drzwi przyszłego grobowca starszy lejtnant zasalutował martwemu wrogowi. Co do pozostałych trupów zadbano, aby spłonęły w pożarze. Ładunek wybuchowy pod drzwiami pomieszczenia nadajnika na wszelki wypadek oprócz zegara miał dodatkowy lont, który powinien zapalić się od hulającego na schodach ognia.

Jako pierwsza opuściła lupanar Swietłana w towarzystwie Zakaniego, który znów założył maskę, Geda, dwóch Hazarów z dodatkowymi końmi oraz Maliniaka. Sergiusz ze zdumieniem przyłapał się na myśli, że temu ostatniemu ufa do tego stopnia, by powierzyć mu bezpieczeństwo Swietłany wracającej do Kabulu po Szirin. Tymczasem Pers, Polak i młody Pasztun, zamiast przejmować się ryzykiem związanym z tym zadaniem, w doskonałej komitywie wymieniali męskie uwagi na temat kunsztu hinduskich kurtyzan...

Kwadrans po grupie Swietłany wyjechał Gul Abdulkader z większością swoich ludzi. Mieli rozproszyć się, wmieszać w gęstniejący już popołudniowy ruch na podkabulskich drogach, przemknąć chyłkiem przez miasto do północno-zachodniej bramy i zaczekać na resztę pół godziny marszu za nią.

Ostatni opuścił lupanar Sergiusz, sprawdziwszy na odchodne wszystkie ładunki. Brama wjazdowa była już zamknięta na głucho i dodatkowo podparta kołkami od wewnątrz. Starszy lejtnant wyszedł po drabinie, którą towarzyszący mu trzej Hazarowie przerzucili z powrotem za mur. Przeciągły gwizd sprawił, że ostatni dwaj wartownicy przy drodze porzucili stanowiska, wskoczyli na konie i dołączyli do oficera.

Minęło już wpół do trzeciej i należało się spieszyć...

Mieli ponownie wjechać do Kabulu drogą od miasta Gardez. Było to znacznie bliżej niż wracać na trakt kandaharski, na którym nie powinni byli się pokazywać, zwłaszcza straży przy tamtejszej bramie, jednak dla pewności, żeby nikt nie pomyślał, że jadą wprost z hinduskiego domu uciech, nadłożyli trochę drogi i gwałtowna kanonada wybuchów przy drodze do Dżalalabadu zastała ich spory kawał przed granicą miasta. Wypadało przystanąć razem z innymi wędrowcami, popatrzeć na odległą o trzy kilometry chmurę gęstniejącego dymu i wysnuć kilka niedorzecznych przypuszczeń co do przyczyn dziwnego zdarzenia.

Sergiusz miał na sobie miejscowy strój, a twarz zasłoniętą chustą, co było zwykłym zabezpieczeniem przed wszechobecnym na afgańskich traktach pyłem. Dzięki temu zapatrzeni na wschód strażnicy przy bramie nie poznali w nim cudzoziemca i pozwolili wejść do miasta bez przeszkód.

Z pewnością jednak było już po akcji Swietłany... Udało się jej czy nie? Jedyne, co mogli zrobić, to przejechać nieznacznie koło domu Maulany i zobaczyć, czy nie ma tam jakiegoś zbiegowiska lub czy nie dzieje się coś szczególnego. Budynek i okoliczne ulice wyglądały zupełnie zwyczajnie, więc starszy lejtnant ze swoimi Hazarami udał się wprost na miejsce ponownej zbiórki oddziału.

Strażnicy na północno-wschodniej rogatce Kabulu wiedzieli już, że coś się wydarzyło, ale nie wiedzieli co i byli wyraźnie podenerwowani. Zdecydowanie nie należało się spieszyć, żeby nie wzbudzić podejrzeń. Na szczęście żołnierze nie dostali jeszcze rozkazu ścisłej kontroli wyjeżdżających ze stolicy. Starszy lejtnant ze swej strony pilnował się, by nie dać im teraz zbyt wielkiego *salam*, które natychmiast zwróciłoby ich uwagę, tylko jedną srebrną monetę więcej niż zwykle, tak by dobre wrażenie pozostało w bezpiecznych granicach. Gdy tamci zorientowali się, że Sergiusz jest cudzoziemcem, on zagadał do nich po francusku. Któryś z Hazarów niby przetłumaczył to na zwyczajowe życzenie zdrowia i łaski Allaha, w wyniku czego strażnik uśmiechnął się, machnął ręką i Kabul drugi raz tego dnia został za nimi.

Wielka ulga spłynęła na Sergiusza, gdy pół godziny później wśród czekających Hazarów zobaczył trzy burki – błękitną, złotą i czarną. Dwie ostatnie to była Szirin oraz jej służąca Fatima, wdowa w średnim wieku znająca się na sprawach kobiecych, co od razu podkreśliła Swietłana.

Nie wszystko jednak poszło tak gładko, jak się z początku wydawało. W czasie przejazdu przez Kabul przepadł jeden z młodych Hazarów. Gul Abdulkader był w wielkim kłopocie. Nie wiedział, czy jego kuzyn zdezerterował, czy został pojmany. W grę mogła wchodzić bogobojna niechęć do rozpoczynania świętej pielgrzymki w towarzystwie rosyjskiej diablicy, co Gul oględnie dał do zrozumienia, albo zwykła ucieczka z pieniędzmi, których młody człowiek dostał dziś więcej, niż widział w całym dotychczasowym życiu, jak również hinduskie luksusy, jakich nie oglądał nigdy dotąd, a które za te pieniądze stały się osiągalne. Zatem młody Hazar równie dobrze mógł uznać, że pielgrzymka może zaczekać. Jeżeli tak było, to hańba już spadła na cały ród, jeśli zaś nieborak został schwytany, niesława spadnie, gdy nie udzielą mu pomocy.

Sergiusz zdecydował, że tak czy owak nie mogą na spóźnionego dłużej czekać. Jeśli kuzyn Abdulkadera wpadł w kłopoty, z pewnością jakoś da znać Kuroczkinowi, a ten przecież nie zostawi go w biedzie. Jeżeli zaś to dezercja i kradzież, starszy lejtnant oczekuje, że sumienna służba reszty rodziny wynagrodzi tę stratę. Gul przystał na to i dał znak do odjazdu.

Zakani z ulgą pozbył się maski, a Swieta zaczęła opowiadać, jak poradziła sobie z wykradzeniem Szirin z małżeńskiego gniazda. Poszło to łatwo i szybko. Gdy dotarli na miejsce, Swietłana przywołała jedno z bawiących się na ulicy dzieci, po czym dała mu list i drobną monetę, każąc zanieść pismo do kobiecej części domu. Małego chłopczyka wpuszczono tam bez żadnego problemu. W liście była uzgodniona wcześniej z Szirin wiadomość, że kupiec taki to a taki otrzymał właśnie nową dostawę chińskich jedwabiów i zaprasza ją na zakupy. Szanująca się mężatka nie mogła oczywiście wyjść na ulicę sama, musiała wziąć ze sobą przynajmniej służącą Fatimę, która była już wstępnie wtajemniczona. Kobiety wyszły po dwudziestu minutach od otrzymania listu, a Rosjanka czekała z końmi za rogiem. Stara służąca bez wahania poszła za swoją panią. Strażnicy przy bramie Kabulu nie okazali specjalnego zainteresowania trzema kobietami, chłopcem, starcem i trzema mężczyznami, czyli po prostu rodziną wyjeżdżającą z miasta. Wzięli co swoje i zwyczajowo życzyli wszystkim szczęśliwej drogi.

Wypadało przyznać, że Swietłana sprawdziła się w roli samodzielnego dowódcy. Jedyny mankament stanowił fakt, że Szirin była w stroju, w którym mogła zadawać szyku, przechadzając się po bazarze lub na tradycyjnych plotkach przy studni, ale nie podczas podróży przez dzikie góry. Jej burka ze złotego jedwabiu biła po oczach prawie jak samo słońce. Przywykłej do luksusu młodej kobiecie nie przyszło do głowy, że potrzebne jej będzie ubranie mniej okazałe, za to znacznie cieplejsze. Rozumiejąc wszakże, że udaje się w długą podróż, zabrała ze sobą lusterko oraz komplet kosmetyków i przyborów do makijażu...

Lekko skonsternowana Swieta zapewniała, że wszystkim się zajmie. Na razie pożyczy Szirin swoje rzeczy i jakoś sobie poradzą, a w najbliższym mieście, to jest w Pendżabie, dokupią, co trzeba.

Faktycznie, nie garderoba była tutaj największym problemem, ale fakt, że uprowadzili żonę bardzo bogatego Afgańczyka, chorobliwie czułego na punkcie honoru własnego oraz całego rodu. Sergiusz podejrzewał, że ma chyba zbyt mało wyobraźni, by dokładnie wyimaginować sobie, co się będzie działo, kiedy Maulana Hafizullah i jego klan się dowiedzą. Zakani stwierdził wprost, że będzie źle. Gul Abdulkader nie mówił nic. Co najwyżej *inszallah!*, wznosząc przy tym oczy ku niebu.

Na dodatek Szirin im nie ufała. Zapytana dokąd wyjechał jej mąż, bez słowa pokazała ręką drogę przed nimi, która mogła ich zaprowadzić aż do Heratu, miasta niedaleko granic Rosji i Persji. Nie pomogła nawet perswazja Swietłany. Tyle dobrego, że skoro tytularna żona Maulany bała się, że ją odeślą z powrotem, kiedy przestanie im być potrzebna, to znaczyło, że była naprawdę zdecydowana na ucieczkę i nie zmieni zdania, gdy tylko zmarzną jej paluszki.

Jechali tempem umiarkowanie szybkim, żeby Szirin i Fatima, które pierwszy raz w życiu znalazły się w siodłach, jakoś to wytrzymały. Poza tym lepiej było nie zwracać na siebie uwagi przesadnym pośpiechem. Z tego samego powodu starszy lejtnant rozciągnął cały swój oddział na długość kilometra i podzielił go na trzy grupy. Z przodu jechał Abdulkader z dziesięcioma ludźmi, w środku kobiety, Ged, Zakani i Maliniak z trzema Hazarami, a pozostałych pięciu kolejne kilkaset metrów za nimi. Sergiusz przemieszczał się bez przerwy pomiędzy tymi grupami, a szybkie galopady w tą i z powrotem wyraźnie cieszyły Torsziego.

Gdy zapadł zmierzch, osiągnęli krawędź doliny Kabulu. Oficer ostatni raz obejrzał się na stolicę Afganistanu. Za przeciwległym krańcem miasta bez lornetki wciąż było widać pożar. Hinduski lupanar musiał płonąć jak piec hutniczy i chyba nikt go nie gasił. To dobrze, bo stąd wynikało, że zgliszcza zostaną przeszukane, gdy ogień się wypali, czyli jutro około południa, i wtedy dopiero ktoś zacznie się zastanawiać, gdzie zniknęły Hinduski. Madame Sandra, mając prawie dobę przewagi, nie powinna już dać się złapać, choć nie można było tego wykluczyć. Było jasne, że zatrzymana znów pójdzie na pełną współpracę i wtedy do afgańskiej gry starszego lejtnanta wkroczy wielka polityka. Swoją opinię o całej sprawie będą musieli wyrazić jego wysokość szach Habibullah, angielski poseł w Kabulu, premier Wielkiej Brytanii w Londynie, król Edward i car Mikołaj, ten ostatni swoim zwyczajem będzie się ociągał, jak długo się da. Pytanie, ile i jakich części ciała straci do tej pory wierny sługa samodzierżawia, starszy lejtnant Lawendowski, było problemem matematycznym na miarę wielkiego twierdzenia Fermata.

Niewątpliwie sfery wyższe afgańskiej stolicy już przypominały mrowisko, w które wetknięto kij, i zamieszanie będzie narastać z każdym dniem. Sergiusz wiele by dał, żeby dowiedzieć się, co się tam teraz działo, ale nie było sensu zajmować się rzeczami, których poznać nie podobna. Ta noc była krytyczna! Jeżeli zaginiony Hazar zdradził lub coś innego poszło nie tak, pościg już szykował się do drogi, więc nie mogli pozwolić sobie na odpoczynek. Kobiety musiały wytrzymać nocny marsz!

I wytrzymały, choć jak zauważyła Swietłana, nad ranem Szirin już popłakiwała. Jednak nie skarżyła się głośno, co wzbudziło ostrożne uznanie starszego lejtnanta.

Na kilkugodzinny odpoczynek zatrzymali się dopiero przed południem następnego dnia, by przeczekać największy upał. Wybrali miejsce, którego nie było widać z drogi, i wystawili podwójne straże. Fatima mimo swego wieku zniosła forsowną podróż dobrze i teraz zajmowała się przede wszystkim swą omdlewającą ze zmęczenia panią.

Poza tym nic się nie działo. Byli jak w oku cyklonu...

Popołudniowy zwiad stwierdził, że na drodze nadal nie widać niczego groźnego, więc wrócili na szlak o czwartej po południu. Obolała Szirin nie była w stanie o własnych siłach wsiąść na konia. Swietłana i Fatima musiały ją załadować na siodło jak worek. Skulona w swej burce Afganka wyglądała teraz jak złota kupka nieszczęścia, ale nadal nie narzekała.

Sergiusz dziś się tym nie przejmował. Jechał cały czas w tylnej straży, oglądając się za siebie ze szczytu każdego wzniesienia, na które wspięła się droga. Tak minął drugi dzień, a ponieważ nadal nic się nie wydarzyło, tym razem zatrzymali się na noc.

Zakani wspomniał na biwaku, że gdyby miał wracać do siebie do domu, to dokładnie tą samą drogą, którą teraz jechali. Tak na dobrą sprawę opuszczali już Afganistan, więc Pers zaprosił Sergiusza do swojej posiadłości nad rzeką Shur, niedaleko miasta Sabzevar, nadmieniając, że najprawdopodobniej zastaną tam Patrycję…

Starszy lejtnant nie odpowiedział. Eteryczna twarz rudowłosej Irlandki z jego wspomnień znacznie już przyblakła, nie wytrzymując konkurencji z kobietą z krwi i kości, w której ramionach zasypiał i budził się każdego dnia. Zwłaszcza że na jednym posłaniu było ich już troje… Może zatem powinien ominąć dawną miłość szerokim łukiem, by nie przysparzać sobie kolejnych rozterek podczas pisania oficjalnego raportu dla Ministerstwa Wojny? Na razie nie potrafił rozstrzygnąć tego dylematu, a Zakani nie nalegał.

Rano Sergiusz odetchnął z ulgą. Byli ścigani! Nareszcie skończyła się niepewność i mógł zająć się tym, co umiał najlepiej.

Goniło za nimi dziesięciu ludzi, oddział nieregularny, sądząc po szyku marszowym, a raczej jego całkowitym braku. Hazar z lornetką posłany im naprzeciw przygalopował z powrotem z wiadomością, że to młodzi Tadżycy, a zatem najprawdopodobniej klan Maulany Hafizullaha. Trzeba było się jeszcze co do tego upewnić, ale tak, żeby w przypadku potwierdzenia mieć już gotową zasadzkę.

Droga, którą zmierzali, była jedną z najruchliwszych w Afganistanie i zupełnie nie nadawała się do urządzania strzelaniny. Do tej pory starszy lejtnant i jego ludzie minęli się z czterema karawanami – dwie szły do Kabulu, dwie ze stolicy do Heratu. Co rusz w obu kierunkach przelatywali obok nich konni posłańcy, często spotykali też okolicznych wieśniaków zdążających ze swoimi sprawami do pobliskich miejscowości. Pomysł, by rozciągnąć i rozproszyć ich oddział, był w tej sytuacji prawdziwym błogosławieństwem.

Przed nimi, jak zameldował Gul Abdulkader, uprzednio powiadomiony o sytuacji, znajdowała się dogodna boczna droga odchodząca na północ w wysokie góry. Na rozstajach siedział beznogi żebrak. Sergiusz po chwili namysłu polecił szefowi Hazarów go minąć, obdarowawszy przy tym sowitą jałmużną. Potem, mieli odjechać na tyle, by zniknąć żebrakowi z oczu, i chyłkiem zawrócić na ową boczną drogę. Grupa z kobietami miała wjechać na nią jawnie, nie tylko ignorując proszącego kalekę, ale jeszcze dodatkowo go rozgniewać. Zwyczajowa odmowa: *doa kon, baba,* „idź się modlić, ojcze", w przypadku beznogiego powinna niezawodnie wywołać pożądany skutek. Tylna straż wraz z oficerem ruszyła ku bocznej drodze od razu, na przełaj, kierując się wskazówkami Gula, tak aby żebrak w ogóle ich nie zauważył.

W ten sposób, kiedy jadący za nimi Tadżycy zapytają zirytowanego człowieka na rozstajach o przejeżdżające tędy kobiety, ten, delikatnie mówiąc, nie będzie się wzbraniał przed udzieleniem im wszelkich informacji o ludziach, którzy zlekceważyli święty muzułmański obowiązek dawania jałmużny. Wskaże więc kierunek i poda znacznie zaniżoną liczbę eskorty.

Po godzinie od wykonania tego manewru wiedzieli już na pewno, że tamci ścigają Szirin. Po następnych dwóch kwadransach znaleźli dogodne miejsce, aby na nich zaczekać…

Wąwóz był głęboki i gęsto porośnięty krzewami, które zapewniały dobrą kryjówkę, a także powinny wytłumić echo wystrzałów. Dwunastu Hazarów z Maliniakiem zaczaiło się na jego stokach oraz dnie, reszta ubezpieczała teren za nimi i po bokach, a ponadto strzegła kobiet. Sergiusz ze snajperką w rękach stanął za skałą na krawędzi wąwozu, skąd miał dobry ogląd miejsca zasadzki i jego okolic.

Swietłana z kompletem swych ostrzy stanęła obok oficera. Poprosiła o lornetkę i razem obserwowali zbliżający się pościg.

„Paniczyki…", ocenił Sergiusz, gdy tamci podjechali bliżej. Byli wystrojeni jak na wesele, a ich kunsztownie zdobione strzelby i karabiny przywodziły na myśl ekipę cyrkową. Fakt, że znaleźli się w odludnym miejscu, budził ich wyraźny lęk – rozglądali się nerwowo i naradzali co chwila, gadaniem dodając sobie odwagi. Jednak nawet teraz nie przyszło im do głowy aby wydzielić straż przednią, która za cenę własnego życia mogłaby zawczasu wykryć pułapkę.

– Młode dziki… – wycedziła Swietłana z bezbrzeżną pogardą. – Zabij ich, Sergiusza! Zabij ich wszystkich albo ja to zrobię własnymi rękami!

Wypadało się z nią zgodzić. Dziesięciu bogatych fircyków porwało się na dwie bezbronne kobiety. Zapewne podczas drobiazgowych przesłuchań, które przeprowadzono w domu Maulany, gdy Szirin nie wróciła na noc, pokojarzono fakty i trafnie odgadnięto kierunek jej ucieczki. Następnie młodzi panicze pod nieobecność ojców i starszych braci, którzy pojechali z Maulaną, postanowili wykazać się honorem i odwagą. Dopóki posuwali się często uczęszczanym gościńcem, animusz ich nie opuszczał. Teraz myśl, że mogą zmierzyć się z o połowę słabszym przeciwnikiem, jak sądzili, i na dodatek nikt im w tym nie pomoże, znacznie zepsuła im humor. Rzeczywiście, nie zasługiwali na żadne względy.

Maliniak też nie zamierzał się z nimi patyczkować. Gdy podjechali, ile trzeba, natychmiast strzelił w brzuch młodzieńcowi jadącemu na czele, czym dał znak reszcie Hazarów, którzy wygarnęli ze wszystkich luf, z miejsca zwalając z koni dwóch następnych przeciwników.

Sergiusz z trudem uwierzył własnym oczom i uszom, ale tamci nawet nie odpowiedzieli ogniem. Ci z przodu zawrócili w popłochu, wpadając na tych z tyłu, którzy jeszcze nie wiedzieli, kto strzela... Zrobiło się kompletne zamieszanie i ono trochę tłumaczyło słabą skuteczność ognia Hazarów, na pewno bowiem trudno było im trafić do celów miotających się na oślep i bez kompletnie sensu. W tej fazie walki padł tylko jeden wymuskany Tadżyk, zapewne od kuli szeregowca.

Młodzi Hafizullahowie, kiedy wreszcie pojęli, co się dzieje, popełnili kolejny błąd, gdyż zamiast uciekać na złamanie karku, co kilku z nich mogłoby się udać, zaczęli zeskakiwać z koni i kryć się między skałami na dnie wąwozu. Dopiero wtedy pierwszy z nich wystrzelił. Tego najgroźniejszego z wrogich wojowników Sergiusz zdjął ze snajperki.

Maliniak ze swej strony powtórzył wyczyn z doliny Pańdższiru i widząc, że przeciwnicy panikują, nie dał im czasu ochłonąć, przedłużając jałową strzelaninę, tylko poderwał Hazarów do ataku na broń białą. Z tą różnicą, że teraz nie nazwał ich „Hafizami", tylko „chacharami"...

Domorośli mściciele rodowego honoru bardziej woleli się kryć po krzakach niż stawić czoła w męskiej walce. Hazarowie musieli kolejno wyłuskiwać kulących się w zaimprowizowanych kryjówkach pstrokatych paniczyków. Któregoś z nich wciśniętego głęboko w skalną szczelinę Maliniak zakłuł jak borsuka w norze. Tylko jeden zdołał ujść spod bagnetu szeregowca i hazarskich szabel. Uciekał tak szybko, że wybiegł na czyste pole i dostał kulę Sergiusza między łopatki.

Walka z tak żałosnym przeciwnikiem budziła głęboki niesmak. Trwała wprawdzie niecałe trzy minuty, ale to było jak wdepnąć w gówno i przez tyle czasu nie wycierać buta... Żal było dobrych naboi. Starszy lejtnant zarzucił snajperkę na ramię i splunął. W zamian łatwo było sobie wyobrazić bezkompromisowość oraz bezwzględność w egzekwowaniu islamskiego prawa, jaką wykazałyby te młokosy, gdyby Szirin i Fatima wpadły w ich ręce... Sergiusz właśnie o tym myślał, kiedy Maliniak pokazał mu z dołu, że jeden z Hafizullahów jeszcze dycha, i spojrzał pytająco. Oficer bez wahania przesunął palcem po gardle.

– Robaki – mruknęła Swietłana i poszła powiadomić kobiety o rezultatach starcia.

Te zaś sprowadzały się do tego, że pościg przepadł bez śladu, jak onegdaj mandżurska wyprawa Sergiusza. Dwadzieścia minut po walce trupy znikły, rozwleczone po okolicznych rozpadlinach i przywalone kamieniami. Plamy krwi zasypano. Konie wyłapano i zabrano w charakterze zdobyczy. Starszy lejtnant kazał tylko zasłonić lub ukryć w jukach zbyt charakterystyczną uprząż.

Sergiusz, opuściwszy swoje stanowisko, poszedł prosto do Szirin. Miał ochotę zerwać jej z głowy burkę, ale się pohamował.

– Dziesięciu twoich kuzynów zginęło! – oznajmił. – Teraz już chyba możesz nam zaufać! Mów, dokąd pojechał twój mąż!

Afganka milczała do czasu, aż Swietłana stanowczo poparła oficera.

– Do Bamjanu – wyrzuciła z siebie wreszcie. – Tam, gdzie są wielkie, pogańskie bałwany.

Niewiele to Sergiuszowi mówiło, ale Zakani zaraz dodał, że chodzi o olbrzymie, pradawne posągi Buddy, wykute w zboczach tamtejszych gór. Dobrze było wiedzieć, że jadą zwiedzić starożytną galerię rzeźb i w tym celu zarobili już, lekko licząc, po trzy dekapitacje na łebka… Ogromnie zdegustowany starszy lejtnant dał znak do wymarszu.

Prawdę powiedziawszy, martwiło go całkiem co innego niż babskie fumy i przeciwnicy niegodni zużytego na nich ołowiu. Gdyby o tej, jak najbardziej zbójeckiej zasadzce dowiedział się Aga Din i inni Esmatullahowie, natychmiast stalibyśmy się śmiertelnymi wrogami starszego lejtnanta. Wprawdzie nawet tak groźni ludzie nie budzili lęku Sergiusza, ale zrobiło mu się głęboko wstyd na myśl o spojrzeniu im w oczy, gdyby kiedyś jeszcze mieli się spotkać. Opinia Aga Dina w kwestii porywania cudzych żon oraz urządzania na drogach napaści na krewnych ich mężów byłaby jednoznaczna i teraz obyczaje Afganistanu zdecydowanie stawiały dawnych sojuszników przeciwko sobie.

– Takie właśnie, godne Arymana bariery pomiędzy ludźmi honoru wznosi islam – powiedział Zakani, któremu zwierzył się starszy lejtnant. – Ja wierzę, że zabierając panią Szirin z domu jej męża, miał pan dobry powód i kierował się rycerskimi zasadami, zgodnie z tradycją europejską, wywodzącą się wszak wprost ze zwyczajów szlachetnych Ariów. Ich prawa bowiem nakazywały traktować kobietę z całym szacunkiem, a jeśli nie, to miała ona prawo wrócić pod opiekę krewnych, jeżeli zaś tych nie stało, skrzywdzona mogła prosić o pomoc najpotężniejszego człowieka w plemieniu, którego zwano księdzem lub księciem. Nawiasem mówiąc, panie Lawendowski, prawo pierwszej nocy wywodzi się stąd, że wszyscy członkowie plemienia poczytywali sobie za zaszczyt pokrewieństwo z księciem, którego pomyślność w gospodarstwie i na polu bitwy była widomym znakiem łaski bogów. Ludzie, którym się nie szczęściło, nie mogli ubiegać się o ten tytuł i godność. Oczywiście zobowiązanie wynikające z prawa pierwszej nocy było obustronne...

– Proszę sobie darować dygresje, panie Zakani.

– Może zrobię jeszcze jedną, całkiem malutką. Dla Ariów najcięższą obelgą, jaką można było powiedzieć kobiecie, było nazwanie jej strzygą, a zauważyłem, że pan tak czasem żartuje ze swej walecznej towarzyszki...

Sergiusz popatrzył na niego ponurym wzrokiem.

– Dobrze, już wracam do islamu! – zapewnił szybko Zakani. – Ta sytuacja potwierdza to, co już wcześniej mówiłem, że owa religia znacznie bardziej przeszkadza ludziom postępować szlachetnie i sprawiedliwie, niż im w tym pomaga. Gdyby Esmatullahowie nie wyznawali islamu, jestem pewien, że zrozumieliby pańskie racje, a nawet nie musiałby pan im nic tłumaczyć. Nie wątpię, że oni szanują i kochają swoje żony, matki i córki, ale skoro prawo islamu zaleca im traktować je jak orny zagon, nic dziwnego, że bezwiednie mu ulegają.

– Ktoś ostatnio użył w rozmowie ze mną tej samej agrarnej metafory... – oficer spojrzał na Persa spod oka. – Czyżby udzielał pan już komuś podobnej rady?

– Dyskrecja, panie Lawendowski, jest jedną z największych cnót.

– Rozumiem.

Przed zachodem słońca, omijając z daleka rozstaje z żebrakiem, wrócili na główną drogę i po dwóch godzinach jazdy zatrzymali się na nocleg z zachowaniem dotychczasowych środków ostrożności.

Jedna tysięczna wolta

Wczesnym rankiem Sergiusz, uchyliwszy nieco połę namiotu, zaczął studiować mapę, korzystając z wpadającej do środka smugi światła. Droga z Kabulu do Bamjanu w normalnych warunkach powinna zająć im tydzień. Do tej pory przebyli jedną trzecią tego dystansu. Nie odległości były tu jednak istotne, lecz fakt, że zarówno Kabul, jak i Bamjan leżały w dolinach otoczonych wysokimi górami. Nie było mowy, aby fala radiowa przedostała się bezpośrednio z jednego miasta do drugiego. Tymczasem ze słów Talbota wynikało, że on i Maulana rozmawiali bezpośrednio z kimś w Bamjanie. To by znaczyło, że na którymś ze szczytów pomiędzy tymi dolinami była co najmniej jedna stacja przekaźnikowa obsługiwana przez kolejnego „świętego pustelnika". Urządzenie takie powinno się składać z połączonych razem odbiornika i nadajnika, co wydawało się wykonalne. Szczegóły techniczne nie interesowały starszego lejtnanta, ważne, by to ustrojstwo wykryć i zniszczyć. Raz dlatego, że nie po to odbywali tę wycieczkę po Afganistanie, żeby zostawiać za sobą sprawną angielską maszynerię radiową. Po drugie, zejście na jakiś czas z głównej drogi było rozsądnym pomysłem. Po trzecie, wypadało wreszcie wypróbować zdobyczny odbiornik.

Gdyby się okazało, że nadajnik przeciwnika działa w rozsądnej odległości od nich, szybki wypad w wysokie góry był jak najbardziej wskazany. Oczywiście nie za daleko, żeby Maulana nie musiał zbyt długo czekać na ich przybycie... Natomiast kierunek i dystans do ewentualnego celu wypadu powinny wyniknąć z pomiarów dokonanych za pomocą dołączonego do „świętej księgi" galwanometru. Należało wykonać ich co najmniej kilkanaście, za- czynając najlepiej zaraz!

Wszakże zaraz Sergiusz pomiarów radiotechnicznych rozpocząć nie zdołał, gdyż właśnie obudziła się Swieta i zarzuciwszy mu ręce na szyję, tchnęła w ucho gorącym szeptem, że to bardzo źle, jeśli ich dziecko będzie jakieś co nie bądź niedorobione...

W tej sytuacji angielski nadajnik, mapa Afganistanu oraz nogi Swietłany okazały się jednakowo nieważne i poszły na bok. To, co istotne, czyli dobro dziecka, okazało się tak dużym wyzwaniem, że z trudem zdołali uporać się z nim przed początkiem zwijania obozu. Zabójczyni była dziś tak namiętna, że śniadanie starszy lejtnant musiał już zjeść w siodle, dzieląc się z Torszim przydziałem cukru do kawy.

Dopiero przed południem, po pięciu godzinach jazdy, gdy zbliżała się znana pora nadawania, Sergiusz zarządził postój i odszedł z odbiornikiem z dala od oczu Hazarów, żeby nie posądzili go o czary. Wziął ze sobą tylko Maliniaka i Zakaniego, którzy pomogli mu rozwinąć i zainstalować antenę.

Procedury włączania aparatu starszy lejtnant musiał się domyślić. Założył, że najpierw trzeba włączyć obwód żarzenia amplifikatorów, potem główną baterię wysokiego napięcia i na koniec zająć się strojeniem oraz regulacją głośności. Procedura okazało się trafiona i po chwili skrzyneczka zaszumiała, zaszeleściła i zatrzeszczała dźwiękami jakby rzeczywiście z zaświatów.

Pogadanki koranicznej na początek nie było, czemu nie wypadało się dziwić, skoro angielscy spikerzy akurat osobiście wysłuchiwali tego, co Allah miał im do powiedzenia. Sergiusz przełączył się zatem na częstotliwość komunikacji wewnątrz siatki brytyjskich agentów. Ludzki głos mówiący po angielsku rozległ się nagle tak głośno i wyraźnie, że oficer odruchowo sięgnął po pistolet, a Maliniak się przeżegnał i splunął przez lewe ramię.

Większości słów nie rozumieli, ale na pewno ktoś wzywał Kabul. Bez końca powtarzano: „Kabul, co się stało?!", „Kabul, odezwij się!". Kilkakrotnie wymieniono też imię Maulany Hafizullaha wraz z jakimś natarczywie ponawianym pytaniem. Zakani wsłuchał się, po czym rozłożył ręce. Wychwycił tylko słowo „ważne", dokładnie tyle co Sergiusz. Na koniec eksperymentu oficer zaznaczył na mapie aktualne położenie ich nadajnika, a obok krzyżyka zapisał najwyższy potencjał odebranego przez antenę sygnału, niewzmocnionego przez żarówki amplifikacyjne. Było to dokładnie dwanaście tysięcznych wolta. Liczył, że po kilku dniach uda się na tej podstawie wykreślić poziomicę, która pozwoli następnie wyznaczyć miejsce nadawania.

Kolejne pomiary Sergiusz wykonywał na każdym postoju. Okazało się, że pory nadawania, oprócz tej o dwunastej w południe, są jeszcze dwie – o szóstej rano i o dziesiątej wieczór. Tymczasem starszy lejtnant przekonał się ostatecznie, że nikt ich już nie ściga, a co za tym idzie, bezpośredniego zagrożenia od strony Kabulu przynajmniej na razie nie należało się spodziewać. Teraz to oni ścigali Maulanę, który właśnie powinien dojeżdżać do Bamjanu. Tam, jak się wydaje, czekała go przykra niespodzianka, gdyż angielscy agenci, by wykonać specjalne życzenie kupca, potrzebowali jeszcze jakichś pilnych konsultacji z centralą pod Kabulem, z której została kupa dymiącego gruzu. Wobec tego starszy lejtnant całkowicie skupił się na lokalizacji stacji przekaźnikowej wroga.

Wyniki nie były jednoznaczne. Mocniejsze i słabsze sygnały były ze sobą przemieszane i nie układały się w żaden logiczny wzór. Tak jakby wrogi nadajnik przemieszczał się po górach albo fale radiowe odbijały się od nich rykoszetem. Jedno i drugie było równie prawdopodobne. Żeby poszerzyć wachlarz pomiarów, Sergiusz polecił rozbijać nocne biwaki raz na północ, raz na południe od drogi do Bamjanu, każdego dnia coraz bardziej się od niej oddalając. Znacząco opóźniało to osiągnięcie właściwego celu wyprawy, ale starszy lejtnant na dobre połknął bakcyla radiowej triangulacji.

Wieczorem szóstego dnia od wyruszenia z Kabulu założyli obóz prawie siedem kilometrów na północ od głównej drogi, mając szczyt Szach Fuladi, milczący teraz na falach eteru, daleko za sobą na wschodzie. Podobnie jak miasto Gardan Diwal, w którym dyskretnie pozbyli się nadmiaru zdobycznych koni i uprzęży, a Swietłana usiłowała należycie wyekwipować Szirin, z mizernym skutkiem. Uparta Afganka wolała umrzeć z wycieńczenia niż choćby przejściowo stać się damą mniej elegancką niż dotąd. Absolutnie nie dała sobie wyperswadować ulubionych strojów ze złotego jedwabiu. Khaki? *Allah akbar!* Jakie khaki?! Wyblakła zieleń?!! To już lepiej oddajcie mnie z powrotem Hafizullahom! Dokupiła więc sobie jeszcze dwie złociste suknie i drugą burkę tej samej barwy, żeby mieć na zmianę. Łaskawie zgodziła się jedynie wkładać pod spód grubszą bieliznę oraz solidniejsze trzewiki, bo te można było jakoś ukryć pod długą suknią. Nie po to ryzykowała, że utną jej głowę za niewierność albo co gorsza wyłupią jedno oko i obetną nos, by jeszcze na dodatek wyglądać jak chłopka, na którą zawalił się dach podczas *zelzele*, czyli trzęsienia ziemi. Jeżeli zrezygnuje z piękności, cóż jej pozostanie?

Zakani dopowiedział od siebie, że żółć jest kolorem gniewu lub choroby, zatem noszenie szat tej barwy było jedyną formą buntu, na jaką Szirin mogła sobie pozwolić.

Stara Fatima miała przez te dąsy dodatkowo pełne ręce roboty, żeby utrzymać garderobę swej pani w odpowiednim stanie w warunkach polowych, ale nie sprzeciwiała się Szirin ani przez chwilę. Co gorsza, ten afgański szyk zaimponował także Swietłanie…

W kwestii potencjałów elektromagnetycznych chyba wreszcie coś drgnęło. Po ostatnim wieczornym pomiarze pojawił się zarys regularnej izolinii. Aby to potwierdzić, należało pójść kilometr dalej i uzyskać wynik wyższy o jedną tysięczną wolta. Wtedy promienie łuków izolinii powinny wskazać źródło radiowego sygnału. Zatem jeden miliwolt! Dokładnie tyle potrzebowali, by wysłać kolejnego uzurpatora boskich mocy na dywanik do Allaha.

Sergiusz wstał o piątej rano, obudził Maliniaka i Zakaniego, którzy stanowili już jego zwykłą eskortę, i poszli szukać odpowiedniego miejsca w celu przeprowadzenia o szóstej rozstrzygającego pomiaru. Gul Abdulkader, który akurat miał wartę, powiedział, że przydałoby się świeże mięso, więc wybierze się z połową swoich ludzi na polowanie. Obóz i kobiety zostawi oczywiście pod dobrą strażą. Starszy lejtnant się zgodził i z odbiornikiem pod pachą ruszył na północ.

Szczęście im dopisało, gdyż w potrzebnym miejscu znaleźli wysoką skałkę, idealną do zawieszenia przewodu antenowego. Sergiusz wspiął się na nią osobiście, bo Maliniak i Zakani zawsze mieli jakieś problemy z takim zaczepieniem drutu, żeby nie nastąpiło przypadkowe uziemienie aktywnego końca anteny. Swoją snajperkę, by mu nie zawadzała, oficer oddał do potrzymania Persowi.

Podczas uruchamiania odbiornika starszy lejtnant zauważył, że w jednej z żarówek amplifikacyjnych pojawiła się niebieskawa poświata, której wcześniej nie było. Jednocześnie znacznie pogorszyła się jakość odbioru – głos był cichszy, za to przybyło szumu. Nadal jednak dobrze było słychać Anglika nerwowo wzywającego Kabul. Imię Maulany Hafizullaha wymieniano częściej niż ostatnio. Kupiec na pewno już dotarł do Bamjanu i zdaje się zgłaszał jakieś duże pretensje, zbyt duże jak na możliwości tamtejszych rezydentów. Głupia sprawa, że nie mogli zrozumieć dokładnie, o co tym Anglikom chodzi. Skonfundowany Zakani stwierdził, że chyba jednak zacznie uczyć się mowy swoich wrogów, skoro mają zrobić w tej Persji udaną liberalną rewolucję.

Mimo problemów językowych dotarło do nich, że w nawoływaniach angielskiego spikera pojawił się nowy wątek. Miał się zgłosić jeszcze ktoś, kto uparcie zgłosić się nie chciał. Zdaje się, że chodziło o wyznawców odnowionego kultu Zeusa, użyto bowiem słowa *alliance*, sojusz, wymawiając je z naciskiem, jakby dla przypomnienia. Po wydarzeniach w Pańdższirze i pod Kabulem pogańscy sojusznicy Anglików najwyraźniej zapadli się pod ziemię, a raczej znikli gdzieś w górach, czemu trudno się było dziwić, zważywszy, że zalążek ich twierdzy i niedoszłej stolicy neohellenistycznego księstwa został wykryty, mieszkańcy zmuszeni do pilniejszego niż dotąd udawania przed sąsiadami prawowiernych muzułmanów, a przede wszystkim do radykalnego ograniczenia dotychczasowej działalności. Inaczej szybko mogłaby zawiązać się przeciwko nim mała konfederacja lokalnych plemion lub nawet wkroczyłyby władze, co mogłoby się skończyć ogłoszeniem świętej wojny. Na domiar złego dotychczasowa angielska protekcja stanęła pod dużym znakiem zapytania, co groziło powtórzeniem wypadków z czasów Żelaznego Emira, czyli rzezią. Można było więc z prawdopodobieństwem bliskim pewności uznać, że „poganie Macedończyka" z powodu zaszłości politycznych definitywnie wypadli z dalszej gry.

Co do przeprowadzanego właśnie pomiaru, to wskazania galwanometru nie zależały od jakości pracy obwodu amplifikacyjnego, ale Sergiusz nie był w stanie stwierdzić, czy to dobrze, czy źle, gdyż uzyskany wynik był dokładnie taki sam jak poprzednio. Po prostu klops! Nie można było ewentualnego osłabienia sygnału wytłumaczyć żadnym defektem. Jedyne, co przychodziło starszemu lejtnantowi do głowy, to że może skała, na której wisiała antena, jakoś przytłumiła falę radiową. Wobec tego powinni zostać tu jeszcze do południa i spróbować w innym, lepszym miejscu, a teraz się za nim rozejrzeć…

Poszukiwania brakującego miliwolta sprawiły, że wracali okrężną drogą, oceniając drzewa, które mogłyby posłużyć jako maszty antenowe. Starszy lejtnant wytypował najodpowiedniejsze, zrobił na nim rozpoznawczy zacios, zaznaczył też drogę do niego i pomaszerowali do obozu na śniadanie. Zakani wciąż niósł snajperkę, Sergiusz radio, Maliniak gryzł trawkę z miną człowieka, który nie miesza się do zabaw półgłówków.

Kiedy wyszli z lasu i ujrzeli obóz, zostało im do niego jeszcze jakieś sto pięćdziesiąt metrów w linii prostej oraz jeden kilkunastometrowy, dość strony stok, z którego musieli teraz zejść. Oficer przystanął na krawędzi i popatrzył. Na biwaku panowała sielanka. Przy ognisku, półleżąc, wypoczywała Swietłana. Fatima siedziała przed namiotem swej pani i chyba coś szyła. Ged jak zwykle kręcił się koło sterty juków, usiłując złasować trochę zdobycznych, hinduskich słodyczy, których wciąż jeszcze mieli sporo. Swietłana broniła ich chłopakowi, wiedząc, że psują się od nich zęby, więc podchody między przyszywanym rodzeństwem trwały ostatnio nieustannie. Hazarowie z końmi musieli być przy strumieniu płynącym po drugiej stronie i poniżej namiotów, skoro nie było stąd widać żadnego z nich.

Sielski obrazek zamienił się w koszmar jak za dotknięciem różdżki złego czarnoksiężnika. Zza skały wyszedł człowiek z karabinem i wymierzył w Swietłanę. Za nim wybiegło dwóch następnych obcych. Równocześnie rozległy się stłumione strzały. Najprawdopodobniej zaatakowano Hazarów przy strumieniu.

Swietłana usiadła i zaczęła się podnosić. Bardzo powoli, by nie sprowokować tego, który trzymał ją na muszce. Chciała przybrać dogodniejszą pozycję do skoku, ale tamci nie pozwolili jej na to. Drugi napastnik doskoczył szybko, stając między Sergiuszem a dziewczyną, i z rozmachem uderzył ją kolbą.

Tymczasem trzeci przewrócił Fatimę, która zastąpiła mu wejście do namiotu Szirin, po czym sięgnął do środka i wywlókł za ramię szamoczącą się młodą Afgankę.

Z pewnością wszyscy tam głośno krzyczeli, ale Sergiusz słyszał tylko wodospad huczący w swojej głowie. Swietłana leżała skulona jak płód. Starszy lejtnant nie spostrzegł, kiedy odbiornik wypadł mu z rąk i osunął się po zboczu, podskakując na kamieniach. Maliniak w pierwszej chwili przyklęknął i złożył się do strzału, ale nawet on miał dość rozumu, aby z tej odległości nie posyłać kuli w kierunku bezładnie przemieszanych i miotających się postaci.

– Zakaaniii! – wrzasnął Sergiusz nieswoim głosem.

Pers już zaczął schodzić, ale zrozumiał, w czym rzecz, więc ruszył pospiesznie w stronę starszego lejtnanta, by oddać mu snajperkę. Za szybko. Luźny kamień, na który nieopatrznie stąpnął, wyskoczył mu spod stopy. Uczony przewrócił się na plecy, a następnie sturlał się w ślad za radiem, chwalebnie, własnym ciałem osłaniając celownik optyczny przed uszkodzeniem, ale przez tę troskę zatrzymał się dopiero na samym dole.

Skamieniały oficer mógł tylko patrzeć.

Zza namiotu wyszedł Ged z rewolwerem, z którego lufy wyleciały raz po raz dwa obłoczki dymu. Napastnik, który uderzył Swietłanę, skręcił się konwulsyjnie i przyklęknął na jedno kolano. Ten mierzący wcześniej do Rosjanki uniósł lufę i pospiesznie, bez celowania strzelił do chłopca, który zrobił krok do tyłu. Niewątpliwie Ged został trafiony, jednak ustał na nogach i dwa kolejne strzały oddał do człowieka, który go zranił, zanim tamten zdążył zarepetować. Celnie, bo przeciwnik przewrócił się na plecy jak kłoda.

Na ten widok ostatni napastnik szarpiący się z Szirin odepchnął ją od siebie i też wyjął nagana. Nastąpiła mordercza wymiana ognia z odległości pięciu kroków, w której zdecydowanie lepszy okazał się dorosły mężczyzna. Trafił trzy razy, powalając chłopca, który tym razem albo dwa razy chybił lub nieskutecznie ranił przeciwnika. Ten zaś, uznawszy, że ostatecznie unieszkodliwił Geda, chwycił Afgankę za włosy i zaczął ją wlec tam, skąd przyszedł.

Chłopiec uniósł się na łokciu i swoją ostatnią kulę wpakował w plecy odchodzącego porywacza. Tym razem jak należy, bo mężczyznę aż wygięło do tyłu, a Szirin wyrwała mu się bez trudu. Nie uciekła jednak, lecz chwyciła kamień i z furią uderzyła w skroń słaniającego się napastnika, powalając go na ziemię. Chwilę później to samo zrobiła Fatima z pierwszym postrzelonym, który stał na czworakach, bezskutecznie próbując wstać.

Szirin złapała inny kamień, największy, jaki zdołała unieść oburącz nad głowę, i rzuciła go z głębokim skłonem, roztrzaskując czaszkę swojego prześladowcy. Także Fatima znalazła sobie cięższy głaz i dobiła nim oprawcę Swietłany. Potem obie Afganki, tłukąc na zmianę, ukamienowały trzeciego napastnika.

Ged nie obejrzał tego morderczego spektaklu. Osunął się bezwładnie, wypuszczając rewolwer z dłoni, gdy zobaczył, że Szirin jest wolna. Nie zareagował już na dotyk Swiety, która właśnie przyczołgała się do niego.

Sergiusz nie wiedział, jak znalazł się na dole. Wyrwał snajperkę z rąk poturbowanego Persa i pobiegł na oślep do obozu, nie oglądając się na Maliniaka.

Tego, co zobaczył na miejscu, z bliska, świadomość starszego lejtnanta po prostu nie przyjęła. Sergiusz gwałtownie wypchnął ten obraz sprzed oczu. Nad strumieniem wciąż trwała walka i tam należało teraz być!

Napastników było w sumie dziesięciu. Trzech przyszło po Szirin, wcześniej udusiwszy wartownika pilnującego kobiet. Zrobili to tak sprawnie, że rozleniwiona Swietłana nic nie spostrzegła. Dwóch następnych pilnowało koni, a pięciu dla odwrócenia uwagi ostrzelało pojących konie Hazarów, którzy nie poszli z Abdulkaderem na polowanie, trzech z nich eliminując z walki, resztę trzymali w szachu i czekali na znak do odwrotu, który najwyraźniej mieli dać porywacze zbiegłej żony. Ponieważ znaku nie dostali, wciąż trwali na swoich pozycjach. Z drugiej strony ocaleli Hazarowie, ukryci w zaroślach na przeciwnym brzegu strumienia, odstrzeliwali się na tyle gęsto, że żaden z przeciwników nie zdecydował się pójść i sprawdzić, co się dzieje z porywaczami.

Gul oczywiście zawrócił ze swoimi ludźmi, gdy tylko usłyszeli strzały. Nie odeszli zbyt daleko, ale i tak byłoby za późno, gdyby nie poświęcenie Geda. Stary hazarski buntownik i partyzant wykorzystał je jednak do końca. Nie zaatakował z marszu na oślep, tylko ocenił sytuację, po czym odciął napastnikom drogę ucieczki, całymi swoimi siłami ruszając na tych dwóch pilnujących koni. Mieli nad strażnikami przewagę pięć do jednego, ale uporali się z nimi dopiero po kilkuminutowej wymianie ognia... Odwagi tym Hazarom nie można było odmówić, ale w wojskowym rzemiośle byli jednak kompletnymi partaczami, wyłączając swego dowódcę.

Kiedy Gul zobaczył na skarpie nad strumieniem Sergiusza i Maliniaka, pchnął wszystkich kuzynów do frontalnego ataku, przełamując wreszcie pata nad strumieniem.

Tadżycy Maulany – teraz dopiero ich rozpoznano – nie mogąc się wycofać zgodnie z pierwotnym planem, umknęli w bok, w głąb niewielkiego wąwozu, gdzie okresowo, pewnie podczas wiosennych roztopów, musiał płynąć dopływ strumienia, nad którym doszło do walki. Oficer i szeregowiec nie zdołali im w tym przeszkodzić. Maliniak dostał kulę w udo, powierzchownie, ale na razie zniechęciła go ona do kontynuowania natarcia. Sergiuszowi zaś ze zdenerwowania tym, czego nie chciał przyjąć do wiadomości, tak latały ręce, że strzelając z karabinu z celownikiem optycznym, chybił z odległości pięćdziesięciu kroków. Drugi strzał nie był czysty i dopiero trzeci załatwił sprawę. Przez ten czas czterech Tadżyków zdołało wyrwać się z okrążenia. W głębi wąwozu znaleźli pieczarę, która zapewniła im bezpieczną kryjówkę, i stamtąd gwałtownym ogniem odparli nacierających Hazarów. Sytuacja znów zrobiła się patowa.

Co więcej, zanosiło się na wielodniowe oblężenie.

Na szczęście tylko do czasu, aż Maliniak zrobił sobie na nodze prowizoryczny opatrunek i przytaszczył skrzynkę z pozostałymi granatami. Starszy lejtnant z zaciśniętymi zębami ruszył w głąb wąwozu niczym anioł śmierci. On i szeregowiec, osłaniani przez Hazarów, łatwo przyczołgali się w pobliże otworu pieczary, po czym Sergiusz wrzucił do środka pierwszy granat.

Wystarczyłyby dwa, ale oficer działał bez myśli i uczuć, jak maszyna zemsty. Rzucał granaty jeden po drugim, choć umilkły już skowyty umierających, choć zawalił się strop pieczary, aż gruz i strzępy ciał zamieniły się w jedną krwawą miazgę. Przestał dopiero wtedy, gdy zaniepokojony Maliniak zmitygował go, że został im już tylko jeden. Wtedy bez słowa wstał, odwrócił się plecami do dymiącego rumowiska i poszedł tam, dokąd ostatecznie musiał pójść, by zmierzyć się z prawdą.

Do obozu. Tu, gdzie na przyjęcie do wiadomości nieustępliwie czekała wizja skulonej Swietłany z wielką plamą krwi na białej sukni, na wysokości górnej połowy ud. Tamten bydlak uderzył ciężarną dziewczynę kolbą w brzuch...

Gdy oficer wrócił, kobiety były już w namiocie. Sergiusz zastał tylko kilku wspartych na karabinach, zadumanych Hazarów stojących nad Gedem. Dusza dzielnego mężczyzny i nieustraszonego wojownika opuściła już ciało chłopca, na którego bladej, dziecinnej twarzy zamarł grymas niewinnego zdumienia „oj, boli!", jakby Ged się tylko skaleczył lub nadepnął na cierń oraz wychodzący z kącika ust strumyczek krwi, która przestała już płynąć.

Przykusztykał poobijany Zakani z radiem, odłożył je, usiadł obok bez słowa. Zaraz po Persie nadszedł Gul Abdulkader Stanął nad martwym chłopcem, wzniósł ręce i wygłosiwszy wstępny *bismillah*, zaczął recytować surę Koranu zaczynającą się od słów:

O Człowieku!
Na Koran pełen mądrości!
Zaprawdę, ty jesteś wśród posłańców na drodze prostej!

Sergiusz odwrócił się, odszedł dwa kroki i znów stanął jak słup. Za nic nie chciał na to patrzeć, ale musiał. Zwłaszcza wtedy, gdy z namiotu wyszła Szirin z miską pełną zakrwawionej wody, którą wylała w krzaki i natychmiast pobiegła do strumienia po czystą. Patrzył też, jak mężczyźni ostrożnie unoszą ciało Geda i idą z nim nad strumień, by zgodnie z nakazami islamu obmyć je przed pogrzebem. Mieli jeszcze dwóch innych poległych, ale mały bohater miał pierwszeństwo przed innymi *szahidami*.

Starszy lejtnant wciąż czekał.

Czekał, aż podeszła do niego zafrasowana Fatima i mozolnie dobierając rosyjskie słowa, wygłosiła sentencję ostatecznego wyroku, że oboje są młodzi i mogą mieć jeszcze inne dzieci. I że ona nie chce go widzieć... Wtedy Sergiusz chciał już tylko iść do najbliższego drzewa i tłuc głową o pień do utraty przytomności, ale drogę zastąpił mu Maliniak z manierką wódki. Nie poszedł więc, tylko wreszcie usiadł i jednym haustem wypił połowę.

Alkohol sprawił, że myśli oficera zaczęły się trochę rozjaśniać. Na tyle, by zastanowić się, jak doszło do tego, że część ludzi Maulany zawróciła i ich dopadła. Wyglądało na to, że pozostali w Kabulu Hafizullahowie nie ruszyli od razu, ale najpierw wysłali za nimi dwóch gońców, którzy potwierdzili, że Szirin oraz jej wspólnicy uciekają w kierunku Heratu. Ze względu na duży ruch na drodze ani kobiety, ani nikt z Hazarów nie zwrócił uwagi na pojedynczych, mijających ich szybko zwiadowców. Wypatrywali wszak znacznie większego oddziału. Tymczasem tamci, zauważywszy Szirin i Fatimię, musieli się rozdzielić – jeden popędził dalej, prosto do Maulany, a drugi zaczekał, aż ludzie Sergiusza go ominą, i zawrócił z wiadomością z powrotem do Kabulu.

Mieli zostać wzięci w dwa ognie, ale przeszkodził temu fakt, że oddział Maulany był daleko, a oni błyskawicznie zniszczyli pierwszą ze ścigających ich grup. Drugi, o wiele groźniejszy oddział, znalazł ich pierwszy i tym razem to Tadżycy wybrali najdogodniejsze dla siebie miejsce i czas ataku. Ich plan był doskonały, a jego wykonanie bez zarzutu. Wszystko udałoby się Hafizullahom, gdyby nie kupiona dwa miesiące temu ręka małego złodzieja, pewnie dzierżąca nagan...

Zakani postanowił, że chłopiec nie może spocząć w bezimiennej mogile, więc poświęcił resztę dnia i pół nocy, ryjąc na płaskim kamieniu słowa w języku farsi:

Ged Szahid
poległ, broniąc starszej siostry
Inni w tym czasie szukali koni, które rozproszyły się podczas strzelaniny, albo kopali groby.

Trupy napastników wrzucili do zrujnowanej pieczary, którą zawalili dokładnie kamieniami i ziemią. Zabitych Hazarów pochowali nad nimi, na górze wąwozu, by pilnowali duchów swoich zabójców. Geda pogrzebali tam, gdzie padł. Do grobu włożyli mu kindżał, którym Esmatullahowie pasowali chłopca na mężczyznę, oraz siedem łusek po pociskach wystrzelonych przez niego w tej walce. Sergiusz nie zgodził się, żeby przez nadmiar sentymentów pozbywać się dobrego nagana, i oddał go Gulowi. Potem jeszcze Fatima, mrucząc słowa modlitwy, dyskretnie wsunęła za pazuchę chłopca małe, białe zawiniątko, sprawiając, że wuj i siostrzeniec spoczęli razem na wieki.

Prócz trzech poległych wojowników mieli jeszcze dwóch poważnie rannych, którzy nie mogli kontynuować wyprawy. Trzeba ich było zostawić w wiosce po drodze, aczkolwiek nie najbliższej. Tym szybciej należało więc ruszać w drogę, ale przeszkodą był stan Swietłany. Sergiusz i Gul rozważali, czy by się nie rozdzielić, lecz dziewczyna na wieść o tym wyszła z namiotu i oznajmiła, że nie będzie opóźniać marszu ani narażać ich znacznie nadwątlonych sił na dodatkowe uszczuplenie. Do Bamjanu zostały trzy dni drogi, więc prawdopodobieństwo kolejnej potyczki z Hafizullahami było duże.

Starszy lejtnant musiał się z tym zgodzić. Wprawdzie liczebnie ich oddziały były teraz porównywalne, ale ostatnie starcie pokazało, że kabulscy Tadżycy Maulany, choć dalece nie mogli równać się z Esmatullahami, są jednak wojownikami o klasę lepszymi od jego Hazarów, których nie stać było na liczne, eleganckie polowania, podczas których zapewne podstaw żołnierskiego rzemiosła nabyli bogaci Hafizullahowie. Odwaga i dyscyplina krewnych Abdulkadera nie mogły zrekompensować przede wszystkim dużych braków w wyszkoleniu strzeleckim afgańskich pariasów. Gdyby to krewni Aga Dina tak ich podeszli, byłoby już po herbacie…

Swietłana gwałtownie odtrąciła rękę Sergiusza, kiedy spróbował dotknąć jej ramienia, pokłoniła się nisko przed grobem Geda i swojego dziecka, po czym ignorując stanowczy sprzeciw Fatimy, pierwsza wsiadła na koń. Ruszyli za nią, nie oglądając się więcej za siebie.

Jak należało się spodziewać, wieczorem zawzięta Rosjanka dostała kolejnego krwotoku. Fatima już bez słowa zrobiła, co się da-

303

ło, a następnego dnia historia się powtórzyła, do tego jeszcze dziewczynę po południu dopadła gorączka, która szybko rosła.

Kiedy po zmierzchu trzeciego dnia od poronienia, w ulewnym deszczu i burzy wjeżdżali do doliny Bamjanu, Swieta zaczynała już tracić poczucie rzeczywistości. Błyskawice bijące w okoliczne szczyty i rozdudnione wielokrotnie echo gromów zdecydowanie nie uspokajały chorej. Zabójczyni krzyczała do piorunów, że ich nienawidzi. Zachodziła poważna obawa, że w malignie wyciągnie sierp lub sztylet i zrobi komuś krzywdę.

Starszy lejtnant z przywódcą Hazarów odbyli pospieszną naradę i uzgodnili, że Gul z tą częścią swoich ludzi, którzy po opuszczeniu Kabulu jechali wraz z nim w straży przedniej, poszuka noclegu w mieście. Wszystko wskazywało bowiem, że zwiadowcy Hafizullahów ich nie policzyli, więc pozostaną nierozpoznani. Oficer z kobietami, Maliniakiem, Zakanim oraz czterema pozostałymi Hazarami rozejrzy się za kryjówką na przedmieściach Bamjanu i rozdzielą się, gdy tylko ją znajdzie.

Szukać długo Sergiusz nie mógł i nie zamierzał. Gdy tylko wypatrzył odpowiedni dom, nie oglądając się na Zakaniego, podjechał i załomotał gwałtownie do drzwi.

Chwilę później wyjrzał zza nich ponury Afgańczyk, zarośnięty jak czarna małpa, o jeszcze czarniejszych oczach, patrzących spode łba w złachmanionym, przekrzywionym berecie, niechybnie skrywającym rogi diabła. W rękach trzymał strzelbę bliżej nieokreślonego typu, nad którą starszy lejtnant nie miał sił ni chęci się zastanawiać.

Oficer w swoim łamanym, „końskim dari" poprosił o gościnę dla chorej żony. Gospodarz spojrzał mu prosto w oczy, potem omiótł wzrokiem ludzi towarzyszących cudzoziemcowi, a następnie uśmiechnął się życzliwie i otworzył drzwi na całą szerokość.

Sumak z rajskiego ogrodu

Miał na imię Jusuf i ponieważ odbył już pielgrzymkę do Mekki, przysługiwał mu tytuł *hadżi*.

Mieszkał z dwoma synami, córką, żoną oraz starą matką. Najstarszy syn i najstarsza córka już poszli na swoje. Rodzina żyła z uprawy moreli, granatów, pomarańczy, brzoskwiń, jabłek i morw złocistych. W rozległym mieszanym sadzie, otoczonym jak każde tutejsze gospodarstwo wysokim murem, znalazło się wygodne i bezpieczne miejsce na obóz dla mężczyzn. Swietłanę, Szirin i Fatimę zakwaterowano zgodnie z obyczajem w kobiecej części domu z osobnym ogrodem.

Jusuf nie zadawał pytań, ale ponieważ wypadało się opowiedzieć, więc oznajmili mu, że są trzema różnymi grupami podróżnych, którzy, jak było przyjęte w Afganistanie wędrowali razem ze względów bezpieczeństwa. Szyici w sumie powiedzieli prawdę, że wybierają się na pielgrzymkę, a żeby na nią zarobić, eskortują wielką damę oraz jej służącą, udające się w sprawach rodzinnych do Heratu. Cudzoziemcy zaś stali się turystami, którzy ledwie uszli z życiem ze zbójeckiej napaści. Ponieważ kilku bandytów poległo w tej walce, z obawy przed zemstą pozostałych lepiej by było, żeby wieść o gościach Jusufa nie rozeszła się szerzej. Gospodarz przystał na to i zapewnił, że będzie na zmianę z synami pełnić wartę przy bramie.

Nawiasem mówiąc, ustrojstwo do strzelania, którego używał *hadżi* Jusuf, to rzeczywiście było nieprawdopodobne kuriozum – przedpotopowa afgańska skałkówka przerobiona na broń odtylcową przez miejscowego rusznikarza, a raczej kowala, wnosząc z topornej solidności połączeń poszczególnych części. Rzemieślnik niezwykle pomysłowo oraz ekumenicznie wykorzystał do budowy nowego zamka fragmenty starej pruskiej iglicówki Dreyse'go i francuskiego karabinu Chassepota. Naboje zaś były lokalnym rękodziełem, każdy inny; z łuskami z blachy, tektury lub usztywnionego gumą arabską jedwabiu, kaliber pewnie też trzymały pi razy drzwi, ale grunt to ołowiem do przodu! Sergiusz gapił się na to osobliwe strzeladło zezem, żeby mu go właściciel przypadkiem nie podarował. W zamian co prawda dałby Jusufowi tutejszą podróbkę Lee-Metforda i byliby kwita, ale po przywiezieniu tego prezentu do Europy każdy napotkany francuski i niemiecki oficer niechybnie wyzwałby starszego lejtnanta na pojedynek za zniewagę narodowego oręża i uczuć patriotycznych.

Rano zameldował się posłaniec Gula Abdulkadera, przynosząc informacje z miasta. Hafizullahowie zajęli najlepszy zajazd przy miejscowym bazarze i prawie nie ruszali się stamtąd, co najwyżej na niezbędne zakupy. Wyraźnie na coś lub na kogoś czekali. Był z nimi pan Macium Macium, traktowany nieufnie jak zakładnik. Hazarowie ulokowali się w tanim karawanseraju z dala od Tadżyków, ale zawsze dwóch ludzi Abdulkadera kręciło się po bazarze lub przesiadywało w tamtejszych czajchanach, obserwując zajazd. Maulana najwyraźniej wciąż nie nabrał rozumu i dla wygody własnej oraz swoich krewnych wybrał na postój miejsce, które nie budząc podejrzeń, można było stale mieć na oku.

Sergiusz polecił nie przesadzać z brawurą i nie włazić Hafizullahom w oczy, zwłaszcza nie zaglądać do ich zajazdu, jeżeli nie będzie to konieczne. Odprawiwszy posłańca z powrotem, sam też mógł zająć się piciem herbaty i czekaniem na ruch przeciwnika, a przede wszystkim na wyzdrowienie Swietłany. Szczęśliwie mieli w swojej apteczce aspirynę i chininę, a Fatima nie wzbraniała się podawać tych leków chorej. Kobiety Jusufa ze swej strony zastosowały tradycyjną kurację z potraw odpowiednich dla kobiety, która była „gorąca", czyli w ciąży, i nagle w skutek poronienia stała się bardzo „zimna", a następnie jej organizm przeszedł w kolejną „gorącą" skrajność, o czym świadczyła gorączka. Krótko mówiąc, oprócz europejskich leków Swietę karmiono rosołem wołowym, serami kozimi, pomidorami, świeżymi owocami i pojono zieloną herbatą, więc chyba wszystko było na dobrej drodze. Przynajmniej jeśli chodzi o rokowania ściśle medyczne.

Fakt, że zmasakrowali ród Hafizullahów, którego głowa jeszcze nie wiedziała, że stracili dwudziestu mężczyzn, co było katastrofą trudną do wyobrażenia, w żaden sposób nie przynosił ulgi po stracie dziecka i śmierci Geda. Ziemski raj Sergiusza rozpadł się jak rozwiany dmuchawiec, na dodatek należało liczyć się z tym, że Swietłana zniesie to wszystko dużo gorzej od starszego lejtnanta. Kim teraz dla siebie będą?

Należało się zająć jakąś wojskową robotą, by o tym nie myśleć! Tylko jaką? Nie można było nawet zgadywać, co mówią Anglicy, gdyż po upadku ze stoku zdobyczny odbiornik przestał działać. Żarówka amplifikacyjna, która przed wypadkiem zaczęła emitować niebieskawą poświatę, teraz już całkiem świeciła na niebiesko, a w głośniku słychać było tylko szum i trzaski. Zdaje się, że do środka szklanej bańki dostało się powietrze, a zamiana w rurkę wyładowczą pozbawiła urządzenie zdolności wzmacniania elektrycznych prądów. Zatem zamiast dodatkowych baterii, należało wziąć zapasowe żarówki amplifikacyjne, a nie wytłuc hurtem wszystkie, jakie były w Kabulu… Mądry Polak po szkodzie! Tyle dobrego, że skoro te żarówki wzmacniające były tak delikatne i zawodne, a nie było ich czym zastąpić, to znaczy, że angielskie maszyny radiowe w górach niebawem same z siebie przestaną pracować. Brak części zamiennych i baterii, których także nie można było zrobić na miejscu, powinien skutecznie uciszyć wrogi system łączności. Trzeba było tylko wyśledzić i rozwalić główne radiowe laboratorium, które przeniesiono z Szach Fuladi do Bamjanu.

Co do tego ostatniego nie było żadnych wątpliwości. Obwód pomiarowy odbiornika nadal działał i już pierwszy test w ogrodzie Jusufa wykazał potencjał radiowej fali sięgający pięćdziesięciu miliwoltów. Nadajnik musiał więc być w zasięgu ręki! Kolejne pomiary przeprowadzane nocą i wcześnie rano układały się w izolinie potencjałów jak druty. Problemem było tylko to, że Sergiusz, Malinik i Zakani nie mogli chodzić ze swoimi zabawkami po gęsto zaludnionej dolinie za dnia, więc musieli zrezygnować z dokonywania pomiarów w południe. Nawet gdy nikt ich nie widział, starali się uwijać możliwie szybko. Szeregowiec zmajstrował kilkunastometrową drewnianą tyczkę, składaną z sześciu krótszych drążków, które można było połączyć w parę minut. Potem szybko zaczepiali na końcu antenę, stawiali ustrojstwo w wybranym punkcie, Sergiusz poruszał igiełką detektora, aż zareagowała wskazówka galwanometru, następnie regulował kondensator strojący, obracając nim aż do uzyskania maksymalnego wychylenia wskazówki. Dalej wystarczyło zanotować wynik na mapie i hajda z powrotem do Jusufa, który bez komentarza, acz ze zdziwieniem w oczach przyjmował nocne wycieczki swoich zagranicznych gości, którym nie przychodziło do głowy zwiedzać malowniczej doliny akurat wtedy, kiedy można było zobaczyć w niej jakieś zabytki, ale cóż, co kraj to obyczaj, a może bali się tych zbójców… Po namyśle *hadżi* dał im klucz do tylnej furty ogrodu, dzięki czemu zyskali znacznie większą swobodę.

Szkoda tylko, że ta pelengacyjna procedura zajmowała najwyżej dwie godziny na dobę, a i to tylko wtedy, gdy wyjeżdżali do odleglejszych części doliny. Reszta dnia upływała więc starszemu lejtnantowi na melancholijnym wpatrywaniu się w kubek z herbatą, niekończącym się czekaniu na wiadomości do Abdulkadera i Fatimy oraz wewnętrznej walce z dojmującym pragnieniem urżnięcia się jak świnia, całkiem do upadłego.

Rezygnacja z południowych pomiarów wydłużyła okres zbierania niezbędnych danych, ale w zamian przez ten czas stanęła na nogi Swietłana. Z kolei Hafizullahowie wciąż nie ruszali się ze swojego zajazdu, jednak ich zachowanie zdradzało coraz większą nerwowość. Odwiedził ich jakiś emisariusz, ale Maulana nie był zadowolony z ponadgodzinnej rozmowy z nim. Zaraz potem sprał pana Macium Macium, najpierw dłonią po pysku, następnie parę razy poprawił mu przez grzbiet nahajką. Zakapturzony przybysz najprawdopodobniej był Anglikiem, ale Hazarowie nie wiedzieli, skąd i dokąd poszedł, gdyż Gul Abdulkader zakazał im go śledzić. Bardzo przezornie, gdyż doświadczony angielski szpieg łatwo mógł się zorientować i powiadomić Hafizullahów ze wszystkimi konsekwencjami tego faktu.

Maulana, jak wynikało z podsłuchanych rozmów, czekał głównie na obiecaną przez Talbota sowitą główszczyznę za mułłę Nurullaha, o tym chyba mówił z Anglikiem, który tak go rozgniewał, a ponadto na swoich krewnych, którzy mieli mu dostarczyć Szirin. Fakt, że dotąd nie wrócili ani nie przysłali żadnych wieści, napawał go coraz większym niepokojem. Słyszano, jak narzekał, że powinien był zatrudnić profesjonalnych strażników, ale wziął krewnych, bo nie spodziewał się, że dojdzie do poważniejszej walki. Wiele wskazywało, że Maulana Hafizullah umrze tak samo, jak żył – jako zaślepiony chciwością głupiec...

* * *

Piątego dnia od ich przybycia do Bamjanu Swietłana przyszła rankiem do sadu okutana w pled, trzymając w dłoni kawałek arbuza stanowiącego część jej porannego zestawu lekarstw. Posępna, blada usiadła obok Sergiusza i pogryzając owoc, nieprzeniknionym wzrokiem obserwowała towarzysza, który skompletowawszy pół godziny wcześniej niezbędne minimum danych, bawił się teraz geometrią wykreślną.

Punkty o jednakowej wartości potencjałów na terenie doliny Bamjanu z pomocą cyrkla łatwo dały się połączyć w izolinie, przypominające górskie poziomice. Teraz przy użyciu linijki i ekierki należało wyznaczyć promienie poszczególnych łuków i zobaczyć, gdzie się zbiegają. Większość z nich wskazała źródło fal radiowych z dokładnością stu metrów.

Zakaniemu wystarczyło raz spojrzeć na porysowaną ołówkiem mapę, by stwierdzić, że w zakreślonym miejscu znajduje się większy z tutejszych posągów Buddy. Zbocze w najbliższym sąsiedztwie figury było podziurawione jak ser szwajcarski mnóstwem grot i korytarzy. Pierwotnie mieścił się tam buddyjski klasztor, obecnie łatwiej dostępną część pomieszczeń używano jako magazyny i mieszkania dozorców. Większość stała pusta.

Pers sam wyraził chęć udania się na przeszpiegi w masce starca. Sergiusz się zgodził i teraz bardzo przydały się im pudry, szminki i barwiczki Szirin, a także kosmetyczna biegłość młodej Afganki, dla której największym dyshonorem byłoby zginąć w niekompletnym makijażu. Dzięki temu udało się dobrze ukryć krawędzie maski i nadać gutaperkowej powłoce wygląd na tyle zbliżony do ludzkiej twarzy, że można było za dnia zbliżyć się w niej do ludzi, a nie tylko przemykać obok nich konno. Oczywiście, należało unikać stawania w pełnym słońcu i zbyt długich rozmów w cztery oczy.

Kiedy Zakani wyruszył do miasta, a Szirin wróciła do kobiet, Sergiusz zaproponował Swietłanie spacer. Pielęgnowany od pokoleń sad Jusufa był piękny jak biblijny raj, z tą różnicą, że tutaj mogli jeść jabłka do woli.

Dziewczynie było z początku wszystko jedno. Przystała na propozycję bez wahania i entuzjazmu, ale już po kilkunastu minutach przechadzki widok beżowo-błękitnych sójek nawołujących się wrzaskliwie pośród gałęzi i szukających ślimaków w trawie, bogactwa wielobarwnych i różnokształtnych owoców, a zwłaszcza rumieniących się w słońcu pomarańczowokarminowych granatów, przywrócił jej uśmiech. Zaczęła opowiadać, że Sara, młodsza córka Jusufa, ma w klatce wychowaną od pisklęcia sójkę, która nauczyła się naśladować miałczenie kota jej babci, a ten zbój z zemsty za przedrzeźnianie wciąż próbuje ptaszka pożreć. W trakcie tej opowieści pozwoliła się nawet przytulić.

Wtedy Sergiusz uznał, że najgorsze już minęło, i postanowił poprawić nastrój pogodzonej, jak sądził, z losem Swiety jeszcze bardziej. Polecił dziewczynie zamknąć oczy, szybko zerwał kilka czerwonorudych kiści rosnącego w pobliżu sumaku, po czym oświadczył się jej, jak należy, z bukietem kwiatów w dłoni.

Twarz Swietłany zmartwiała, gdy dotarł do niej sens jego słów.

– Nie trzeba – odwróciła się na pięcie i ruszyła szybkim krokiem w kierunku domu.

Starszy lejtnant został jak głupi na kolanach, z wiechciem jakby nagle zardzewiałego zielska w garści. Opamiętawszy się, rzucił sumaki na ziemię, poderwał się, pobiegł za nią, mocno chwycił za ramię, zatrzymał i odwrócił ku sobie.

Istniało naprawdę duże prawdopodobieństwo, że ona teraz przyłoży mu tak, że pan oficer z Carskiego Sioła nakryje się nogami, a znalezienie dentysty-protetyka stanie się priorytetem tej misji, ale Sergiusz nie zważał na to. Swietłana jednak nie zamierzała go bić, tylko stanęła bezradnie ze spuszczoną głową.

– Nie trzeba… – powtórzyła szeptem.

– Swieta! Spójrz na mnie!

Z wysiłkiem podniosła wzrok.

– Już mnie nie chcesz?

Westchnęła głęboko i zaczęła mówić równym, spokojnym głosem. Znać było, że wcześniej dobrze sobie tę przemowę przemyślała.

– Miałam starego, mądrego ojca. Miałam młodszego braciszka urwisa, miałam maleńkiego dzieciaczka pod sercem i prawie męża, który był jak piękny kniaź z dalekiego kraju, mój kniaź… – spojrzała na Sergiusza cieplej. – Mnie nigdy nie było lepiej na świecie jak tutaj z wami, ale teraz ja zrozumiałam, że to wszystko nie dla mnie. Ja, tak jak ty mówił, jestem zła strzyga na służbie Białego Cara.

– Żartowałem, Swieta!

– Może i żartem, ale ty dobrze mówił. Dla mnie tylko los strzygi. Nie mąż, nie dom, nie dzieciaczki czepiające się sukni…

– To wszystko jeszcze może być.

– Nie, Sergiusza. Ty lepiej poszukaj tej Patrycji, do której mówisz, kiedy śpisz.

– Nie chcę jej szukać! – oficer poczuł, że się gwałtownie czerwieni.

– Nam, Sergiusza, razem gubić, nie znajdować.

– Swieta, daj spokój, czarna żałoba przez ciebie mówi! Ja to rozumiem, że ciebie dusza jeszcze bardzo boli. Porozmawiamy o tym innym razem, dobrze?

– Tak, Sergiusza – skinęła głową, zgadzając się zdecydowanie na odczepnego, po czym poszła do domu. Przedtem jednak cofnęła się do porzuconych przez oficera sumaków, podniosła i zabrała ze sobą jeden kwiat, symbolizujący w kulturze persko-afgańskiej walkę dobra ze złem. Starszy lejtnant dowiedział się tego znacznie później. Czy w tej chwili wiedziała to także Swietłana? Nigdy nie udało mu się dociec, czy kierował nią wtedy wybór, czy przeznaczenie.

Drugi raz jej nie zatrzymywał. Uznał, że dziewczyna potrzebuje więcej czasu. Wobec tego on też miał go dość, by się upić i wytrzeźwieć, nim wróci Zakani. No, może lepiej jednak nie upijać się za bardzo. Akurat nie z powodów profesjonalnych, tylko dlatego, że – Sergiusz czuł to wyraźnie – niechybnie poszedłby wtedy prosto do babskiego azylu w domu Jusufa i bardzo głośno powiedział tam, co myśli o Białym Carze… Dlatego najlepiej było napić się z umiarem, ale za to bardzo szybko!

Poprzestał na jednej setce, którą popił świeżym sokiem z granatów, by prędzej rozeszła się po kościach. Własne smutki stanowczo należało odsunąć na bok i przygotować się do walki. Zawołał Maliniaka, po czym zaczęli wiązać w pęczki laski dynamitu oraz przygotowywać lonty i zapalniki. Gospodarz z synami pracowali w tym czasie w odległej części sadu, zrywając owoce na sprzedaż.

Zakani wrócił późnym popołudniem ogromnie z siebie zadowolony i faktycznie zasłużył na pochwałę za wzorowe rozpoznanie terenu. Angielski nadajnik ukryto nad posągiem Buddy, dokładniej mówiąc, w wyższym kompleksie jaskiń wykutych powyżej i za urwiskiem, w którym znajdowała się nisza z posągiem. Można było tam dojść wygodnymi schodami, zaczynającymi się w wąwozie po południowej stronie starożytnego klasztoru. Oficjalnie jakiś bogaty kupiec z Mazari Szarif za przyzwoleniem emira Bamjanu dwa miesiące temu wynajął wyższe jaskinie na magazyn swoich towarów. Miejscowi sarkali, że żadnego z nich nie zatrudniono do pilnowania, jak to zwykle bywało, tylko przyszli jacyś obcy i strzegli składu, jakby trzymano tam czyste złoto, a nie jakieś bezużyteczne szkło i żelastwo, co cwani tubylcy zdążyli już przyuważyć. Prośby miejscowych kupców pragnących obejrzeć owe towary niegrzecznie zbywano, mówiąc, że są już sprzedane. Strażników było teraz trzech lub pięciu, widywano też z nimi białych *horedżi*, chyba dwóch. Ponadto jeszcze trzy tygodnie temu kręciła się po dolinie podejrzana banda „strażników karawan", którym nikt przy zdrowych zmysłach swojej karawany by nie powierzył, gdyż źle im z oczu patrzyło, a na dodatek nie przestrzegali sumiennie rytuału pięciu dziennych modlitw. Mieli jakieś konszachty z tymi „białymi tyłkami" od magazynu, którym chyba nie spodobał się wyjazd podejrzanych strażników z Bamjanu.

Wścibski Pers, przecząc sędziwemu wiekowi, który miał udawać, wdrapał się na samą górę, gdzie dobrze przyjrzał się drzwiom i strażnikom tajemniczego magazynu, następnie wypatrzył przewód antenowy, dla tubylców zwykły sznur lub drut wychodzący z prostokątnego okna, znajdującego się obok charakterystycznej, spiczastej niszy. Przewód biegł na szczyt urwiska, na którym w porach nadawania musiano stawiać przenośną antenę. Miejsce było tak chytrze wybrane, że w dzień z dna doliny nie sposób było dojrzeć stojącego na nim urządzenia, mimo że uczony wiedział, czego wypatrywać, a z klasztornych schodów i galerii też nic nie było widać, pomijając wspomniany kawałek drutu.

W drodze powrotnej Zakani nie odmówił sobie przyjemności zboczenia w chłodne korytarze wewnątrz góry i wejścia samemu Buddzie na głowę. Ponoć rozciągał się stamtąd wspaniały widok na zieloną dolinę Bamjanu, pokrytą siecią jasnoszarych murów i szachownicą gospodarstw takich jak Jusufa. Kiedy się okazało, że Pers, wchodząc na posąg, musiał przeskoczyć szeroką na metr i głęboką na dziesiątki metrów szczelinę, wykazując przy tym brak lęku wysokości, sprawność fizyczną i bystrość wzroku właściwe kozicy, lecz dalece przekraczające możliwości stojącego nad grobem staruszka, zamiast pochwalić za dobry zwiad, Sergiusz obsobaczył go za brak ostrożności. Wszakże Zakaniemu samo- i ogólnego zachwytu nie ubyło ani trochę. Stwierdził tylko, że uważał, czy nikt na niego nie patrzy, po czym dalej rozwodził się nad niebywałą urodą krajobrazu, przywodzącego mu na myśl zmaterializowaną fatamorganę oraz nad poetycką wielkością swych przeżyć towarzyszących tej kontemplacji. W drodze powrotnej nikt go nie śledził, to sprawdzili ludzie Abdulkadera.

Ustalili, że zaatakują o pierwszej w nocy. Swietłana oznajmiła, że wymknie się z domu przed północą i jeśli ktoś będzie pytał, powie, że idzie do namiotu męża.

– Powinnaś jeszcze wypocząć – zaoponował natychmiast Sergiusz. – Zostań tu.

– Potrzebujecie cicho zabić wartowników, tak? – spytała retorycznie.

– Poradzimy sobie jakoś – oficer obejrzał się na Maliniaka.

– To moja robota! – ucięła dyskusję zabójczyni. – Będę gotowa o północy!

– Pod jednym warunkiem – Sergiusza coś tknęło. – Przyrzeknij mi, że nie będziesz szukać śmierci.

Spojrzała mu prosto w oczy.

– Przyrzekam.

Był pewien, że skłamała, ale nie mógł jej tego zarzucić przy ludziach.

– Więc dobrze – oznajmił po chwili wahania. – Idę ja, Swieta, pan Zakani, szeregowy Maliniak…

– Nie jestem już w wojsku! – syknął ostatni wymieniony. – Może być pan Maliniak?

– Pan Maliniak – powtórzył jak echo straszy lejtnant, odpuszczając sobie komentarz. – Weźmiemy też trzech Hazarów od Abdulkadera, reszta będzie czekać w gotowości tam, gdzie jest.

* * *

Do mrocznego wąwozu, w którym zaczynały się klasztorne schody, dotarli, omijając śpiące miasto, gdzie jedyne światła paliły się już tylko w zajazdach i karawanserajach. Gdzieś tam Maulana Hafizullah wędził swoje smutki w haszyszowym dymie. Noc była pochmurna i coraz ciemniejsza, sierp księżyca zniknął zaraz po północy, stale ubywało nielicznych gwiazd. W głębokiej ciemności zalegającej u podnóża posągu Buddy, niczym błędne ogniki, pełgały tylko łojowe kaganki zapalone przez dozorców przy wejściach do kupieckich magazynów. Łatwo było zatem ominąć ewentualnych świadków.

Swietłana zrzuciła burkę i suknię. Pod spodem miała trykot, a twarz usmarowaną węglem z ogniska, więc stała się po prostu niewidzialnym człowiekiem. Wzięła za rękę Zakaniego, a on poprowadził ją na szczyt urwiska. Buty mieli owinięte irchowymi szmatami. Za nimi ruszyli Sergiusz i Maliniak. Hazarowie z końmi ukryli się na dole.

W połowie schodów, gdzie zaczynał się drugi poziom jaskiń, oficer i szeregowiec potknęli się o nogi nieprzytomnego, związanego i zakneblowanego dozorcy. Dziewczyna tylko lekko przydusiła mężczyznę, ponieważ Sergiusz zakazał jej zabijać postronnych Afgańczyków. Obaj Polacy wciągnęli delikwenta w głąb najbliższej pieczary, żeby nie przewrócić się o niego w drodze powrotnej.

Gdy dotarli do celu położonego sto kilkadziesiąt stopni wyżej, człowiek strzegący angielskiego magazynu już nie żył, posadzony na progu tak, jakby zasnął na warcie. Swieta i Zakani czaili się za uchylonymi drzwiami, z wejściem głębiej czekając na Sergiusza.

Wewnątrz panowały iście egipskie ciemności. Lepiej było nie ruszać kaganka nad drzwiami, więc starszy lejtnant wyjął elektryczną latarkę, ale Pers miał lepszy pomysł, żeby nie zdradziło ich jaskrawe, widoczne z daleka, sztuczne światło. Na migi powstrzymał oficera, po czym sięgnął do torby przewieszonej przez ramię i wydobył z niej coś, co wyglądało jak wielki, krzywy grzebień, fosforyzujący zielonkawo-niebieską poświatą, od której w korytarzu pojaśniało na tyle, by wyraźnie odróżnić ściany od podłogi.

– Co to jest? – szepnął starszy lejtnant.

– Kości baranie, znalazłem na tutejszym śmietniku – wyjaśnił równie cicho uczony. – Na resztkach mięsa zalęgły się świecące drobnoustroje... Ale nic nie śmierdzi... – dodał zupełnie niepotrzebnie.

– Bakteria zdrowiejących ran – mruknął Sergiusz.

– Słyszał pan o nich? – zdziwił się Pers, trochę za głośno.

– Każdy żołnierz słyszał. Widuje się je w lazaretach. Gdy rana nocą świeci, to znak, że nie wejdzie gangrena, nic nie zgnije i wszystko się dobrze zagoi. Czemu mnie pan nie uprzedził?

– Bo nie wiedziałem, czy znajdę...

Zirytowana Swietłana uciszyła pogawędkę krótkim sykiem i gniewnym machnięciem ręki. Wyjęła niesamowitą latarnię z dłoni Persa i ruszyła przodem w głąb galerii. Wkrótce trafili na pierwsze rozgałęzienie. Dziewczyna myślała i nasłuchiwała chwilę, po czym wybrała jedną odnogę. Sergiusz nie wiedział, dlaczego akurat tę, ale nie spytał o to.

Zdali się na rosomaczy instynkt Swiety i przemierzali labirynt, wiedząc na pewno tyle, że powinni iść raczej w górę niż w dół. Droga na najwyższy poziom jaskiń w niczym nie przypominała europejskich klatek schodowych. Pewnie przy kuciu tych grot wykorzystywano naturalne kawerny i szczeliny, oszczędzając wysiłek kosztem prostoty i wygody planu budowy.

Przed nimi zabłysło słabe, nieruchome, elektryczne światło. Sączyło się przez szpary w przegradzającej korytarz zasłonie. Gdy podeszli bliżej, usłyszeli głosy. Zabójczyni cofnęła się teraz, zasłaniając dłonią oczy, by nie odwykły od ciemności. Świecące baranie żebra oddała Zakaniemu, a na czoło pochodu wysunął się Sergiusz.

Za kotarą znajdowało się pomieszczenie mieszkalne, bez okna, za to z szybem wentylacyjnym sprawnie wciągającym dym z fajek i papierosów, które palili siedzący tu czterej brodaci mężczyźni. Jeden z nich, ten z papierosem, był biały, trzej pozostali śniadzi. Mimo późnej pory nie położyli się spać, tylko radzili nad czymś bardzo zaaferowani. Rozmawiali w języku kompletnie niezrozumiałym dla starszego lejtnanta, który był chyba mieszaniną angielskiego i hindi. Z intonacji wynikało, że czegoś się obawiają. Siedzieli wokół mapy rozpostartej na stole z dwóch drewnianych skrzynek i coś sobie na niej pokazywali. Broń – szable i angielskie rewolwery – mieli pod ręką, ale wszystkie widoczne modele Webley-Fosbery tkwiły w swoich kaburach, regulaminowo zapiętych na pasek ze sprzączką...

Sergiusz powiódł wzrokiem po kablu wiszącej nad dyskutującymi gołej żarówki o mocy kilkunastu świec i stwierdził, że biegnie on po suficie nad jego głową, a następnie znika za rogiem korytarza, załamującego się tuż przy wejściu do oświetlonego pokoju. Oficer wyjął scyzoryk, otworzył go jak najciszej i przyłożył ostrze do kabla. Lewą ręką pokazał swoim cztery palce.

Na ten gest Swietłana przyczaiła się do skoku, nadal chroniąc oczy przed mocniejszym światłem. Po omacku odczepiła od pasa sierp bojowy. Zakani i Maliniak wyglądali jak zjawy skąpane w ektoplazmatycznej poświacie.

Starszy lejtnant przeciął kabel.

Sypnęło iskrami, światło w klasztornej celi zgasło. Rozmawiający mężczyźni zamilkli, po czym jeden głośno zaklął po angielsku. Sergiusz podniósł kotarę do góry i poczuł tylko pęd powietrza za wbiegającą do środka Swietłaną. Sam chwilowo widział tylko powidok zwarcia, które spowodował.

Zakani w ślad za dziewczyną rzucił fosforyzujące żebra. Dla oczu mężczyzn przywykłych do blasku elektrycznej żarówki kości były źródłem światła ledwie dostrzegalnym, a kiedy już je wyraźnie dojrzeli, skutecznie przykuwającym i odwracającym uwagę swą niezwykłością. Swietłana zaś niczemu się nie dziwiła i od razu widziała wszystko jak na dłoni.

Czarna, kobieca postać w fosforycznym blasku z uniesionym sierpem w ręku...

Oficer nie mógł tej posępnej ikony zobaczyć, ale dokładnie ją sobie wyobraził. Usłyszał odgłos sztychu wchodzącego najwyraźniej między kręgi szyjne i wyszarpywanego z powrotem, a sekundę później chrzęst ciętego zamaszyście ciała, którzy przeszedł w gwałtowny charkot ofiary. Ktoś wrzasnął, rozległ się syk wyciąganej szabli, szczęk zderzającego się żelaza i jęk pękającej stali. Złamana klinga zabrzęczała, odbijając się od kamiennej ściany, a spadła zupełnie bezszelestnie, chyba na któreś posłanie. Ktoś kopnął skrzynki służące za stół, zaszeleściła gwałtownie deptana mapa, po czym rozległ się dobrze znany Sergiuszowi odgłos towarzyszący uderzeniu w twarz pięścią lub piętą, potem równie znajomy zgrzyt przecinanego sierpem kręgosłupa i zaraz tępy łomot uderzenia na odlew odciętą głową, trzymaną za brodę. Ostatni żywy przeciwnik musiał już to wszystko dobrze zobaczyć, bo wręcz zaskowyczał z przerażenia. Uciszyły go dwa szybkie sztychy, w gardło i w oko, sądząc po towarzyszącym im skrzeku i trzasku kości.

– Wszystko w porządku – powiedziała lekko zdyszana Swietłana.

Starszy lejtnant zapalił latarkę i ujrzał stojącą pośrodku rzeźni strzygę z kurczowo zaciśniętymi powiekami. W pamięć oficera zapadł widok mężczyzny bez głowy, którego dłonie wciąż szarpały kaburę z rewolwerem.

– Mów, zanim zaświecisz! – syknęła rozgniewana zabójczyni. Nie patrząc, pewnym ruchem podniosła z podłogi baranie kości i wyszła z pomieszczenia.

– Wybacz – mruknął oficer, gdy dziewczyna przechodziła obok niego. Upewnił się, że żaden z przeciwników nie zdoła stąd wyjść o własnych siłach, i starannie zasunął kotarę, zamykając wejście krypty, którą stała się sypialnia brytyjskich agentów.

Odcięty kabel jak nić Ariadny zaprowadził ich do tego, czego szukali. W najwyższej grocie znajdował się ogromny stos suchych baterii, warsztat elektrotechniczny, stanowisko spikera z wielkim, okrągłym mikrofonem, a przede wszystkim ów nadajnik, którego sygnały sprowadziły ich do Afganistanu… Starszy lejtnant omiótł światłem latarki każdy szczegół tego urządzenia.

Maszyna radiowa miała rozmiary dużej szafy. Podstawą konstrukcji był żelazny stelaż, do którego przymocowano aż dwanaście żarówek amplifikacyjnych, z tego dwie o rozmiarach głowy kilkuletniego dziecka podłączone były do transformatora Tesli, prawie takiego jak ten na zdjęciu z amerykańskiej gazety, tylko że bez iskrzącej kopuły. Zamiast niej szczytowy kondensator ze zrolowanych płatów miki pokrytej złotem kończył się przewodem antenowym wychodzącym na zewnątrz przez szczelnie zasłonięte okno. Transformator był ze trzy razy mniejszy od tego na zdjęciu, ale tak podobny, że Sergiusz odruchowo spojrzał w kąt laboratorium, czy nie siedzi tam aby sam wynalazca… Na resztę urządzenia składały się wielkie cewki, dławiki, butelki lejdejskie, pokrętła oraz gąszcz oplatających to wszystko kabli.

– Rozpierdalamy, szefie? – zapytał Maliniak.

Oficer z największym wysiłkiem powstrzymał się, by nie dać mu w mordę.

– No chyba nie będziemy się do tego ustrojstwa modlić? – wytłumaczył się szeregowiec, czując, że popełnił jakieś bliżej nieokreślone *faux pas*.

– Dajcie dynamit – powiedział Sergiusz. Jako inteligent miał przynajmniej pełną świadomość faktu, że to, co zaraz zrobią, nazywa się wandalizmem.

Zakani dobrze odgadł, o czym myślą jego towarzysze, i znalazł dla nich okoliczność łagodzącą.

– Gdy jakaś cywilizacja niszczy rzeczy, które sama stworzyła, to jest poniekąd jej wewnętrzna sprawa i barbarzyństwem nazywać tego nie wypada, co najwyżej rozrzutnością. Dlatego też prosiłbym, aby panowie dołożyli starań, ażeby wszystko pozostało w waszej wielkiej europejskiej rodzinie, i nie zniszczyli buddyjskich fresków na tych ścianach!

Oficer rozejrzał się i pomyślał chwilę.

– Dobrze, panie Zakani, postaram się tak ukierunkować wybuch, by ogień i odłamki wyleciały na zewnątrz – pokazał na zasłonięte okno. – Ale całkiem bez szwanku się nie da …

– Dobra wola mi wystarczy – odparł Pers.

Szybko rozmieścili trzy ładunki wybuchowe – wewnątrz nadajnika, pod stołem warsztatu oraz za stertą ogniw. Zapalili lonty i wybiegli na schody. Kluczami odebranymi strażnikom zamknęli za sobą drzwi do pomieszczenia nadawczego oraz przy wejściu do pieczar.

Bamjan wciąż spał, aczkolwiek jeszcze tylko niecałe pięć minut. Pod warunkiem że nie przeoczyli kogoś w głębi grot wynajętych na magazyn… Nie znając dokładnie rozkładu pomieszczeń i korytarzy, nie było sensu ich sprawdzać, bo mogłoby im na tym zejść do rana. Jeśli został za nimi jakiś żywy angielski agent, cała nadzieja powodzenia akcji wisiała na kilku kawałkach gwoździa wepchniętych w zamek drzwi, za którymi znajdował się pierwszy cud techniki XX wieku oraz płonące lonty.

Biec po ciemku w dół schodów można szybko, jeśli stopnie są jednakowe. Te tutaj nie były. Trzeba było za każdym krokiem wymacywać stopą kolejną krawędź stopnia. W efekcie Sergiuszowi wydawało się, że schodzą wolniej, niż wchodzili. Myślał, że wybuch zastanie ich na schodach, ale jednak swoich Hazarów spotkali wcześniej.

Najlepsi ludzie Abdulkadera, usłyszawszy odgłos kroków, wykazali się inteligencją i podeszli z końmi najbliżej, jak się dało. Galopowali już od dobrych trzydziestu sekund, kiedy górną część klasztornego kompleksu rozświetliło upiorne światło wydobywające się z najwyższego okna. Statua Buddy pozostała w cieniu, z którego wydobyły ją po chwili jakieś płonące szczątki spadające z urwiska.

Sergiuszowi wydało się, że coś jest nie tak z twarzą posągu, ale przestał o tym myśleć, gdyż właśnie dopadł ich grzmot wybuchu, który przetoczył się po całej dolinie Bamjanu, odbijając się od otaczających ją gór, w tę i z powrotem. W mieście zaczęły zapalać się coraz liczniejsze, mrugające światełka.

Ich Hazarowie natychmiast zwolnili i skręcili w bok do swojego karawanseraju. Po chwili byli tylko spóźnionymi myśliwymi, wracającymi z polowania. Trzy bażanty, które ze sobą mieli, kupiono wieczorem na bazarze.

Pozostała czwórka pędziła nadal, omijając domy mieszkalne jak największym łukiem i kierując się na drogę do Kabulu. Dopiero przed gospodarstwem Jusufa zwolnili, zboczyli z traktu i pod osłoną ciemności, prowadząc konie za uzdy, dotarli do tylnej furtki sadu, gdzie czekał już na nich Hazar z kluczem. Pozostali trzej dokładali starań, aby ich biwak wyglądał jak zwykle, czyli z siedzącymi przy ognisku dwoma wartownikami pilnującymi cudzoziemców śpiących w swoich namiotach.

Szybko rozkulbaczyli wierzchowce i puścili je luzem pomiędzy drzewa owocowe. Wybuch było tu słychać, ale z tej odległości nie różnił się on od zwykłego pioruna, więc rodzina Jusufa nie zareagowała, choć na pewno któryś z mężczyzn zgodnie z obietnicą siedział w oknie, obserwując główną bramę oraz biegnącą obok drogę.

Kiedy Swietłana znikła mu z oczu, Sergiusz pomyślał, że wróciła do domu, ale ona tylko poszła się umyć przy studni pośrodku sadu i niebawem wślizgnęła się do jego namiotu. Zdążyła już zamienić trykot na suknię, którą teraz zaczęła zdejmować.

– Skoro powiedziałam im, że idę spać z mężem, powinni mnie rano zobaczyć, jak stąd wychodzę – powiedziała, kładąc się naga obok oficera.

Pomysł na alibi był dobry, ale Sergiusz nie wiedział, czy może, czy powinien jej dotykać. Dziewczyna sama przywarła do niego całym ciałem.

– Jak wychodziłam, Fatima poradziła mi, żebyśmy lepiej zrobili to nie po bożemu, tylko tak jak Maulana z Szirin... – powiedziała cicho.

– Daj spokój! – żachnął się starszy lejtnant i postanowił zmienić temat. – Dobrze, że nie szukałaś śmierci.

– Inni znaleźli ją szybciej – powiedziała takim tonem, że aż go zmroziło. – I całą zabrali tylko dla siebie.

Zapadła długa chwila niezręcznego milczenia. Najpierw z powodu jej słów, potem za sprawą wzbierającego pożądania. Sergiusz czuł, że dziewczyna jest podniecona, i on też zaczynał być, ale skoro nie mogli zrobić tego po bożemu ani nie po bożemu, to jak? Na zabawę w Katarzynę Wielką jakoś zupełnie nie było nastroju...

– Sergiusza... – tchnęła mu w ucho. – Weź mnie jak zawsze

– Ale Fatima...

– Nieważne...

– A co będzie, jeśli znów zaczniesz krwawić?

– To weź mnie delikatnie, najdelikatniej, ale weź mnie... – urwała to zdanie, jakby wbrew sobie. Wyraźnie miała na końcu języka zdecydowany ciąg dalszy.

Pochylił się nad nią i wszedł najostrożniej, jak umiał.

– Boli... – szepnęła w zadumie. – Nie! – przytrzymała go, gdy spróbował się z niej wysunąć. – Niech boli! To tak... jakby ty brał mnie pierwszy ze wszystkich...

W odwróconym porządku ich damsko-męskich relacji przyszła zatem pora na jej oraz ich pierwszy raz... Skoro jednak ten akt miał być odpowiednikiem utraty dziewictwa Swietłany w zastępstwie gwałtu, jaki przed laty popełnił na niej mąż-dzik, znaczyło to, że teraz było ich ostatnie zbliżenie...

Co u licha tej szalonej dziewczynie chodziło po głowie?!

Nie był w stanie się nad tym zastanawiać, gdy poczuł na szyi i uchu jej gorące usta. Całą uwagę skupił teraz na tym, by nie poruszać się za szybko i za mocno. W zamian było dłużej, czulej i bliżej. Coraz bliżej dla ich dusz, chyba...

Rano obudził się sam. Swietłana już sobie poszła, zostawiając mu na posłaniu kwiat sumaku. Była też druga pamiątka, gdyż krwawienia jednak nie udało się uniknąć, ale na szczęście było ono niewielkie, świadczyła o tym plama wielkości połowy dłoni, tak jak po jego pierwszej nocy z inną dziewicą, córką tureckiego ambasadora... Sergiusz speszył się na tamto wspomnienie. Ona się potem mało nie utopiła, a on był młoda świnia, taki dzik...

Pora wrócić do rzeczywistości!

W obliczu Buddy bez twarzy

Goniec od Abdulkadera czekał przy ognisku z wieściami z miasta. Zaraz po odprawieniu tego Hazara pojawił kolejny. Trzeci i następni docierali mniej więcej co dwie godziny, przynosząc meldunki z bazarowej herbaciarni.

W Bamjanie początkowo sądzono, że w kupieckim magazynie wybuchł przechowywany tam proch, co wszak mogło się zdarzyć od przypadkowego zaprószenia ognia i były już trzy, cztery takie wypadki, odkąd najstarsi ludzie sięgali pamięcią. Przedstawiciel emira nie spieszył się więc do oględzin miejsca zdarzenia i spokojnie zasiadł do śniadania. Stracił apetyt dopiero, gdy doniesiono mu o znalezieniu trupów, na pewno nie ofiar wybuchu, w tym jednego Anglika, o którym obowiązkowo należało donieść samemu szachowi w Kabulu i czekać z duszą na ramieniu na odpowiedź. Jakby tego było mało, w okolicy poniewierały się jakieś przedziwne szczątki szejtun-wie-czego. Najbardziej uczony w Bamjanie i okolicach mułła, zbadawszy je, stwierdził, że są to resztki zagranicznych zegarów i pozytywek, które kupiec wynajmujący magazyn musiał trzymać na sprzedaż. Baterie oraz ich fragmenty zostały uznane za brykiety jakoś przetworzonego *mumijo*, skutkiem czego ludność wyzbierała je niezwłocznie do celów spożywczych. Ekspertyza mułły mogła budzić liczne wątpliwości, ale że nic mądrzejszego nie dało się wymyślić, więc przynajmniej ten problem uznano za rozwiązany. Zaczęto szukać zabójców, a główne podejrzenie padło na drugiego Anglika, niejakiego Bishopa, który tej nocy podobno spał w mieście u ogólnie znanej prostytutki. Jednak nierządnica na czas przyjmowania klienta odprawiła swą pomoc domową i dlatego Anglik nie miał alibi, gdyż – jak stanowi Koran – dopiero dwie kobiety mogą być jednym pełnowartościowym świadkiem. Bishop uciekł, czym definitywnie przypieczętował swą winę. W raporcie dla szacha napisano więc, że głupi Anglicy pozabijali się z powodu zegarów z kukułką, w zamieszaniu wybuchł proch i sprawa została zamknięta do wieczora. Niech się brytyjski poseł martwi dalej.

Aby dowiedzieć się, co na to wszystko Maulana, Zakani w przebraniu starca udał się wprost do jego zajazdu, osłaniany skrycie przez cały oddział Abdulakdera. Ostrożność okazała się zbyteczna. Pan Macium Macium, który mógłby rozpoznać swoją służbową twarz, siedział pod kluczem w piwnicy, a jego mocno zdenerwowani wierzyciele byli zbyt zajęci swoimi sprawami, żeby zwracać uwagę na staruszka popijającego w kącie herbatę ze szczyptą braunsztynu z salmiakiem z wnętrza suchego ogniwa, aktualnie najmodniejszą w Bamjanie przyprawą do wszystkiego. Mówić cicho Hafizullahowie też nie byli skłonni, daleko przeciwnie! Darli się na siebie w todżiki, trzeciej obok dari i farsi odmianie perskiego, którą Zakani rozumiał.

Maulana musiał najpierw wysłuchać licznych wyrzutów, że nie wziął tego, co tutejsi Anglicy dawali, tylko żądał dziesięć razy więcej, przez co teraz zostali z niczym. Zdenerwowani krewni przypomnieli mu, że jest najgłupszym synem swego ojca z obcej matki Pasztunki i gdyby Allah nie wezwał przedwcześnie jego dwóch starszych braci czystej tadżyckiej krwi, taki mieszaniec jak on nigdy nie zostałby dziedzicem rodzinnej fortuny. Do tej pory dobrze pracował dla niego ten brodaty Rosjanin, więc po co zrywał z nim umowę?! Po co brał się za interesy na własną rękę, na dodatek z Anglikami?!

Ludzie Orientu mają gadane zdecydowanie powyżej światowej przeciętnej, więc Maulana nasłuchał się naprawdę dużo. Kiedy kuzyni rzucili już wszystko, co mieli na wątrobach, ustalono, że wracają do Kabulu jutro skoro świt. Odtąd Zakani już nie podsłuchiwał, tylko wyszedł z tą wiadomością.

Wobec tego Sergiusz ze swoimi ludźmi pożegnał gościnnego *hadżi* Jusufa i jego rodzinę przed zachodem słońca, oznajmiając, że otrzymali wiadomość, iż zbójcy, z którymi wcześniej zadarli, czają się na nich gdzieś między Bamjanem a Heratem, więc postanowili zmienić plany i wracać do Kabulu.

Gospodarz przyjął świętą wolę Allaha bez zastrzeżeń i uroczyście z całą rodziną odprawił gości. Sergiusz na pożegnanie podarował Jusufowi karabin, a Swietłana młodej Sarze szmaragdowy czepiec od Kuroczkina. Żeby nie wprawić w zakłopotanie zacnej rodziny tak kosztownym podarunkiem, czepiec został dokładnie zapakowany, zapieczętowany woskiem ziemnym i wręczony z zastrzeżeniem, że Jusufówna ma otworzyć prezent dopiero w dniu swojego ślubu, co zostało przyobiecane. Zdumienie starszego lejtnanta Swietłana zbyła stwierdzeniem, że przecież ma jeszcze znacznie kosztowniejszy, starożytny czepiec od starego Dżagdalaki.

Odjechali drogą na Kabul i rozbili biwak niecałe dwa kilometry za doliną Bamjanu. Ta noc miała być krótka i może dlatego Swietłana nie przyszła do namiotu Sergiusza. Dziewczyna w ogóle nie położyła się spać, tylko przesiedziała do świtu z Szirin. Obie młode kobiety zachowywały się dziwnie. Cały czas szeptały na uboczu, tuliły się i trzymały za ręce jak para kochanek lub siostry zwierzające się sobie z najgłębszych sekretów, ale Sergiusz machnął na to ręką. Zrozumieć, o co tu chodzi, było dla niego taką samą niemożliwością jak dla tutejszego mułły prawidłowe rozpoznanie szczątków żarówek amplifikacyjnych.

Rozsądniej było się skupić na ostatniej akcji tej misji.

* * *

Maulana Hafizullah musiał zginąć!

Nie była to kwestia babskich intryg i kaprysów ani nawet osobistej niechęci zdradzonego przez wspólnika Kuroczkina, ale wniosek wynikający oczywistych interesów Imperium Rosji. Było jasne, że Maulna po powrocie do Kabulu, gdy zastanie dom i rodzinę ogołocone z przeszło połowy mężczyzn, którzy przepadli bez wieści, chyba że trupy znajdą jacyś myśliwi, będzie musiał pilnie, ale to bardzo pilnie znaleźć kozła ofiarnego, by uratować resztki swojego autorytetu głowy rodu. Wybór padnie bez wątpienia na rosyjskiego kupca, podporę imperialnych interesów i wpływów Petersburga w Kabulu, a na taką stratę cesarstwo nie mogło sobie pozwolić. To była misja wojskowa i nie było tu miejsca na żadne moralne sentymenty! Decyzję Sergiusza przypieczętowała podsłuchana przez Zakaniego rozmowa, z której wynikało, że pozostali Hafizullahowie nie mają do Kuroczkina żadnych pretensji i nadal chętnie robiliby z nim interesy. Jeśli więc Maulana zginie, rosyjski kupiec z pewnością sobie poradzi.

Z kolei obowiązek świętej afgańskiej zemsty rodowej ustanie wobec braku winnych i podejrzanych. Gdyby jednak jakieś podejrzenia się zrodziły, to przede wszystkim w stosunku do Anglików i ewentualnie całych imperiów Wielkiej Brytanii i Rosji. Ze znacznie silniejszymi przeciwnikami w Afganistanie się nie walczy, a ród, który sparzył się aż tak mocno, powinien o tym dobrze pamiętać. Maulana Hafizullah ściągnął na swoich przekleństwo Allaha, kumając się z wrogami kraju, lecz jeśli zabierze ten ciężar ze sobą do grobu, reszta rodu powinna odetchnąć i dać sobie spokój.

Starszy lejtnant usilnie ignorował poważną lukę w tym rozumowaniu.

Maulana Hafizullah musiał zginąć! To był pewnik absolutny i bezdyskusyjny.

Na miejsce zasadzki wybrali górę, którą musiała minąć grupa Tadżyków wracających do Kabulu. W połowie zbocza od strony drogi była dogodna, głęboka półka skalna, tonąca rano w głębokim cieniu, więc stanowiska strzelca wyborowego nie mógł zdradzić odblask słońca od soczewki celownika snajperki. Stąd do środka traktu było w linii prostej dokładnie sto trzydzieści jeden metrów. Obóz rozbili w dolince za górą, a w pobliskim głębokim jarze, Sergiusz poprawił kalibrację celownika, tak że ze stu metrów trafiał teraz w monetę jednorublową.

Maulana Hafizullah nie miał szans. Musiał zginąć!

Świadkiem swojego rozwodu koniecznie chciała być Szirin, więc specjalnie dla niej ułożyli wysoką osłonę z kamieni, żeby nie świeciła z daleka złotą burką. Sergiusz i Maliniak przygotowali sobie obok zwykłe stanowiska strzeleckie. Szeregowiec po pierwszym strzale oficera na wszelki wypadek miał zabić konia Maulany. Z ich pozycji można było do pędzącego cwałem jeźdźca oddać przynajmniej dwa, a nawet trzy strzały. Jeżeli zaś potem Hafizullahowie nie poprzestaną na zabraniu ciała krewnego i zamiast odjechać, zaczną szturmować tę górę, to wejdą wprost pod lufy Hazarów, dobrze ukrytych wśród kamieni na stoku, jakieś pięć metrów nad poziomem drogi. Także Sergiusz i Maliniak będą mieli atakujących jak na dłoni. Ostatecznie sprawę powinny zakończyć ostatni granat i dwie pozostałe laski dynamitu. Jeśli Hafizullahowie nie zareagują na ostrzeżenie i się uprą przy zemście, padną tutaj wszyscy co do jednego. *Inszallah!* Wprawdzie przeciągająca się bitwa przy uczęszczanej drodze, blisko gęsto zaludnionej doliny była bardzo ryzykowna, ale Maulana musiał zginąć. Reszta potem!

Obok starszego lejtnanta stanęli Zakani oraz Gul Abdulkader, czekający na dalsze rozkazy. Swietłana nie przyszła, została w obozie z Fatimą.

Teraz pozostało tylko czekać…

Sergiusz uniósł lornetkę i spojrzał ponad doliną Bamjanu prosto na zachód, tam gdzie na horyzoncie wznosiła się skalna ściana z posągiem Buddy. Zdumiony podregulował szkła i popatrzył jeszcze raz.

– Ten posąg nie ma twarzy! – stwierdził po polsku, oglądając się na Persa.

– Nie wiedział pan? – zdziwił się uczony. – Myślałem, że pan to dawno już zauważył.

– Nie było okazji… – mruknął oficer. – Nie słyszałem dotąd, by Buddę przedstawiono bez twarzy.

– Oblicze tego posągu odrąbali muzułmańscy zdobywcy Bamjanu.

– A dlaczego?

– W islamie obowiązuje zakaz przedstawiania ludzkich postaci. W ten sposób nawracano tutejszych buddystów na wiarę Mahometa.

– Hm, to chyba wyznawcy Buddy mieli jednak większą wiarę, skoro oni wykuli cały posąg, a muzułmanie zepsuli tylko kawałek… – stwierdził z przekąsem Sergiusz. – Skoro są tacy wierzący, powinni byli skuć całą figurę.

– Na razie dali radę zniszczyć tylko tyle – odparł kwaśno Zakani – ale proszę się nie obawiać, w przyszłości wyznawcy Proroka na pewno skorzystają z owoców technicznego postępu. Ta religia taka jest. Tu w Bamjanie widać to najlepiej od czasu, gdy wiatr rozwiał popioły wielkiej biblioteki w Aleksandrii oraz popioły naszych wspaniałych perskich bibliotek, o których nigdy nie słyszano w Europie. Drugie imię islamu to Zniszczenie. Zniszczenie ksiąg, zniszczenie rzeźb, *Zniszczenie filozofów*, słyszał pan chyba o tym dziele Algazela z Bagdadu, prawda? Tej księgi oni akurat nie spalili… Potem przyjdzie kolej na zniszczenie wszelkich twórczych mocy w ludzkim sercu, zniszczenie wolności, a wreszcie zniszczenie dobra.

– Znów pan przesadza, panie Zakani.

– Doprawdy? – uniósł się Pers. – To niech mi pan powie, czy Budda był człowiekiem dobrym, czy złym?

– Bez wątpienia dobrym.

– Zatem niszczenie pamiątek po dobrym człowieku leży w interesie Ormuzda czy Arymana? Ja twierdzę, że Arymana. Jeżeli zaś muzułmanie twierdzą, że to im każe czynić ich religia, nie można mieć żadnych wątpliwości, od kogo ona pochodzi. Religie prawdziwie natchnione przez Pana Mądrości szanują dobro i objawienia, które były przed nimi oraz te zsyłane po nich. Mahomet w tej kwestii mówił dwoma sprzecznymi językami.

– Panie Zakani, ja podczas naszej podróży miałem liczne powody, by polubić Allaha oraz wyznających go ludzi. Satanistami nigdy bym ich nie nazwał.

– Panie Lawendowski, chyba pan nie słuchał dobrze, co tyle razy panu mówiłem. Ormuzd, Pan Mądrości, Jahwe i Allah to ten sam Bóg. Zaratustra, Abraham, Mojżesz, Chrystus i Mahomet są jego prorokami. Szkopuł w tym, że ten ostatni tylko w połowie, do czasu gdy dał się zwieść obietnicom doczesnej wielkości i uciekł z Mekki. Aryman obiecał mu te same królestwa ziemi co Chrystusowi podczas kuszenia na pustyni, ale Mahomet nie znalazł w sobie dość siły, by odpowiedzieć: „Precz szatanie!" i zapłacić zwykłą cenę za sprzeciwienie się złu. Od tej pory zło i dobro są przemieszane w islamie tak, że chyba tylko nowy prorok mógłby je rozróżnić i jednoznacznie oddzielić w Koranie sury mekkańskie od medyńskich, a potem te pierwsze oddać Ormuzdowi, drugie zaś zwrócić Arymanowi.

– Jeśli chodzi o pomieszanie dobra i zła, to wydaje mi się, że chrześcijaństwo niewiele jest od islamu lepsze. Weźmy choćby to, co za chwilę mam zrobić…

– Szczerze mówiąc, panie Lawendowski, ja zielonego pojęcia nie mam, w co lub w kogo pan wierzy. Bo na pewno nie w Białego Cara…

Zaskoczony ripostą Sergiusz zaczął szukać języka w gębie, ale nie zdążył go znaleźć.

– Jadą! – pokazał Zakani.

Sergiusz uniósł lornetkę. To faktycznie byli Hafizullahowie. Cały oddział niespodziewanie stanął, gdy ostatnie zabudowania Bamjanu znikły im z oczu. Niecały kilometr od pozycji starszego lejtnanta.

Z siodła ściągnięto skrępowanego pana Macium Macium, po czym dwóch krewnych Maulany powlokło go między skały sto kilkadziesiąt kroków od drogi. Starszy lejtnant dostrzegł jeden błysk szabli. Po chwili obaj Hafizullahowie wyszli, ocierając ostrza. Nie ma okupu, nie ma głowy na karku... Pan Macium Macium zabrał ze sobą w zaświaty odpowiedź na pytanie, czy był męczennikiem swojej sprawy, czy tylko zwykłym durniem?

– Siergiusza... – obok starszego lejtnanta stanęła Swietłana.

Z zaskoczeniem stwierdził, że dziewczyna ma na sobie złocistą suknię i bransolety Szirin. Suknia pasowała, bo chociaż Afganka była znacznie szczuplejsza od masywnej Rosjanki, to jednak, na ile oficer mógł zauważyć, Szirin miała większy biust i okrąglejsze biodra, a więc obszerne, afgańskie stroje układały się na nich tak samo. Afganka była jeszcze dwa palce wyższa od Swietłany, ale to było widać tylko wtedy, gdy stały obok siebie. Jednak po co to przebranie, skoro Swieta miała aż nadto swoich własnych, mniej krępujących ruchy ubrań?...

– Szirin musi zginąć razem z Maulaną – powiedziała Swietłana bardzo spokojnym, ale zdecydowanym głosem.

– Co ty mówisz?! – pustka w głowie starszego lejtnanta, którą spowodowała dyskusja z Zakanim, powiększyła się gwałtownie.

– Póki Szirin żyje, będą jej szukać.

Kątem oka spostrzegł, że Pers skinął twierdząco.

Sergiusz nie był aż tak głupi, by o tym nie pomyśleć, że po śmierci Maulany jedyną winną wszystkich nieszczęść rodu Hafizullahów stanie się Szirin, zbiegła, wiarołomna żona. Rodowa zemsta, która miała wygasnąć z braku pożywki, znajdzie sobie nowy obiekt nienawiści. Znacznie przetrzebiony klan kabulskich Tadżyków wspomogą kuzyni z gór, południowych pustyń i północnych równin Afganistanu. Krewnych w tym kraju nikomu nie brakowało, a znajdą się jeszcze ochotnicy z innych rodów, którzy dla zasady staną w obronie cudzego honoru. Choćby tacy Esmatullahowie. Złota, klejnotów i pieniędzy potrzebnych na sfinansowanie całego przedsięwzięcia nie trzeba było szukać – czekały gotowe w Kabulu. Hafizullahów było stać na odszukanie Szirin wszędzie, w każdym zakątku świata.

No dobrze, wiedział to, tylko co właściwie miał zrobić? Na wieczną zgodę odesłać głowę Szirin do Kabulu? Można by. I Fatimy też, na dokładkę. Kuroczkin, uczestnicząc w tej transakcji, na pewno zagwarantowałby sobie bezpieczeństwo, ale – do jasnej cholery! – on, starszy lejtnant Sergiusz Lawendowski herbu Paprzyca, był oficerem cywilizowanej europejskiej armii, cokolwiek mówili o tym niektórzy rodacy patrioci. Lepiej więc było przyjąć, że współczesny świat jest jednak za duży nawet jak na możliwości bogatego rodu kabulskich kupców.

Widać Swietłana wpadła na lepszy pomysł.

– Niech nikt nie strzela – powiedziała. – W żadnym wypadku. Zwłaszcza ty, Siergiusza…

Potrząsnął głową. Sam nie wiedział, czy przecząc jej, czy nie przyjmując złych przeczuć do wiadomości.

Dziewczyna przytuliła się do niego nagle z całych sił i pocałowała go w usta, mocno, namiętnie, lecz krótko.

– Mój polski kniaź… – wyszeptała, oderwawszy się od niego. – Z tobą byłam taka szczęśliwa, najszczęśliwsza… Zapamiętaj, nie strzelaj! – zakończyła z mocą.

– Swieta...

Nie słuchała. Odwróciła się już od niego i podeszła do Szirin. Jednym ruchem ściągnęła jej z głowy złotą burkę. Sergiusz zobaczył, że Afganka ma łzy w oczach.

– Dla twojej córki. – Swietłana wcisnęła jej w rękę swój sierp.

Szirin niezręcznie ujęła broń. Rosjanka obejrzała się jeszcze na Sergiusza.

– Chcę być dobra – powiedziała i uśmiechnęła się do niego tak, jak wtedy w Kabulu, gdy skrapiał jej piersi sokiem z wyciskanego w dłoniach owocu mango. Potem bez wahania założyła burkę Afganki i zaczęła schodzić ze wzgórza.

Sergiusz chciał coś powiedzieć, raczej krzyknąć, ale w tym momencie Zakani położył mu dłoń na ramieniu i starszy lejtnant nie zdołał wydobyć z siebie głosu.

– Czy są nowe rozkazy, *gaspadyn Sergisz*? – przerwał przeciągające się milczenie Gul Abdulkader.

Hafizullahowie zbliżali się szybko. Nie było czasu na pustkę w głowie.

– Niech nikt nie strzela – powiedział oficer, pokonując suchość w gardle. – Cokolwiek będzie się działo, niech nikt nie waży się wystrzelić!

Hazar skinął głową i pobiegł do swoich.

– Ja mu pomogę dopilnować – oznajmił Zakani i ruszył za Abdulkaderem.

– Maliniak, odłóżcie karabin na ziemię i nie dotykajcie go bez rozkazu.

Szeregowiec posłuchał, na dodatek bez słowa komentarza.

Oficer stwierdził, że sam nie jest w stanie wykonać własnego rozkazu i odłożyć snajperki. Zbyt kurczowo zacisnęły się na niej jego palce.

Patrzył.

Swietłana wyszła na drogę i ruszyła naprzeciw nadjeżdżającym Hafizullahom. Niczym nie różniła się od Szirin, teraz nawet stąpała podobnie. Zauważyli ją chwilę później i stanęli jak wryci, gwałtownie ściągając wodze. Za moment z konia zeskoczył sam Maulana i ruszył na spotkanie, jak sądził, niewiernej żony. Wziął ze sobą nahajkę.

Dziewczyna stanęła. Za to Maulana Hafizullah przyspieszył kroku, unosząc bicz. Uderzył nim zza głowy, tak że rzemień sieknął Swietłanę przez plecy, a jego koniec owinął się jej wokół bioder. Kupiec szarpnął, chcąc rzucić kobietę na kolana, ale ona zrobiła trzy szybkie, pewne kroki, skutkiem czego jedynie przyciągnął ją ku sobie.

Tylko Sergiusz patrzący przez celownik snajperki zauważył mignięcie noża. Ostrze weszło Maulanie w podstawę krtani i wniknęło głęboko ku podniebieniu, może nawet dziurawiąc podstawę czaszki. Patrzącym z tyłu kuzynom mogło się wydawać, że rozgniewany mąż wyniośle zadarł głowę. Tymczasem nóż wyszedł już z jego szyi, przemknął niżej i został wbity w czarne serce Hafizullaha, który oburącz, kurczowo chwycił dziewczynę tak, że świadkowie nie wiedzieli, czy chce ją udusić, czy obejmuje na zgodę.

Tymczasem ona przekręciła ostrze w ranie i fachowo wykrwawiała Maulanę jak dzikiego wieprza. Kiedy stwierdziła, że trzyma już trupa, odepchnęła go od siebie i z zakrwawionym nożem ruszyła ku pozostałym Hafizullahom, który zaczęli krzyczeć ze zgrozy.

Swietłana rzuciła nóż na drogę, postąpiła jeszcze dwa kroki i stanęła, unosząc wysoko czoło w złotej burce.

„Na pewno ma jakiś plan! Poradzi sobie!", przelatywało przez głowę Sergiusza, który wciąż nie wierzył przeczuciom i rozumowi. „Jest naprawdę dobrze wyszkolona…"

Dwóch krewniaków Maulany otrząsnęło się z szoku i dobywając szable, najechało końmi na Swietłanę. Pierwsze cięcie przyjęła bez drgnienia, tylko na jej ramieniu pojawiła się czerwień. Drugi Hafizullah złożył się do poziomego ciosu z siodła, zamierzając ściąć jej głowę, ale zrobił to zbyt wolno, sygnalizując zamiar, więc wyuczone reakcje wzięły górę i dziewczyna odruchowo uchyliła się od ciosu. Tylko czubek szabli zaczepił o szyję, znacząc złocisty jedwab kolejną plamą krwi.

Rozjuszeni brakiem powodzenia mężczyźni zawrócili konie, szykując się do nowego najazdu, a tymczasem reszta Hafizullahów z wrzaskiem zeskakiwała z siodeł i z szablami w rękach pędziła do Swietłany, która wyprostowała się dumnie po raz drugi.

To nie była romantyczna śmierć.

Swietłana miała zbyt twardy żywot, a oni za mało wprawy, żeby zabić ją szybko i sprawnie. Rąbana i kłuta ze wszystkich stron dziewczyna padła na drogę dopiero wtedy, gdy na jej stroju zostały już tylko nieliczne rąbki żółtego koloru. A i wtedy zaraz zaczęła się podnosić. Potem drugi raz padła i znów wstała. Po trzecim razie Hafizullahowie odstąpili od niej, już pewni swego, a ona znów podniosła się na kolana, powłócząc tylko zwisającą bezwładnie prawą ręką. Większość krewnych Maulany nie wytrzymała nerwowo, cofnęli się i zasłonili rękawami twarze, by kobiecy demon nie zauroczył ich swoim spojrzeniem. Pewnie recytowali przy tym jakieś wersety Koranu. Dopiero trzech najodważniejszych podeszło i nareszcie dobiło Swietłanę kilkoma głębokimi, idącymi w dół sztychami trzymanych oburącz szabel. Jakby składali ofiarę, a przecież oni ją tylko przyjmowali.

Sergiusz patrzył na to wszystko, widział, rozumiał i wydawało mu się, że całkowicie panuje nad sobą. Dlatego zupełnie zaskoczył go dźwięk repetowanego karabinu, który trzymał w rękach.

Drobna, ciepła dłoń oparła się na jego dłoni, nie pozwalając mu dokończyć ruchu. To była Szirin. Pierwszy raz widział ją z tak bliska bez burki. Rzeczywiście w rysach twarzy miała coś chłopięcego, ale oficer nigdy w życiu nie nazwałby jej chłopczycą, nawet by mu to nie przyszło do głowy, gdyby nie sugestia Swietłany. Ten Maulana musiał być kompletnie zboczonym sukinsynem!

Afganka już nie płakała. Chyba specjalnie z powodu spodziewanych dzisiaj łez nie umalowała sobie oczu, a tylko same brwi, podkreślając je mocnymi czarnymi łukami. Zresztą sądząc po zapuchniętych powiekach, Szirin przepłakała przynajmniej pół nocy. Oczy zaś miała takie same jak Swietłana. Naprawdę mogłyby być rodzonymi siostrami. I jeżeli jakikolwiek mężczyzna z rodu Hafizullahów, niebędący mężem tej kobiety mógł znać jakiś szczegół jej wyglądu, to tylko kolor oczu, dostrzegalny w sprzyjających okolicznościach przez siatkę burki.

Tak, ich oczy były naprawdę takie same…

– Nie strzelaj – powiedziała Swietłana, patrząca z oczu Szirin.

Nie strzelił więc.

Potworne widowisko na drodze zakończyła czarno ubrana Fatima, stając na wielkim głazie w dobrze widocznym dla wszystkich miejscu i unosząc kamień w podniesionej wysoko dłoni. Nie odezwała się ani nie poruszyła, ale to wystarczyło, by do reszty zawstydzić nieporadnych zabójców. Hafizullahowie nie śmieli już dłużej poniewierać domniemanego ciała Szirin, tylko zostawili ją wiernej służącej, a sami pospiesznie wsiedli na konie i odjechali galopem, zabierając ze sobą trupa Maulany.

Zemsta Sergiusza czekała już na nich w Kabulu.

Sam starszy lejtnant usiadł na kamieniu i znieruchomiał, skamieniał jak ten głaz. Maliniak klęczał obok, chyba się modlił, a potem wstał i sobie gdzieś poszedł. Oficer patrzył, jak do ciała Swietłany podchodzi Fatima z Szirin i Hazarami. Wzięli je na koc, zanieśli do obozu. Trzech mężczyzn starannie zasypało piaskiem i pyłem kałuże krwi.

Sergiusz siedział sam ze snajperką na kolanach.

Wkrótce potem na drodze zaczął się normalny, poranny ruch. Przeszła długa karawana z Bamjanu, potem zmierzająca w przeciwną stronę grupa sześciu góralek z krążącą wokół nich gromadką rozkrzyczanych dzieciaków oraz wielkimi koszami na głowach i ramionach. Na pewno szły na miejski bazar. Po kobietach przetruchtało trzech wyraźnie zmęczonych jeźdźców, jeden miał martwą antylopę przerzuconą przez kulbakę. Życie toczyło się dalej.

Także dla sępów, które zaczęły zlatywać się do pana Macium Macium. Nikomu z przechodniów, przynajmniej na razie, nie chciało się sprawdzać, jaka padlina leży w wśród skał.

Potem tak się złożyło, że starszy lejtnant patrzył na świat, ale niczego w nim nie dostrzegał. Na ziemię sprowadził go dopiero powrót Maliniaka, który oznajmił, że nieboszczkę baby już umyły z krwi, że była co prawda mocno posiekana, ale w skalnych niecach po ulewie sprzed tygodnia znalazło się jeszcze dosyć wody, że ten Pers wyszukał już dla Swietłany dobre miejsce na grób, taką skalną niszę, koło której rosły dzikie kwiaty, i że zastawią ją w niej kamieniami, że już zawinęli nieboszczkę w czyste białe płótno, które „chachary" wiozły na stroje do pielgrzymki i że włożyli jej na głowę ten złoty czepiec, trochę szkoda, ale niech ma, bo w końcu prawdziwa bohaterka, niech sobie leży jak jaka królowa, a on tam jej za swoje krzywdy z serca odpuszcza...

– Czego, kurwa, ode mnie chcesz?! – warknął w końcu Sergiusz, przerywając ten monolog.

– No przecież mówię – Maliniak stropił się nieco – że nieboszczkę zaraz w ten grób kłaść będziemy, no i wypadałoby jej krzyżyk w ręce włożyć. No a tu są same pogany, ja mam, ale katolicki, a jej krzyż prawosławny należy się, bo nieboszczka musiała swój zgubić...

Swietłana nie nosiła krzyżyka. Mówiła, że jej nie uchodzi, ale teraz już uchodziło. Sergiusz nie powiedział tego głośno, tylko zdjął z szyi własny i w milczeniu podał go szeregowcowi.

– Szef pójdzie popatrzeć, jak ją tam murujemy?

– Pokażcie mi jej gotowy grób.

– Znaczy, szef będzie modlił się tutaj?

– Tak.

– To ja nie przeszkadzam szefowi.

Nie wiedział, czy się modlił. Chyba tak, trochę, ale przede wszystkim wspominał wspólne chwile. Chciał za nie dziękować Bogu, ale znów nie wiedział, czy to wypada. Żałować ich wypadało i nie wypadało jednocześnie... Miał rację Zakani, gdy mówił, że nie wie, w co on wierzy... Oficer nijak nie mógł poukładać swych myśli w jakąś sensowną całość, a potem jeszcze przyszła huśtawka nastrojów. Raz napełniał go dziwny spokój na myśl o moralnym triumfie Swietłany, to znów uświadamiał sobie, że już nigdy nie obudzi się obok niej, i ogarniała go czarna rozpacz, aż chciał rwać włosy z głowy.

W końcu nie wiedział, po jak długim czasie przyszła do niego Szirin z sierpem. Teraz już Afganka trzymała tę broń mocno i zdecydowanie, w lewym ręku.

– *Szahida* Swietłana Teodorowna poświęciła się za mnie jako moja siostra – powiedziała cichym głosem, starając się opanować łamiące go wzruszenie.

– Tak – odpowiedział Sergiusz.

Szirin wyciągnęła przed siebie prawą dłoń i przesunęła po niej wklęśniętym ostrzem. Starczyło muśnięcie, by pojawiła się krew.

– Z całego serca proszę cię, Siergieju Henrykowiczu, abyś został moim bratem.

– Tak – powtórzył i podał jej swoją prawą rękę. Skaleczyła go i mocno uścisnęli sobie prawice, a potem się pocałowali w oba policzki.

– Chodźmy teraz pokłonić się naszej siostrze – ogłosiła z powagą Szirin.

– Siostrze i żonie, w obliczu Buddy i Boga czterech religii – powiedział Sergiusz, dziwiąc się, skąd mu nagle przyszły te słowa.

Poszli razem na grób. Szirin wciąż trzymała go za rękę, a napotkani po drodze towarzysze w milczeniu skłaniali przed nimi głowy.

Doszli, spojrzeli i wtedy, na ten widok, coś w Sergiuszu pękło i doszczętnie się rozsypało. Patrzył na śmierć Swiety do samego końca. Wytrwał. Spełnił jej ostatnią wolę. Zniósł wszystko jak mężczyzna, ale teraz… teraz… to przekroczyło granice jego wytrzymałości!

Te kwiaty, o których wspominał Maliniak… Obok skalnej niszy, wypełnionej murem z możliwie najstaranniej ułożonych surowych głazów i kamieni, rósł krzak dzikiego sumaku. Na lekkim wietrze kołysały się trzy stożkowo-obłe kiście zrudziałych strupów! Jeden strup – jedna rana… przepowiednia i wybór Swietłany… krwawy sumak z jego rąk… oświadczyny do męczeństwa…

Widział tak wiele, lecz widoku kwiatów już nie zniósł. Jakby sam Bóg wyrżnął starszego lejtnanta pięścią w łeb. Cios był nokautujący. Sergiusz chwycił się za skronie, padł na kolana i zawył jak dziki zwierz, a potem nastała ciemność.

Kiedy najgłębsze zamroczenie minęło, słońce już zachodziło, a przy nim siedziała Szirin i przecierała mu skronie mokrą szmatką. Miała oczy Swietłany.

Sergiusz pragnął tylko patrzeć w te oczy. Zupełnie nic, nic więcej go nie obchodziło.

Święty ogień Zaratustry

Dowództwo nad wyprawą przejął Zakani.

Kiedy zapadł zmrok, Pers zarządził wymarsz i w ciemnościach nocy, mijając dom Jusufa, miasto i okaleczonego Buddę, przemknęli przez dolinę Bamjanu, na jej drugi kraniec. Świt zastał ich już daleko w drodze do Heratu.

Sergiusz zachowywał się jak żywy trup. Szirin była z nim cały czas, a kiedy musiała na chwilę odejść, on chwytał jej rękę, ale niemocno, bez przekonania. Zakani stwierdził u niego załamanie nerwowe i uznał, że najlepszym lekarstwem będzie czas, a na razie Szirin miała go skłaniać, by jadł i pił.

Z długiej drogi z Bamjanu do Heratu starszy lejtnant nie zapamiętał niczego, minęła mu jak w malignie, w której pobrzmiewały tylko smętne, szyickie *game eszk*, pieśni o nieszczęśliwej miłości, nucone przez Hazarów przy obozowych ogniskach. A może słyszał je kiedyś wcześniej?... Nie wiedział. Nie myślał.

Dopiero po przybyciu do Heratu dotarło do Sergiusza, że Szirin nosi burkę Swietłany i jej europejskie suknie oraz to, że pożegnali się z Gulem Abdulkaderem i jego ludźmi, którzy wyruszyli do południowej Persji, teraz już naprawdę podejmując *hadżdż* do Mekki. Z tygodniowym zaś opóźnieniem oficer zarejestrował, że w mieście spotkało ich podwójne szczęście, trafili bowiem tam na formującą się właśnie karawanę do Teheranu, nad którą pieczę sprawował klan Rasullahów, blisko spokrewnionych z Esmatullahami, a bezpośrednio z rodziną Aga Dina, konkretnie dwóch było jego szwagrami.

Skóra Rasullahów była oliwkowa, a ich rysy już nieszczególnie europejskie, ale wszyscy co do jednego mieli jasnoniebieskie oczy.

Zakani deliberowal, czy są bardziej podobni do śniadych Celtów, czy może raczej reprezentują nację pośrednią między Włochami a Szwedami? Sergiusz przytakiwał każdemu pomysłowi Persa. Może tylko trochę zaintrygowało go stwierdzenie uczonego, że w tych stronach polskie słowo „twierdza" znaczy „siła", co było ciekawą, aryjską grą słów. Siła Herat – tak właśnie nazywała się twierdza broniąca tego miasta.

Pierwszą poważną oznaką powrotu do zdrowia psychicznego było stwierdzenie przez oficera faktu, że Szirin śpi w jego namiocie, udając Swietłanę przed Rasullahami, i że pod suknie wkłada poduszkę imitującą ciążę. Po tej konstatacji nastąpiła pierwsza, umiarkowanie przytomna decyzja, polegająca na układaniu pomiędzy nimi na noc nagiej szabli. Tej polskiej. Znaczenie owego rycerskiego gestu wyjaśnił Afgance Zakani. Była jednocześnie zaszczycona i mocno rozbawiona okazanym w ten sposób szacunkiem. Honor honorem, ale w Afganistanie bardziej wierzono w grube mury dzielące posłania kobiet i mężczyzn. Tłumaczenie „nie mogłem się opanować", przeciwnie niż na całym Zachodzie, nie było tu uznawane za żałosny wykręt i zachowanie godne chłystka *benangi*. Podobnie jak przedślubne pożycie z osiołkiem nie dyskwalifikowało kandydata na męża.

* * *

Granicę Persji przekroczyli pod koniec września.

Do miasta Sabzevar był jeszcze spory kawał drogi, więc do Sergiusza miało czas dotrzeć, że niebawem spotka się z Patrycją i że tak samo jak poprzednim razem kończy swą misję specjalną w stanie duchowej ruiny. Ten powrót wrodzonego sarkazmu zwiastował, że jednak się z tych ruin podnosi. O Swietłanie starał się na razie zbyt wiele nie myśleć, znów koncentrując się na ariologicznych dysputach z Zakanim planującym program wykładów na swoim uniwersytecie, który już niebawem założy. No, może wcześniej pomoże jeszcze obalić nieudolnego perskiego szacha...

W Sabzevar pożegnali idącą dalej karawanę i Rasullahów, którym Sergiusz dał list do ambasady rosyjskiej z prośbą o jak najszybsze przysłanie kuriera dyplomatycznego do hotelu w tym mieście. Szirin natychmiast przestała udawać Swietłanę oraz nosić burkę, poprzestając na muzułmańskiej chuście. Pozbyła się też poduszki spod sukni i przeniosła z powrotem do namiotu Fatimy. Tylko na trzy dni, tyle bowiem zajęła pozostałej piątce wędrowców droga do domu uczonego.

Zakani mieszkał skromnie.

Przynajmniej jak na perskiego księcia.

Była to ocieniona palmami, jednopiętrowa, biała willa w kształcie rozległej litery H, z dwoma poprzeczkami, przylegająca do winnicy opadającej tarasami na południe, ku brzegowi rzeki Shur. Na wieść o przybyciu Sergiusza do innego majątku Zakaniego, położonego kilkanaście kilometrów dalej, przeniósł się ze swoimi ludźmi oraz perskimi adeptami nauk konspiracyjnych i spiskowych starszy sierżant Fedorczyk, aby nie być zmuszonym do dotrzymania danego w Mandżurii słowa i pogrzebania starszego lejtnanta w oficerskiej trumnie. W siedzibie rodu Zakanich pozostała tylko Patrycja z dziećmi i królewski szambelan pan Jan, ów zagorzały towiańczyk.

W jednym ze skrzydeł domu perskiego uczonego mieściła się zoroastrańska świątynia, w której płonął święty ogień. Nieprzerwanie od tysiąca siedmiuset sześciu lat, ośmiu miesięcy i czternastu dni, o czym zaświadczała specjalna kronika prowadzona dzień po dniu. Przy okazji wyszło na jaw, dlaczego Zakani jest aż tak cięty na islam. Otóż na początku września dwudziestego pierwszego stulecia po Zaratustrze, ustalenie dokładnej daty wymagałby skomplikowanego przeliczenia kaledarzy, dom i chram Zakanich najechali asasyni Starca z Gór. Zamordowali kilku przodków obecnego gospodarza, których akurat zastali, a ponadto usiłowali zgasić płomienie chwały Pana Mądrości swoim moczem oraz krwią kapłana. Naszczawszy zoroastranom w święty ogień, muzułmańscy fanatycy odjechali przekonani, że ich pęcherze i nerki są niezwyciężonym arsenałem Arymana. W prastarym palenisku było jednak tak dużo gorącego popiołu i żaru, że kiedy dotarła pomoc, zastano maleńki złoty języczek, uparcie pełgający na zbeszczeszczonym ołtarzu.

Poruszeni świętokradztwem i cudem przodkowie Zakaniego poprzysięgli na ocalały płomyk, że żaden z nich ani ich potomków po wsze czasy nigdy nie przejdzie na islam i nie wybaczą tej zbrodni, dopóki wyznawcy Mahometa nie uznają swoich win i nie poproszą Pana Mądrości Ormuzda-Allaha o przebaczenie. Będą też w miarę sił i możliwości nawracać muzułmanów z powrotem na Pierwszą Wiarę.

Kiedy do zoroastrańskiej świątyni prosto z drogi wszedł Sergiusz, Patrycja w długiej, białej szacie siedziała właśnie na kamiennym obmurowaniu ołtarza i wkładała do ognia polana, które przynosili jej dwaj, niespełna trzyletni malcy w najmodniejszych, marynarskich ubrankach. Wściekle rude włosy Irlandki były związane w kok śnieżnobiałą opaską, gdyby nie to, zdawałoby się, że ogniska są tutaj dwa. Damie dworu króla Władysława V towarzyszył ubrany także na biało kapłan z pogrzebaczem, którym poprawiał ułożenie płonących drew. Mężczyzna miał na twarzy maskę podobną do chirurgicznej, żeby nie skalać swym oddechem świętego ognia. Od Patrycji i jej dzieci takich środków bezpieczeństwa nie wymagano. Chłopcy zamarli na widok obcego. Nie byli bliźniakami jednojajowymi. Jeden był całkiem podobny do świętej pamięci stryja Stanisława, czyli swego ojca, drugi wykazywał bardziej ogólnorodzinny typ urody Lawendowskich, zatem bez żadnych złych myśli można powiedzieć, że był podobny do Sergiusza. Obaj wydawali się mieć też jakby trochę skośne oczy, ale to musiała być gra migających wokoło cieni i autosugestii starszego lejtnanta. Natomiast piegi z całą pewnością odziedziczyli po mamie.

– Dzień dobry, panie Sergiuszu – powiedziała celtycka kapłanka, schodząc z ołtarza. – Jak się pan czuje? – Mówiła po polsku z ledwie słyszalnym obcym akcentem.

– Dzień dobry, pani Patrycjo. Chyba dobrze, w każdym razie lepiej niż ostatnio.

– Proszę poznać moich synów – kucnęła i objęła chłopców. – To jest Stanisław Fergus – wskazała tego bardziej podobnego do ojca. – Irlandzkie imię pochodzi od mojego dziadka, uczestnika powstania 1867 roku. A to Jakub Conall, drugie imię po moim kuzynie, który też troszkę napsocił politycznie… – uśmiechnęła się.

„Kwiat dwóch dynastii wiecznych buntowników", chciał skomentować ironicznie Sergiusz, lecz w porę ugryzł się w język.

– A to jest – zwróciła się do synów – tak jakby wasz kuzyn-wujek… Proszę, ukłońcie się ładnie.

Malcy szurnęli nóżkami.

– Dlaczego „tak jakby", pani Patrycjo?! – zaoponował oficer.

– Nie wiem, czy uznaje pan mój chiński ślub ze Stanisławem.

– Uznaję, kuzynko Patrycjo, i jestem gotów zaświadczyć wobec całej rodziny. O ile zechcą mnie słuchać…

– Zatem witam, kuzynie Sergiuszu – wstała, wyciągając do niego rękę.

– Tylko Sergiuszu – poprawił ją.

– Też możesz mówić mi po imieniu, Sergiuszu.

– Patrycjo! – pocałował jej dłoń.

Kapłan właśnie ruszył w stronę oficera, niosąc dla niego ochronną maseczkę na twarz.

– Wyjdźmy może do ogrodu – Patrycja zapobiegła niezręcznej sytuacji.

Na zewnątrz przekazała synów chińskiej piastunce, którą starszy lejtnant widział pierwszy raz, po czym weszli pod palmy daktylowe, idąc wysypaną białym żwirem alejką.

– Przeczuwam, że jest coś, o czym chciałbyś mi, Sergiuszu, opowiedzieć – dostojna *siucai*, dama dworu tajnego króla Polaków i Chińczyków Hung Siao-Tiena, młodszego brata Chrystusa, króla Ryby-Rybaka, mistycznego władcy Wschodu i Zachodu, spojrzała uważnie na carskiego oficera.

Tak, chciał. Wygłosić płomienną i pełną patosu pochwałę panslawizmu, którą wiele razy układał sobie z myślą o tym spotkaniu. Miał tylko nieodparte wrażenie, że teraz wypadłoby to jeszcze śmieszniej od polsko-chińskiej unii personalnej.

Dlatego zaczął mówić o Swietłanie, czując, jak spada z niego jakiś przeogromny ciężar. Opowiedział całą historię, najpierw Swiety, a potem ich wspólną, pomijając tylko najintymniejsze szczegóły i tajemnice wojskowe, jeśli było to możliwe i miało jeszcze sens. Nie pominął wątku Jewgienija, czego zresztą nie sposób było zrobić.Trwało to długo, ale Patrycja słuchała ciepliwie. W końcu starszy lejtnant przeszedł do wniosku, który miał także zakończyć jego apologię panslawizmu.

– W Rosji żyją dobrzy ludzie i warto żyć pośród nich, Patrycjo…

Ze ściągniętymi brwiami, bez słowa wskazała mu ławkę, na której usiedli.

– Tak, Sergiuszu, masz wiele racji i nie wątpię, że pani Swietłana i pan Jewgienij byli naprawdę dobrymi ludźmi. Powiedz mi tylko, proszę, jak by wyglądało twoje życie, gdyby nie wielkie protekcje nad tobą? Sama cesarowa i ważny generał… Jak byś żył bez nich, zmuszony kłaniać się ludziom podłym, którzy dysponowaliby twoim życiem według własnego kaprysu? Gdzie byłaby twoja ludzka godność bez parasola tych protekcji? To dobrze, Sergiuszu, że przyjąłeś pod swoją opiekę tego starego marynarza. Zauważ jednak, że gdyby w Rosji panowała sprawiedliwość, ten człowiek uprawiałby teraz w spokoju własne róże, zamiast leżeć pod cudzymi. Przecież zasłużył na spokojną starość i godną emeryturę. A Swietłana Teodorowna? Każdy cywilizowany sąd uwolniłby ją od winy i kary za obronę własnego życia, a ona potem wyszłaby za mąż, mam nadzieję, że szczęśliwiej, i miałaby dzieci, których tak pragnęła. Tymczasem zrobiono z niej potwora, kobiecy odpowiednik pana Hyde'a, nad którym, Bogu dzięki, zatriumfowało jednak jej człowieczeństwo. Będę się za nich modlić, Sergiuszu. Ja i moi synowie. Ale jak możesz podsuwać mi myśl, że mogłabym zamieszkać z nimi w kraju, w którym upadla się ludzi aż tak bardzo?

Wszystko to powiedziane zostało spokojnie i z powagą, absolutnie bez gniewu, ale każde zdanie biło w głowę Sergiusza jak uderzenie młotkiem. Znów zaćmiło go w skroniach. Oto przejechał w poprzek Rosję, Afganistan w tę i z powrotem, aby w końcu dotrzeć do Persji i tu wysłuchać głosu sumienia... Patrycja nie mówiła rzeczy, które byłyby dla niego jakimś objawieniem czy zaskoczeniem, a jedynie ubrała w jasne słowa to, co sam dobrze wiedział. Miała rację. Tylko że on nie miał pojęcia, jak zdoła tę rację znieść.

Patrycja wstała. Jemu zabrakło siły.

– Sergiuszu, myślę, że teraz jesteś zbyt zmęczony i jeszcze niezdrów. Proszę, wypocznij najpierw, a potem sobie wszystko spokojnie przemyśl. Czasu jest dużo. Pan Zakani z pewnością nie będzie nikogo z nas stąd wyganiał.

Skinął w wysiłkiem głową. Zauważyła, że nie jest z nim najlepiej.

– Pójdę po kogoś ze służby i znajdziemy ci wygodny pokój – szybkim krokiem ruszyła w stronę domu.

Rano, po długim śnie, czując umiarkowany przypływ sił, starszy lejtnant siadł do pisania raportu. Tak jak poprzednio, ograniczył się do suchego sprawozdania, dotyczącego faktów ściśle wojskowych: *Swietłana Teodorowna poległa śmiercią bohaterską, osłaniając odwrót po wykonaniu zadania i zabierając ze sobą herszta wrogiej bandy.* Co powie generałowi Brusiłowowi w cztery oczy, po powrocie, oficer nie miał siły teraz się zastanawiać.

– Czy jesteś naszym wrogiem, Sergiuszu? – zapytała Patrycja, kiedy wspomniał, że musi wrócić do Sabzevar, by spotkać się z rosyjskim kurierem.

– Wiele bym dał, żeby nie oglądać nikogo z was prowadzonego na szafot – odparł po namyśle. – I zawsze będę się o to starał, w granicach rozsądku. Jednak dałbym jeszcze więcej, gdybyście w zamian znaleźli sobie wreszcie hobby zgodne z prawem. Szukajcie Atlantydy, kontaktów z Marsjanami, skarbów piratów, ale na miły Bóg, zostawcie już tę polską utopię raz na zawsze historykom!

– Zatem uważasz, Sergiuszu, że wolna Polska i Irlandia, wolne Chiny i Persja to utopie? Że sprawiedliwa Rosja i szanujący człowieczeństwo świat to bezsens i utopia?

No i znów młotkiem po łbie!

– Nie wiem – oficer potrząsnął głową. – Ja naprawdę już nie wiem, czy z wami gorzej, czy przeciwko wam…?

– Przepraszam, nie będę już więcej nalegać. To musi być twój wybór, Sergiuszu. Rozważ tylko po drodze, czego właściwie dokonałeś w tym Afganistanie? Za cenę życia blisko stu ludzi przywróciłeś polityczną równowagę między dwoma imperiami. A ile ludzkiego szczęścia zyskałeś w zamian?

– Może nie dopuściłem do większej wojny? – burknął.

Pojechał do tego Sabzevar i przysłanemu z Teheranu kurierowi wręczył kopertę z raportem oraz paczkę ze zdobycznym odbiornikiem dla profesora Popowa. Dobrze, że zapakował je osobno, bo później okazało się, że maszyna radiowa przepadła w drodze, gdzieś na terenie Rosji. Przynajmniej tyle się Anglikom udało. Odpowiedź Petersburga miała zostać dostarczona do hotelowej recepcji w Sabzevar, skąd odbierze ją posłaniec Zakaniego, podając uzgodnione hasło. Perski uczony zacznie wysyłać swoich ludzi za dwa miesiące, jednego co tydzień. Tym sposobem Sergiusz, poniekąd przez grzeczność, włączył się w polsko-perską konspirację…

Po powrocie do domu nad Shur dla starszego lejtnanta zaczął się czteromiesięczny okres duchowej rekonwalescencji. Minął październik, a chłodny wiatr znad Chorezmu przywiał pierwszą zapowiedź nachodzącej zimy. Ten okres pobytu w gościnie u Zakaniego rozpadł się w pamięci Sergiusza na garść rozmów-epizodów, przeplatanych długimi, samotnymi spacerami po ogrodzie, winnicy lub brzegiem rzeki.

* * *

– Oż ty w cara Mikołaja! – wybuchnął Antonii Maliniak. – To ja cały ten czas w carskim wojsku byłem?!!

– Złożyłem w swoim raporcie wniosek o medal dla was i awans, od razu na stopień starszego sierżanta.

– Pierdolę, nie wracam! Nie w ruskie kamasze!

– A co zamierzacie robić?

– Podobno mają tu gdzieś polskie wojsko.

– Wielkie mi wojsko, najwyżej dwie kompanie... – oficer miał wrażenie, że się przesłyszał.

– Ja wolę do nich.

Pogratulować rodakom patriotom nabytku! Sergiusz nie wiedział, czy ma się śmiać szyderczo, czy histerycznie.

– Ale zdajecie sobie sprawę, Maliniak, że gdy się znów spotkamy, to będę musiał was zabić?

– I mnie też ręka przed carskim stupajką nie zadrży! – demonstracyjnie stanął na baczność i zasalutował oficerowi dwoma palcami.

Ciekawe, kto go tego nauczył?

Sergiusz odsalutował szeregowcowi całą dłonią i więcej się do siebie nie odzywali. Kilka dni później Maliniak wyjechał bez pożegnania.

* * *

– Nie! Nie!! Nie!!! – wrzeszczał zsiniały apoplektycznie pan Jan. – To świat ducha jest prawdziwie realny! Ułudą jest potęga współczesnych mocarstw tego świata! One są tylko złudzeniem, które na pierwszy znak bożego gniewu przeminie w ogniu i krwi Wielkiej Wojny Ludów, którą przepowiedzieli prorok Andrzej i wieszcz Adam!

– Nie będzie żadnej wielkiej wojny – próbował spokojnie oponować Sergiusz. – Europa nigdy jeszcze nie była bardziej zjednoczona we wspólnocie swych światowych dążeń i interesów. Weźmy chodźby niedawną, wspólną wyprawę kilkunastu europejskich krajów na Chiny...

No i palnął gafę, mówiąc o sznurze w domu powieszonego.

– To tylko zmowa wielkich złoczyńców, by gnębić słabsze narody! – towiańczyk zdenerwował się bardziej, choć przed chwilą wydawało się, że bardziej już nie może. – Ale przyjdzie na to wielki czas pomsty i bożej kary! Przyjdzie niechybnie! Prawdziwe zjednoczenie Europy nastąpi dopiero potem, gdy wszystkie jej narody staną przed sobą w prawdzie, pokorze i skrusze za wyrządzone sobie nawzajem krzywdy, a dwanaście gwiazd Maryi Matki Bożej zabłyśnie nad nimi! O to się módl, zaślepiony człowiecze, i błagaj Boga o wybaczenie swoich win! Złaszcza zaś grzechu przymierza z szatanem-carem! Pokutuj, zanim ta nieomylna wizja proroka Andrzeja stanie się ciałem!

Sergiusz po prostu uciekł przed wariatem. Gdyby pana Jana ze wzburzenia trafił szlag, Patrycja miałaby pretensje tylko do starszego lejtnanta. I słusznie. Bo po co drażnił obłąkanego dziwaka?

* * *

Okazało się, że Kuroczkin i Zakani uzgodnili system wymiany korespondencji, więc na początku grudnia przyszedł list od rosyjskiego kupca.

Wyznawców odnowionego kultu Zeusa, tak jak Sergiusz podejrzewał, zmiotła polityczna lawina. Mieszkańcy bandyckiej wioski w Pańdźszirze sami przyspieszyli jej bieg, przystępując do odbudowy zniszczonego fortu, czego ich sąsiedzi już nie znieśli. Zawiązała się konfederacja okolicznych plemion, które ruszyły na niewiernych. Do bitwy nie doszło, gdyż zaatakowani wobec miażdżącej przewagi przeciwnika z góry poprosili o litość i przystali na podyktowane warunki pokoju. Wioskę zrównano z ziemią, a jej mieszkańców wypędzono, przedtem jednak wszyscy musieli formalnie złożyć muzułmańskie wyznanie wiary. Wezwana w pierwszej chwili drogą radiową pomoc nie miała już komu pomagać, ale to z powodu tej niedoszłej odsieczy poganie Macedończyka odeszli z Bamjanu, zanim dotarła tam wyprawa starszego lejtnanta. Nie wiadomo, gdzie znikli, podobno przeszli do Indii. Definitywnie wszelki słuch o maszynach radiowych zaginął.

Madame Sandra i jej dziewczęta także przepadły gdzieś na Terytorium Wolnych Plemion, jednak do Kuroczkina doszła plotka, że pewien tamtejszy kacyk poślubił od razu cały harem...

Hafizullahowie po powrocie do Kabulu poprosili Kuroczkina o dalsze prowadzenie rodzinnych interesów, gdyż sami chcieli się zająć poszukiwaniem swych zaginionych krewnych, ale Rosjanin odmówił. Spirydon Feliksowicz dostał niniejszym wolną rękę, jeśli idzie o swoją księgową wendettę, której – jak się okazało – absolutnie nie należało lekceważyć. Następnego poranka staruszek założył najlepszy surdut, wsadził na nos najmocniejsze okulary, po czym z księgą rachunkową pod pachą ruszył w obchód kabulskich *sarofi*. Trzy dni później na Czar Czatta nastąpił mały krach finansowy, którzy pochłonął majątek spadkobierców Maulany. Nikt nie zechciał wesprzeć ich kredytem, albowiem dodatkowo rozeszła się plotka, że jest to ród przeklęty przez Allaha i klątwa rozszerzy się na każdego, kto pomoże angielskim kolaborantom. Hafizullahowie poszli zatem z torbami pasać owce na wysokich halach i nie zanosiło się, aby mogli mieć jeszcze jakiekolwiek interesy poniżej dwóch tysięcy metrów nad poziomem morza.

Brytyjski poseł przy afgańskim dworze, jak przystało na prawdziwego dyplomatę, uśmiechał się szeroko i z zaciśniętymi zębami gratulował Iwanowi Iwanowiczowi Kuroczkinowi efektownego wkupienia się w łaski szacha za pomocą transkaspijskiej lokomotywy.

Natomiasy przypadek zaginionego w Kabulu Hazara był banalny. Młody człowiek objadł się zbyt wiele hinduskich słodkości, dostał kurczy żołądka i powlókł się kurować do krewnych. Był akurat sam, więc nie miał kogo powiadomić. Mało nie umarł z przejedzenia, ale teraz był już w drodze do Mekki z inną grupą pielgrzymów. Allah jest litościwy!

Dwa tygodnie po tym liście do rezydencji Zakaniego dotarł wyglądający jak żebrak kupiecki emisariusz i porównawszy z gospodarzem kawałki przedartych banknotów, poprosił o spotkanie z „siostrą Swietłany Teodorowny", a następnie złożył u stóp Szirin swoją przesyłkę. Ciężki pakunek zawierał szmaragdy, heliodory, szafiry, złote ruble i marki niemieckie, a nawet zabytkowe statery hellenistycznego króla Baktrii Eukratydesa – największe złote monety starożytności, których wartość numizmatyczna dalece przewyższała cenę kruszcu. Dołączony do przesyłki kolejny list od Kuroczkina informował, że to zwrot posagu z należnymi odsetkami. Spirydon Feliksowicz osobiście dopilnował rozliczenia.

Szirin stała się kobietą nie tylko wolną, lecz i bardzo bogatą.

* * *

Odświętna, wigilijna jadalnia.

– Ależ, Patrycjo, dlaczego koniecznie Polska musi być Chrystusem narodów? Czemu nie Rosja z jej mistycyzmem i cierpieniami prostego ludu?

– Wiesz, Sergiuszu, ja bym nie miała zupełnie nic przeciwko Irlandii w tej roli. A co do Rosji, to wydaje mi się, że byłby z niej taki Chrystus, który, Boże odpuść, najpierw pomagał chłostać i przybijać do krzyży obu łotrów, a potem przyszła kolej na niego…

– Przecież nigdy nie byłaś w Rosji!

– Jeszcze kieliszeczek młodego wina z tegorocznych zbiorów? – interweniował Zakani, tonując spór.

Szirin siedząca po prawej ręce gospodarza miała przed sobą tylko kieliszek z wodą, ale włosów już nie chowała. Była naturalną szatynką, a jej starannie teraz ułożone długie loki osypywały się na ramiona, przebłyskując miedzią na skrętach. W porównaniu z Pa-

350

trycją, piękną przede wszystkim godnością matki i damy dworu, Afganka przy tym stole wprost oszołamiała urodą. Inteligencji zaś miała dosyć, by nie zabierać głosu w toczącej się dyskusji.

– Ja poproszę, byle dużo… – odparł starszy lejtnant, nastawiając szkło. – Może wtedy jakoś zniosę tak arbitralne osądy!

– Spojrzenie z boku i z oddali pozwala widzieć rzeczy największe, Sergiuszu. A poza tym naprawdę uważnie słuchałam i ciebie, i sierżanta Fedorczyka.

– O wilku mowa… – stwierdził Pers, odstawiając karafkę, i z ciekawością popatrzył na otwierające się drzwi.

W progu stanął stary, styczniowy kosynier w konfederatce z polsko-chińskim Orłem na Skale-Rybie, w otoczeniu sześciu swoich polskich podwładnych oraz dwóch podoficerów żuawów śmierci, których Sergiusz pamiętał z szarży w bitwie z Japończykami. Wszyscy w odtworzonych po harbińskiej katastrofie mundurach i odznakach, z marsowymi minami podeszli do carskiego oficera, który wstał z krzesła.

Synowie Patrycji, bawiący się prezentami – parowozem i automobilem, z szambelanem Janem pod cedrowym drzewkiem, które służyło za choinkę – zamarli z przejęcia.

– Przybyłem, aby w wigilię Narodzenia Pańskiego podzielić się z tobą opłatkiem – powiedział Fedorczyk, patrząc w oczy starszego lejtnanta. – Na ten boży czas między nami pokój.

– Zdrowia życzę! – Sergiusz grzecznie ułamał rożek.

– A ja tobie, żebyś wreszcie przejrzał na oczy, renegacie jeden!

* * *

Nurt rzeki chlupotał, podmywając nabrzeżną skarpę opodal. Drugi brzeg tonął w chłodnej, melancholijnej mgle.

– Co doktor Zakrzewski mówił o aryjskich teoriach Zakaniego?

– Nie chciałabym obgadywać naszego drogiego gospodarza za plecami, więc odpowiem ci w zaufaniu.

– Oczywiście, Patrycjo.

– Zdaniem doktora pan Zakani to człowiek błyskotliwej inteligencji, ale jednocześnie mitoman i dyletant. Jego dzieła nie mają żadnej naukowej wartości, wyłączając kolekcje etnograficzne. Oczywiście nie powiedział mu tego wprost. Przy mnie użył jednak stwierdzenia, że gdyby pan Zakani był mniej sympatycznym człowiekiem, byłby bez wątpienia szarlatanem. Po nim zaś przyjdą tacy, co do których żadnych wątpliwości w tym względzie już nie będzie. Przepraszam, ale wolałabym nic więcej nie powtarzać.

– Nie będę nalegał, Patrycjo.

– Wobec tego zmieńmy temat, Sergiuszu. Odnoszę wrażenie, że już niedługo będę honorową panią tego domu. Zastąpi mnie Szirin...

– Jesteś pewna?

– Zauważyłam, jak ona i Zakani na siebie patrzą.

* * *

Rozmawiali w oranżerii.

– Panie Lawendowski – Zakani był niezwykle poważny i uroczysty – mam zaszczyt prosić o rękę pańskiej siostry.

– Szirin? Myślałem, panie Zakani, że jest pan starym kawalerem...

– Nie spotkałem dotychczas dziewicy, której uroda i rozum wzbudziłyby mój zachwyt.

Żaden z nich ani mrugnięciem nie okazał, że wie, jaka aluzja kryje się w tym zdaniu.

– Ja nie mam nic przeciwko, panie Zakani, ale jak wyobraża pan sobie ślub zoroastranina z muzułmanką?

– Narzeczona uczyniła mi ten zaszczyt i postanowiła przed ślubem powrócić do wiary swych szlachetnych aryjskich przodków. Poprzez ofiarę świętej pamięci *szahidy* Swietłany Teodorowny Szirin raz na zawsze umarła dla islamu.

– A Fatima?

– Jak zwykle pójdzie za swoją panią.

– Tak po prostu?!

– Ta stara, prosta kobieta ma własny rozum. Dałem Fatimie do wyboru pielgrzymkę do Mekki, a potem łaskawy chleb u moich muzułmańskich przyjaciół, tak, mam wielu takowych, gdyż serce człowieka jest ważniejsze od tego, w co ów człowiek wierzy. Ta zacna kobieta odpowiedziała mi, że islam to zła religia dla niewiast i ona nie zamierza w niej trwać tylko z lęku przed karą śmierci, a innych powodów nie ma. Tej nocy zatem Szirin i Fatima stanęły przed świętym ogniem i powierzyły swe dusze opiece Pana Mądrości Ormuzda. Pańska zgoda była ostatnią rzeczą, której potrzebowaliśmy.

– Wobec tego chyba powinniśmy się napić, szwagrze Zakani!

Pers skinął na służącego, który podszedł do nich z tacą z dwoma kryształowymi kielichami pełnymi czerwonego wina.

– Czterdziestoletni syrah! – Zakani podał naczynie Sergiuszowi. – Nawet sam szach Mustafar nie pija lepszego wina.

Oficer uniósł swój kielich pod światło, by lepiej przyjrzeć się odcieniom rubinowej barwy. Gospodarz popatrzył w zadumie na fale na powierzchni swojego napoju.

– Tak długo na to czekałem… – wyrwało mu się.

Sergiusz spojrzał na na niego zdumiony i naraz jakby w głowie rozbłysła mu fotograficzna magnezja.

Olśniło go aż do osłupienia. Z wrażenia zapomniał o oddechu, ale jego myśli stały się porażająco jasne.

Zakani doskonale znał Kabul… Był tam wcześniej wiele razy… Poznał młodziutką Szirin… Różnica religii… Nieszczęśliwy kochanek wyjeżdża w świat… By zapomnieć, rzuca się w wir studiów i badań naukowych. Egiptologia dla angielskich dżentelmenów, ariologia dla perskich książąt… Dekadenckie pijaństwo w Krakowie też tu pasowało. Potem samobójcze awantury polityczne i oto nagle z nieba spada szansa powrotu do Kabulu z potężnymi sojusznikami... Czyżby poczwórny agent tak naprawdę działał tylko na rzecz swego osobistego szczęścia?

Ręka Sergiusza trzymająca kielich zadrżała. Czy Swietłana poszła na śmierć dobrowolnie? Czy przypadkiem nie została otumaniona i wykorzystana? Była ofiarą miłości czy intrygi? On nigdy się tego nie dowie... Nigdy nie rozstrzygnie wątpliwości. Ich cień będzie z nim już zawsze. Starszy lejtnant mógł tylko dalej żyć, wierząc najgłębiej, że Swietłana była jedyną, suwerenną panią swoich decyzji.

I zachowywać się jak oficer.

– Wznoszę toast za mężczyzn, którzy osiągają swoje cele! – powiedział głośno Sergiusz.

– Orężem! – stuknął się z nim Pers.

– Oraz mądrością! – odpowiedział mu Polak.

Wypili, po czym spojrzeli sobie w oczy. Jak człowiek Zachodu i człowiek Wschodu.

Ze spokojem i głębią tajemnicy, w której czaiła się furia.

Patrycja powinna być zadowolona, że tam, gdzie dwa imperia się biły, przynajmniej dwoje ludzi skorzystało i zyskało swoje szczęście...

* * *

Odpowiedź z Petersburga dotarła przed końcem stycznia 1904 roku.

List od generała Brusiłowa wręczono Sergiuszowi w europejskim salonie z płonącym kominkiem, gdzie starszy lejtnant dotrzymywał towarzystwa Patrycji i jej chłopcom. Tak jak poprzednim razem, w pierwszej kopercie obok listu była druga, znacznie bardziej elegancka – oficer rozpoznał od razu papeterię z Carskiego Sioła.

Zwierzchnik gorąco gratulował Lawendowskiemu, już kapitanowi, całkowitego sukcesu afgańskiej misji i dopowiadał, że skończyła się ona próbą interwencji brytyjskiego ambasadora u samego cara. Najjaśniejszy Imperator nie znalazł dla dyplomaty czasu, ale nie omieszkał wznieść toastu za zdrowie Sergiusza podczas bankietu z generalicją, który odbył się wkrótce. Mówiono tam o nachodzącej wojnie z Japonią. *Wybuchnie ona na pewno, zanim wrócicie, Siergieju Henrykowiczu. Potrzebujemy Was!*

W kaplicy Oficerskiej Szkoły Kawalerii w Petersburgu odprawiono uroczyste nabożeństwo za duszę Swietłany Teodorowny Biełocarskiej – takie nazwisko nadano jej specjalnie na tę uroczystość, gdyż wcześniej jako prosta rosyjska włościanka Swieta nazwiska po prostu nie miała, jeśli nie liczyć fałszywego Lawendowska. Szkoda. Sergiusz chętnie by je zalegalizował. Na rozkaz komendanta szkoły obecność kadetów wszystkich roczników i wykładowców w mundurach wyjściowych była obowiązkowa. Pod koniec nabożeństwo zaszczyciła na krótko sama *Imperatrisa*, która pomodliła się przed portretowym zdjęciem bohaterki w towarzystwie dwóch dam dworu i najstarszej córki Olgi.

Ośmioletnia carówna spowodowała niejaki etykietalny problem, gdyż po wszystkim uparła się napisać do Sergiusza osobisty list i za nic nie dała sobie tego wyperswadować. To była ta druga koperta.

Oczywiście list małoletniej księżniczki krwi z cesarskiego rodu, piszącej do prostego oficera, *nieobchodzimo* po francusku i pod czujnym okiem całego sanhedrynu guwernantek i dam dworu, nie mógł zawierać nic ponad ściśle konwencjonalne podziękowania za wierność ojczyźnie i *papaszy*, okazane męstwo i przelaną krew oraz życzenia Bożego błogosławieństwa, zdrowia i szczęścia w boju. Sergiusz, czytając, wyobraził sobie, jak potem cały fraucymer w uroczystej procesji idzie po ostateczną akceptację *mamaszy*. Imperatorowa dopisała u dołu: *Też błogosławię. EA.*

I to było wszystko. No prawie. Na marginesie listu był jeszcze mały, prawosławny krzyżyk, nakreślony ręką dziecka.

– I co zamierzasz, Sergiuszu? – spytała Patrycja, gdy przekazał jej najistotniejsze wiadomości z tej korespondencji.

355

Z nami czy przeciw nam? To pytanie nie padło, ale zawisło w powietrzu. Sergiusz zadumał się. Tyle było wielkich za i przeciw... A jednak wszystko przeważył mały, dziecinny znak krzyża. Zresztą, co tu dużo gadać, narodzie prawosławny, stęsknił się człowiek za tą małą psotnicą i jej siostrzyczkami!

– Pójdę dalej drogą honoru, Patrycjo – rzekł już zupełnie spokojny i lekki na duszy. Nareszcie wiedział, w co wierzy! Swietłana w Białego Cara, on w Białą Carównę.

Irlandka pobladła.

– Zatem żegnaj... – uniosła wysoko głowę i podała mu rękę.

Pocałował jej dłoń, a potem czoła obu swoich małych kuzynów.

– Nie myślcie o mnie źle – powiedział, wychodząc z salonu.

Najbardziej cieszył się z tego, że ma teraz dobry powód, by wymówić się od obecności na weselu Zakaniego i Szirin.

Epilog

Znów Mandżuria.

Pięć lat od poprzedniego pobytu. Teraz wszystko wskazywało, że to już na zawsze. Był 10 marca 1905 roku, ostatni dzień bitwy pod Mukdenem, apogeum militarnej katastrofy Rosji w wojnie z Japonią.

Wynalazek żarówki amplifikacyjnej był nadal ściśle strzeżoną wojskową tajemnicą, ale okazało się, że pomysł na ustrój elektrotechniczny emitujący falę radiową ukradł Tesli pewien młody, bezczelny włoski pieczeniarz, niejaki Marconi, który przekonał wszytkich, że amerykański dziwak coś sobie uroił. Salony obu kontynentów śmiały się z Tesli do rozpuku, a tymczasem starczyło, aby jeden dystyngowany dureń z drugą wykoafiurowaną idiotką choć raz spojrzeli na schemat elektryczny nadajnika Marconiego, porównali go ze schematem transformatora Tesli i nawet ostatni głupek by zobaczył, że plagiat jak byk!

Sergiusz nie rozumiał, jak ktokolwiek mógł mieć co do tego jakiekolwiek wątpliwości. Jeszcze bardziej nie pojmował, dlaczego generała Brusiłowa, który wojnę z Japonią pierwszy przewidział i najlepiej przemyślał, wciąż trzymają za biurkiem w Petersburgu, a Mikołaj II powierza naczelne dowództwo jakimś idiotom, każdy następny głupszy od poprzednika. Dobrze, że Swietłana tego nie dożyła, bo cierpiałaby męki zwątpienia w mądrość Białego Cara.

Teraz jednak to co było, nie miałojuż żadnego znaczenia. Drogą na Tieling walił zdziczały tłum, który w niczym nie przypominał dumnej armii imperium. Ogólny odwrót zarządzony przez generała Kuropatkina, który nie miał dość honoru, by zaraz potem strzelić sobie w łeb, zamienił się w bezładną, paniczną ucieczkę przeszło dwustu tysięcy ludzi – zdemoralizowanych klęską sołdatów, rannych, cywilów, rodzin oficerów i podoficerów. Ech, żeby chociaż zdołali uciec, bo i na to się nie zanosiło...

Kawaleria w większości zwiała pierwsza i teraz Japończycy bez skrępowania podciągali artylerię w pobliże zakorkowanej drogi. Zanosiło się na rzeź, o jakiej świat dotąd nie słyszał. Ale można było jeszcze coś zrobić, gdyż kapitan Sergiusz Lawendowski, kawaler Krzyża Świętego Jerzego „za Afganistan", ze swoimi poszczerbionymi nad rzeką Hun-ho szwadronami wciąż był tam, gdzie powinien być, i osłaniał ów, za przeproszeniem, „ogólny odwrót". Prawdę mówiąc, robotę mieli tu dokładnie taką, jak amerykańscy kowboje przy stadzie spłoszonych krów. Tylko lassa nie były potrzebne, zaprowadzali porządek płazami szabel.

O dziwo, sztab Armii Mandżurskiej jeszcze istniał, a w nim ktoś z głową na karku, komu już nie przeszkadzali panowie generałowie, którzy zrobili co swoje i poszli w diabły. Podległe Lawendowskiemu oddziały wzmocniono jakimiś niedobitkami do pełnych trzech sotni i kazano im szarżować na japońskie armaty.

Kiedy Sergiusz odbierał ten rozkaz, zapachniało Somosierrą... Jeżeli doskoczą, wysieką obsługę, odwrócą zdobyte działa, a potem jeszcze dobiegnie do nich jakaś piechota... Wszak paru bystrych oficerów i kilkuset zuchów chyba by się jeszcze w tym bajzlu znalazło? To kto wie? Może jeszcze dałoby się odwrócić losy tej bitwy, a może nawet i wojny... Wszak Japończycy też zdrowo dostali w kość, już zaczęło im brakować ludzi, wśród jeńców trafiali się świeży rekruci, wzięci ledwie dwa miesiące temu wprost z pól ryżowych.

Mrzonki skończyły się, gdy dotarli na pierwszą linię. Japończycy zaczęli już ostrzał drogi na Tieling ogniem na wprost, zamieniając i tak już niekarnych rosyjskich żołnierzy, słownie, w stado oszalałych małp w mundurach. Jedyne, co kapitan Lawendowski mógł zrobić, to ściągnąć ogień na swoją kawalerię, żeby pociski artyleryjskie nie padały w zbity tłum, który wciąż napływał od Mukdenu jak mętna krew z przeciętej żyły.

Ustawił swoich w cztery szeregi, żeby mieli jeszcze poważną siłę uderzeniową, gdyby jednak, jakimś cudem udało się im doszarżować. Już samo pojawienie się rosyjskiej kawalerii na przedpolu sprawiło, że ogień japońskiej artylerii zelżał. Przekierowywali działa...

Sergiusz odwrócił się do żołnierzy.

– Przed wami sława, za wami hańba! – zawołał. – A nie pożyjecie ani tu, ani tu! Ale komu strach, won do tyłu! Z tchórzami mi nie po drodze!

Dał im chwilę do namysłu i sięgnął po szablę. Nie po tę regulaminową, u boku, ale pod czaprak Torsziego, gdzie wciąż tkwiły „Bóg, Honor i Ojczyzna"... Teraz przyszło się z nimi pogodzić. Dopadła go ta przeklęta polskość w najmniej oczekiwanym miejscu i czasie. Oto teraz, jak wszyscy polscy buntownicy porywał się z motyką na słońce... Niech zatem będzie stara polska szabla na japońskie słońce na Chryzantemowym Sztandarze! Wyjął klingę i pocałował. Stal była ciepła od końskiego boku i było mu trochę głupio, że żołnierze patrzą i robią to samo. Ech, ładnie by teraz wyglądał, gdyby jedynym motywem jego postępowania była psia chęć służby silniejszemu, właśnie teraz, gdy imperium carów okazywało się zmurszałym do cna, martwym pniem. Ale nic to! W imię Boże i za Białą Carównę...

Przeżegnał się szybko.

– Naprzód! – zawinął ostrzem, pokazując japońskie pozycje. – *Buru beheir*, Torszi – szepnął w ucho wierzchowca. – Dobrej drogi, mój Marynato!

Ruszyli w równym szyku, szybko nabierając prędkości. Było jasne, że za chwilę oberwą szrapnelami, i to mocno, ale że aż tak, to Sergiusz nie przypuszczał w najczarniejszych snach. Jakby eksplodowała nad nimi salwa z wieży artylerii głównej liniowego pancernika. Podmuch wbijający konie brzuchami w ziemię i ulewa ołowiu! Jedna trzecia szarżującego oddziału momentalnie przestała istnieć, a przecież Japończycy mieli tylko pięć czy sześć baterii zwykłych polowych trzycalówek. Tylko jeden człowiek umiał tak zgrać i skoncentrować ich ogień. Jednego takiego geniusza nowoczesnej artylerii Sergiusz znał w swoim życiu...

Kapitan Lawendowski ocalał, bo był na przedzie. Obejrzał się. Jego oddział jechał w tej chwili we wszystkich możliwych kierunkach, ale większość wciąż za dowódcą. Tylko kilkunastu się załamało i uciekło.

– Rozluźnić szyk! – zakomenderował. – I wyrównać! Nie zatrzymywać się! Naprzód!

Wpółuładzone linie znów rozwichrzyła salwa szrapneli. Następna, następna, następna i następna... A jednak wciąż rwali naprzód, parli jak szaleni na japońskie działa. Torszi kwiknął boleśnie. Nauczony ignorować ból rumak do *buzkaszi* musiał dostać naprawdę mocno, ale wciąż biegł.

Naprzód i naprzód!

Wokół Sergiusza ubywało żywych żołnierzy, a przybywało duchów. Stary Nikita, który pięć lat temu został w górach przy granicy z Koreą, Rumiancew, Jewgieniej, Ged, Swietłana...

Już widać było twarze japońskich artylerzystów krzątających się w gorączce. Prawie miał ich na czubku szabli!

Na lewym skrzydle zagdakał karabin maszynowy. Sergiusz spojrzał ku niemu, by stwierdzić, gdzie dokładnie jest ten cekaem, i zobaczył oślepiająco biały błysk w prawej skroni, który stał się ciemnością...

* * *

Na pobojowisko wyszło dwóch japońskich oficerów w otoczeniu kilkunastu żołnierzy. Ci ostatni tym razem wyjątkowo nie dobijali bagnetami zwijających się w bólu rannych wrogów, tylko omijali ich z szacunkiem. Co więcej, do Rosjan dających jeszcze oznaki życia zaczęli podchodzić skośnoocy sanitariusze.

Jeden z oficerów był Europejczykiem w mundurze majora artylerii Cesarstwa Japonii. Zamiast katany nosił jednak polską szablę, aczkolwiek w taki sam sposób jak jego towarzysz japoński miecz.

– Panie Tanaka, czy to był ich dowódca? – zapytał Europejczyk, wskazując ciało, nad którym stał okrakiem, chrapiący ciężko koń.

Wszyscy podeszli bliżej.

– Dobry koń! Dobry sługa, prawdziwy samuraj! – zaczęli chwalić japońscy szeregowcy, zauważywszy, że wierzchwiec specjalnie osłania swojego pana przed stratowaniem.

Torszi widząc, że pomoc już nadchodzi, odstąpił znad Sergiusza, po czym zwalił się bezwładnie na bok i wierzgnął kopytami w agonii.

Japończycy bez rozkazu stanęli na baczność i zasalutowali konającemu rumakowi.

– Proszę spojrzeć, Adam-san! – zawołał oficer cesarskiej piechoty. – Szabla taka sama jak pańska! Czy to jest pański rodak?

Major Chęciński, pięć lat temu dowódca artylerii Bursztynowego Królestwa, obecnie w służbie cesarza Japonii, podszedł, przyklęknął i odwrócił na wznak ciało leżące twarzą do ziemi.

– Zna pan tego człowieka? – dopytywał się zaintrygowany kapitan Tanaka Joritomo.

Adam Chęciński długo i w skupieniu wpatrywał się w bezkształtną, połyskującą żółtymi fragmentami obnażonych kości, krwawą maskę, w którą zamieniło się przystojne oblicze Sergiusza Lawendowskiego.

Nie umiał go rozpoznać.

KTL
Warszawa, wrzesień–grudzień 2009 r.

Spis treści

KRYMINAŁY RETRO
KONRADA T. LEWANDOWSKIEGO

MAGNETYZER

Warszawa, lata 20. XX w. Eleganckie kawiarnie, w których dyskutuje się o Einsteinie i Freudzie, oraz brudne spelunki, gdzie nad setką wódki załatwiają porachunki chłopaki z ferajny. Bieda i przemoc, ułańska fantazja i polskie piekło, lecz jeden honor. Komisarz Jerzy Drwęcki zgłębia mroczne tajemnice tych światów, tropiąc szaleńca, który posiadł umiejętność przestrajania ludzkich umysłów. Kluczem do zagadki są odnalezione po latach zapiski rosyjskiego magnetyzera.

BOGINI Z LABRADORU

W przededniu 10. rocznicy odzyskania niepodległości marszałkiem Piłsudskim zaczyna interesować się sekta okultystów-patriotów. Rozpracowuje ich nadkomisarz Jerzy Drwęcki przy współpracy ekscentrycznego angielskiego detektywa Reginalda Pulteneya. Zaczynają ginąć ludzie. Klucz do zagadki znajduje się w kawiarni Ziemiańska. Tylko jak skłonić do współpracy z policją młodego prawnika i pisarza Witolda Gombrowicza czy Franciszka Fiszera?

KRYMINAŁY RETRO
KONRADA T. LEWANDOWSKIEGO

ELEKTRYCZNE PERŁY

Śledztwo prowadzi Drwęckiego do Poznania tuż przed Powszechną Wystawą Krajową. Sprawa ma drugie, grząskie dno. Kariera Drwęckiego jest zagrożona. Nawet pułkownik Wieniawa-Długoszowski tym razem ma za krótkie ręce... Na domiar złego wychodzi na jaw mroczna tajemnica sprzed 30 lat, dotycząca kręgu krakowskich przyjaciół Stanisława Przybyszewskiego. Tadeusz Boy-Żeleński, chociaż cała Polska nuci jego *Słówka*, ma coraz mniej powodów do śmiechu.

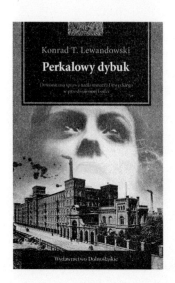

PERKALOWY DYBUK

Nadkomisarz Jerzy Drwęcki usiłuje pogodzić obowiązki młodego ojca z kierowaniem Urzędem Śledczym. Na przeszkodzie stają przebudzone wojenne demony. Psychika oraz podwładni nadkomisarza zaczynają odmawiać posłuszeństwa. Surowe decyzje personalne tylko pogarszają sytuację, aż wreszcie ofiarą makabrycznego mordu pada bliski współpracownik. Wykrycie zabójcy staje się kwestią honoru. Trop wiedzie do Łodzi, gdzie Drwęckiemu przyjdzie do reszty zwątpić w zdrowie własnego umysłu.

KRYMINAŁY RETRO
KONRADA T. LEWANDOWSKIEGO

ŚLĄSKIE DZIĘKCZYNIENIE

Nadkomisarz Drwęcki podejmuje się misji politycznej. Jest druga połowa listopada 1929 roku, do Polski docierają pierwsze skutki Wielkiego Kryzysu. Jerzy Drwęcki na prośbę pułkownika Wieniawy-Długoszowskiego wyrusza na Górny Śląsk z misją ostatniej szansy. Ma przekonać Wojciecha Korfantego do zawarcia ugody z rządem.

POWIEŚĆ PRZYGODOWA
KONRADA T. LEWANDOWSKIEGO

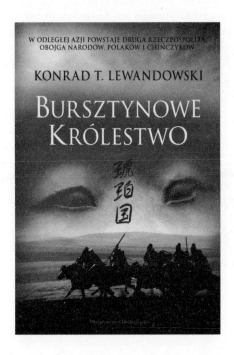

BURSZTYNOWE KRÓLESTWO

Mandżuria, ostatnia dekada XIX wieku. Polscy poszukiwacze złota i zbiegowie z Sybiru spotykają ukrytą w górach Małego Chinganu gminę niedobitków Tajpingów, której przewodzi potomek ich pierwszego władcy. Zgodnie z odwieczną polską tradycją przeprowadzają wolną elekcję i wybierają chińskiego księcia na króla Polski. Jego Wysokość Hung Śiao-Tien przybiera imię Władysława V. Powstaje Druga Rzeczpospolita Obojga Narodów, tym razem Polaków i Chińczyków, zwana Ukrytym lub Bursztynowym Królestwem...

Lewandowski napisał szaloną powieść przygodową, w której jednak najbardziej szalone i nieprawdopodobne są prawdziwe fakty historyczne.

GRUPA WYDAWNICZA
PUBLICAT S.A.

Firma rozpoczęła swoją działalność w 1990 roku pod nazwą **Podsiedlik-Raniowski
i Spółka**. W 2004 roku przyjęto nazwę **PUBLICAT S.A.**, w tym samym roku
w skład grupy PUBLICAT weszło wrocławskie **Wydawnictwo Dolnośląskie.**
W 2005 roku dołączyło do niej katowickie **Wydawnictwo Książnica.**
Rok 2006 to objęcie nazwą **Papilon** programu książek dla dzieci.
W roku 2007 częścią grupy stała się warszawska **Elipsa.**

Papilon – baśnie i bajki, klasyka polskiej poezji dla dzieci, wiersze
i opowiadania, książki edukacyjne, nauka języków obcych dla dzieci

Publicat – książki kulinarne, poradniki, książki popularnonaukowe,
literatura krajoznawcza, hobby, edukacja

Elipsa – albumy tematyczne: malarstwo, historia, krajobrazy
i przyroda, albumy popularnonaukowe

Wydawnictwo Dolnośląskie – literatura faktu i poradnikowa,
historia, biografie, literatura współczesna, kryminał i sensacja,
fantastyka, literatura dziecięca i młodzieżowa

Książnica – literatura kobieca, powieść historyczna, powieść
obyczajowa, fantastyka, sensacja, thriller i horror, beletrystyka
w wydaniu kieszonkowym, książki popularnonaukowe

Publicat S.A., 61-003 Poznań, ul. Chlebowa 24, tel. 61 652 92 52, fax 61 652 92 00
e-mail: office@publicat.pl, www.publicat.pl
Oddział w Katowicach: Wydawnictwo Książnica, 40-160 Katowice, Al. W. Korfantego 51/8,
tel. 32 203 99 05, fax 32 203 99 06, e-mail: ksiaznica@publicat.pl
Oddział we Wrocławiu: Wydawnictwo Dolnośląskie, 50-010 Wrocław, ul. Podwale 62,
tel. 71 785 90 40, fax 71 785 90 66, e-mail: wydawnictwodolnoslaskie@publicat.pl
Oddział w Warszawie: 00-466 Warszawa, ul. Polna 46/7